우리 문화재 수난일지 8

우리 문화재 수난일지 8

2016년 11월 27일 초판 1쇄 인쇄
2016년 11월 30일 초판 1쇄 발행

글쓴이 정규홍
펴낸이 권혁재

편집 김경희
출력 CMYK
인쇄 한일프린테크

펴낸곳 학연문화사
등록 1988년 2월 26일 제2-501호
주소 서울시 금천구 가산동 371-28 우림라이온스밸리 B동 712호
전화 02-2026-0541~4
팩스 02-2026-0547
E-mail hak7891@chol.net

ISBN 978-89-5508-361-3 94910
ISBN 978-89-5508-353-8 (SET)

우리 문화재 수난일지

8

정규홍

학연문화사

▋ 목차

우리 문화재 수난일지

1933년

1933년 1월 9일

불상 절도범 검거

동래군 대본산 범어사 안양암에서는 지난 3일 새벽에 암자 정전에 안치하였던 도금 청동제인 높이 1척3촌 가량의 觀世音菩薩像 1좌를 도난당하였다. 1월 9일에 경남 경찰부 보안과 형사가 부산의 전당포에서 불상을 발견하고 범인을 검거하는 한편 잃어버렸던 불상도 되찾게 되었다.[1]

1933년 1월 10일

청도군 풍각면 송서동 612 온장찬의 밭에서 10일에 석검 1개, 화살촉 2개를 발견, 현품을 총독부에 보냄.[2]

1933년 1월 11일

전북 익산군 팔봉면 팔봉리 김봉진은 지난 1월 11일 인부와 함께 팔봉면 금죽동

---

1 『東亞日報』1933년 1월 13일자; 『中央日報』1933년 1월 13일자.
2 『每日申報』1933년 1월 14일자.

이란 곳에서 황무지를 개간하던 중 고 1척5촌 둘레 4척의 고병 1점을 발굴했는데, 이곳은 금죽사金竹寺라는 사원이 있던 곳으로 초석과 와편 등이 산재한다고 한다.[3]

1933년 1월

사임당(師任堂) 필첩 복사 배부

강릉고적보존회는 기본재산 조달을 위해 신 사임당의 친필 필판筆板 8매를 복사하여 전국 각지에 배부했다.[4]

조선문흥회 창립

한국문화의 연구와 진흥을 목적으로 금극배金克培, 권상노權相老, 장지영張志暎, 최선익崔善益, 변영태卞榮泰, 김교신金敎臣 등이 주동이 되어 종로 백합원百合園에서 조선문흥회朝鮮文興會를 창립하고, 문헌수집, 도서출판, 강습회개최, 잡지발행 등의 사업을 추진키로 되다.[5]

---

3 『每日申報』 1933년 3월 26일자.
4 『每日申報』 1933년 1월 23일자.
5 『東亞日報』 1933년 1월 13일자

1933년 2월 14일

평양 대동군 용악면 고분조사

유적(유물발굴 흔적) / 유물 출토구역

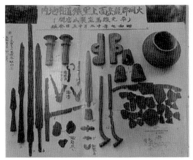

대동군 용악면 상리 철도 용지 안
발굴 유물 사진

1932년 12월 15일 평안남도 대동군 용악면 상리에서 철도노선 성토 채굴 중 우연히 세형동검을 비롯하여 다수의 유물이 발견되었다. 유물은 바로 평양공무사무소에 보관했다는 보고가 있어 이듬 해 1933년 2월 14일에 가야모토 가메지로榧本龜次郎을 파견하여 뒷수습적인 조사가 행해졌다.[6]

---

6 「대동군 용악면 고분조사」,『국립중앙박물관 소장 조선총독부박물관 문서』, 목록번호 : 96-279.

1933년 2월 22일

밀양 용궁사龍宮寺 전소

22일 아침 밀양읍 가곡리에 있는 용궁사 부엌에서 발화하여 전소되었다.[7]

1933년 2월 24일

경상북도 고적유물 보존상황 조사

1933년 2월 24일부터 3월 9일까지 고원 최세현崔世賢, 촉탁 사와 순이치澤俊─는 경상북도의 고적 및 유물을 시찰한 후 1933년 3월 24일에 복명서를 제출하였다. 이 복명서에는 경상북도 소재 등록 유물의 소재지, 특징, 상태 등이 기재된 조사서와 사진이 실려 있으며, 조사 중 발견한 미등록 유물의 개요와 사진도 첨부되어 있다. 이 당시 조사한 내용과 첨부 사신은 유물 연구에 중요한 참고가 되고 있나.[8]

상주 화달리 3층석탑(등록 제109호, 상주군 사벌면 화달리 422)

복명서에는 높이 지상 약 18척으로 등록 전에 기단에 틈이 생기고 붕괴의 우

---

7 『中央日報』 1933년 2월 25일자.
8 「경상북도 고적유물 보존상황 조사(崔世賢, 澤俊一 復命書)」, 『국립중앙박물관 소장 조선총독부박물관 문서』, 목록번호 : 96-279.

복명서 사진

려가 있어 조만간 수복修復해야 할 것으로 생각한다고 보고하고 있다.

상주 복룡리 석불상(등록 제154호, 상주 복룡리 258)

복명서에는 "좌상으로 현재 와즙瓦葺의 소당小堂에 안치되어 있으며, 하부는 토에 매몰되어 높이를 알 수 없으며 현재 고 약 5척"으로 기록하고 있다. 사진은 누락되었다.

* 현재는 보물 제119호로 지정되어 경북 상주시 서성동 163-48에 옮겨져 있다.

상주 증촌리 석각불상(등록 제152호, 상주군 함창면 증촌리258)

"광배를 가지고 있는 입상으로 고 지상으로부터 5척이다. 무릎 아래 약 3척은 지하에 매몰되었다고 한다. 현재 김형한의 주택 정원 내에 있다"고 하며 담장 옆에 무릎 아래가 모몰된 사진을 첨부하고 있다.

* 현재 보물 제118호로 지정되어 상주 함창면 증촌리의 용화사 약사전에 모셔져 있다.

용화사는 1950년대에 세워진 사찰로 원래 이곳에 있던 사찰의 정확한 연혁은 알 수 없다. 조선 후기에 편찬된 『함창읍지』에 '사창 뒤 현탑동에 신라 고찰인 큰 절이 있는데, 석조 미륵상 2위가 있다' 라고 기록되어 있다고 하는데, 석조 미륵상 2위란 바로 용화사 약사전에 봉안된 보물 제118호 상주 증촌리 석불입상과 보물 제120호 상주 증촌리 석불좌상을 가리키는 것으로 추정된다. 사찰

복명서 사진 | 용화사 약사전의
석각불상

은 민가 속에 있으며 주요 전각인 약사전을 비
롯하여 일주문과 요사채 2동이 있다.

상주 증촌리 석불상(등록 제153호, 상주군
함창면 증촌리 258)

복명서에는 "고 25척4촌, 두부는 파손되어
수리했다. 소화4년 관리인 임성조가 草葺의 소
옥을 건립하여 안치했다"고 기록하고 있다. 장
식을 하지 않은 초옥 안에 모셔져 있는 사진을
첨부하고 있다.

복명서 사진

용화사 내의 석불좌상

* 현재 보물 제120호로 지정되어 용화사 약사전에 모셔져 있다.

문경 내화리 삼층석탑(등록 제111호, 문경군 산북면 내화리 48)

1932년 3월 초에 어떤 자가 밤에 몰래 도괴한 사실과 내화리 동민이 이튿날 아침에 그곳에서 이 탑에 매장하였던 도금제보살입상 1, 금동제8각사리합 1, 은제사리병 1이 산란한 것을 발견하고 동년 3월 6일부로 매장물을 신고하여 현재 본부박물관에 이를 보관했다는 내용을 보고하고 있다. 첨부한 사진에는 기단 상부가 산란하고 간석, 탑신이 도괴되어 있다.

복명서 사진

개심사지(開心寺址) 오층석탑(등록 제106호, 예천군 예천면 남본동 202, 203)

* 『조선보물고적조사자료』에는 "고 2칸의 5층석탑, 형태가 완전하고 아름다우며 신라시대 개심사 유물이라 하는데 읍의 남방 2백 칸의 답 중에 있다"라고 하며, 『조선고적도보』의 사진을 보면 하층 기단은 매몰되어 탑이 자리한 일대가 전부 경작지화 되어 있다. 복명서의 사진에는 목재로 보호 시설을 해두고 있다. 현재 이 석탑이 위치한 일대는 잔디를 깔고 보호

대를 둘러 잘 보존하고 있다. 이 석탑은 고려 초기의 건립된 5층석탑으로 상층기단 덮개돌 밑 사방에 '通和二十七年 庚戌年'이라는 문자를 비롯한 석탑기가 새겨져 있다. 1층탑신에는 금강역사상을, 하단기단 사방에는 12지상을 부조한 보기 드문 아름다운 석탑이다.

최근 모습

동사지(東寺址) 삼층석탑(등록 제107호, 예천군 예천면 동본동 473)

"탑 전체가 동방으로 기우려져 지금 수축을 요함"이라하며 탑 기단 바로 옆까지 경작지로 변한 사진을 첨부하고 있다.

동사지(東寺址) 석불상(등록 제108호, 동본동 474-2)

"입상으로 현재 瓦葺小堂 내에 안치되어 있으며 무릎 이하는 매몰, 무릎 이상 고 약 10척 경부 절손된 것을 접합한 것"이라고 기록하고 와즙소당 안에 모셔진 사진을 첨부하고 있다.

복명서 사진

*『조선보물고적조사자료』에는 "읍의 동방 계천변의 답중에 있고 석탑 고 9척의 3층방탑, 석불 고 7척의 입상으로 2칸의 거리를 두고 남북에 병립해 있으며 함께 형태가 완전하며 신라시대의 유물이

복명서 사진   예천읍 동본리 삼층석탑과 석불

라 함"이라고 기록하고 있으며, 『고적급유물등록대장초록』(1924)에는 "두부 절
단"이라고 기록하고 있다. 석불입상은 무릎이하가 매몰되어 있었는데 1960년
에 신도들이 이를 발굴하여 아름다운 족부와 연대의 일부가 나타났다. 또 이를
발굴하는 도중에 1960년 6월에 금동불상 1구가 발견되었다.[9] 석불입상은 고적
도보에 실려 있다.

---

9 석불은 원래 무릎 이하가 매몰되어 있었는데 1960년경에 신도들에 의하여 매몰된 부분이
발굴되었다. 이렇게 매몰된 부분을 발굴하는 도중에 1960년 6월에 우연히 금동불상 1구
가 발견되었다.
이 금동불상은 "출토품에는 틀림없으나 그 보존산태가 양호하여 아직도 도금이 잘 남아
있다. 석조불상과 어떠한 관계를 가지고 있는지 알 수 없고 석조불상이 있는 부근을 東岳
寺址라고 부르고 있지만 그 진위는 알 수 없다"고 한다.(秦弘燮, 「醴泉 東本洞 發見 金銅
觀音菩薩立像」, 『考古美術』제1권 3호, 1960년 10월.)

영주 영주리 석불상(등록 제105호, 영주군 영주면 영주리)

복명서에는, 전장 약 7척 광배가 있는 우수한 입불상으로 원래 헌병분대 앞에 있던 것을 영주공립보통학교 앞 도로 광장의 큰 나무 밑에 이치移置했다고 하며, 큰 고목 아래 이건한 사진을 첨부하고 있다.

*『조선보물고적조사자료』에는 "5척7촌의 입불상 1체 광배가 있다. 군청 동방에 고 4척의 입불상 1체"라 기록하고 있다.

복명서 사진

현재 영주시 가흥동 2-15 영주도서관에 옮겨져 있다. 안내판을 보면, 영주리석불입상은 전체 높이 239cm, 불상 높이 188cm의 석불입상으로 1917년 영주시 가흥동 남산들 제방공사 중에 발견되어 영주초등학교 앞 도로 중앙에 모셨다가, 나시 영주도서관내에 별도의 보호각을 세워 보관했다고 한다.

1917년 영주시 가흥동 남산들 제방공사 중에 발견되었다고 하는데『조선보물고적조사자료』와는 크기의 차이가 있다. 『고적급유물등록대장초록』(1924)에는 "슬부膝部 이하 토중에 매몰" 이라고 하고 있어 여러 의문점을 가지고 있다. 또한 다른 한 기의 석불

영주도서관 내의 석불상

상은 어디로 사라졌는지 아직 단서가 보이지 않는다.

영주 사현정리 삼층석탑(등록 제144호, 영주군 순흥면 읍내리183)

복명서에는 "등록 후 어떤 자가 이를 도괴하였다. 지금 1층이 잔존하며 상층은 분리하여 반은 지하에 매몰함 3층탑이라고 하나 옥개석이 4개 있다. 탑신은 1개도 보이지 않음 매장되거나 혹은 도난당한 것 같음, 조사와 수복을 요함" 이라 하고, 개울가에 버려져 방치한 사진을 첨부하고 있다.

복명서 사진

* 영주군 읍내리는 사현정리라고 부르기도 했는데, 사현정에 대해서는 『풍기군지豊基郡誌』(1849년경)[10]에 의하면, "四賢井, 고을 동쪽 2리쯤에 있다. 고려 때 밀직공 안석에게 세 아들 안축, 안보, 안집이 있었다. 이로써 네 현인이 사는 곳이라 하였다. 동네 남쪽에 우물이 있다. 가정 을사년(1545)에 신재 주세붕이 우

---

10 동양대학교 전통문화연구소, 『國譯 榮州三邑誌』, 소수박물관, 2012.

물가에 비석을 세워 표하였다. 뒤 병자년(1636)에 방손 안응창이 다시 세웠다"
고 한다. 이로써 사현정리라는 것은 바로 이 동리에 사현정이란 우물이 있다고
하여 붙여지게 된 지명이라 할 수 있다.

이 마을에는 1924년 까지만 해도 '사현정리3층석탑' 이라 명명하는 아주 귀
중한 석탑이 있었다. 이 석탑은 <고적급유물보존규칙>에 의해 1924년에 『고적
급유물등록대장초록』(1924년 4월 현재)[11]에 '사현정리당간지주'와 함께 등재되
어 있었다. 당시 등재 한 유물의 수가 많지 않은 점을 고려한다면 이 석탑의 가
치가 얼마나 귀한 것인지 짐작할 수 있다.

『고적급유물등록대장초록』 에는 화강석의 방형3층탑으로 높이 12척이었다
고 기록하여 온전한 모습을 하고 있었던 것으로 보이는데, 이후 언제인가 불법
자들이 내부의 장치물을 훔치기 위해 탑을 파괴했다.

이 후 1931년 총독부 학무국 종교과에서 심의한 조선고적 명소천연물보존령
과 보물보존령으로 규정하여 등록한 지정 유물에서는 이 석탑의 이름이 빠져
있다.[12] 1934년에 조선보물고적보존회가 보물을 지정할 때에도 사현정리 삼중
석탑의 이름이 빠져있다.[13] 이는 석탑의 파괴와 석재의 분실이 1931년 6월 이
전에 행해진 것임을 알 수 있다.

상주 내화리석탑의 경우에는 1932년에 불법자에 의해 도괴되어 내부의 장치물
을 잃고 파괴된 채로 석재가 흩어져 있었으나 1934년에 보물로 지정하고, 그 후

---

11 朝鮮總督府, 『古蹟及遺物謄錄臺帳抄錄』(1924년 4월 현재), 1924.
12 『東亞日報』 1931년 6월 9일, 10일자.
13 『東亞日報』 1934년 5월 4일자.

1937년에도 복원을 하지 않은 채 보물로 등재하고 있다. 이런 점으로 본다면 사현 정리탑은 이미 탑재를 잃어버렸기 때문에 등재를 하지 않았음을 짐작할 수 있다.

사와 슌이치澤俊一의 복명서에서 제시한 사진상에는 개석 4개와 탑신석 1개가 보이고 있다. 원래 3층탑이었기 때문에 탑의 일부는 매몰되고 탑신은 모두 분실 된 것으로 보아 탑이 도괴된 후 상당히 시간이 지났음을 알 수 있다. 원래 3층탑으로 등재하고 있는데 옥개석이 4개라는 점으로 보아, 도괴되어 있던 석재의 일부를 누군가가 가져가 버리고 또 다른 석탑재를 이곳에 모아 두었을 가능성이 있다.

『경상북도 문화재지표조사보고서(Ⅱ)』(1981)의 사현정리의 사지 조사기록을 보면 다음과 같이 기록하고 있다.

이곳의 탑재는 오래전에 분실되어졌으며 탑지를 정확하게 기억하는 부락 민도 없다. 다만 읍내 3리 315번지 오태백 씨댁 주변에 석등 대석을 비롯 몇 개의 석조물이 남아 있어 이 일대가 사지였음을 짐작케 할 따름이다. 그리고 사현정부락에서 출토되어졌다는 석불좌상과 불두가 순흥면사무소 에 보관되어 있다. 최근에도 이곳의 석조물이 행상들에 의해 반출되어 진 다하는데 철저한 보존책이 있어야겠다.[14]

영주에서 가장 우수한 영주 사현정리탑은 일제강점기 탑 내의 보물을 탐한 불법자들의 도굴과 탑재의 반출로 인해 이같이 영원히 사멸되고 말았다.

---

14 경상북도,『경상북도 문화재지표조사보고서(Ⅱ)』, 1981.

영주 석교리 이체석불상(二體石佛像)(등록 제145호, 영주군 순흥면석교리 161)

복명서에는 "동서 약 20수 칸의 거리를 두고 전중에 병립, 동방 1체는 좌상으로 蓮座를 가지고 있고 상의고 2척3촌이다. 서방의 1체는 입상으로 현재 지상 약 4척6촌의 높이로, 2체 모두 두부는 절손되어 현재 하등의 보존시설이 없어 훼손의 우려가 있으며, 또 등록대장 및 도 보고가 잘못되어 정정을 요함" 이라고 보고하고 서방의 석불은 사진을 첨부하고 있는데 동방의 석불좌상은 사진이 누락되어 있다.

*『조선보물고적조사자료』에는 "사지1, 승림사지僧林寺址라 한다. 석불 3체, 성하동에 2구가 있고 고 6척 폭2척 8촌, 고 9척 폭 3척 2촌 모두 좌상으로 완전하다. 읍내리에 고 6척 폭 2척 8촌의 좌상이 있다" 라고 기록하고 있다.

『불교사전』(1989)에 의하면, "승림사지는 경상북도 영주 순흥면 동호리에 있던 절. 석불 좌상 3구가 있음"[15]이라고 하여 『조선보물고적조사자료』의 기술과 같은 내용을 담고 있다. 그러나 이 석불좌상3구의 행방에

서방석불(복명서 사진)

복명서에 서방불로 기록한 보물 제116호
(순흥면 석교리 160-1)

---

15 운허용하,『불교사전』, 동국역경원, 1989.

도난당한 전 승림사지 출토 석불상(『경상북도
문화재지표조사보고서Ⅱ』 도판34-2)

대해서는 알 수 없다.

승림사지라 불리는 순흥면 석교1리 161번지 일대에는 보물 제116호로 지정된 영주 석교리석불입상 외에 몇 개의 석조물이 더 남아 있다. 이곳에는 2개의 석등연화대석이 흩어져 있다.[16]

『영주시사』(영주시사편찬위원회, 2010)에 의하면 승림사지는 "석교리 마을에서 동쪽으로 죽계 건너편의 야트막한 야산의 계곡부분이 사지로 전해지고 있다. 사지에는 보물 116호인 영주석교리석불입상이 있고, 그 외 석조물과 연화대좌, 석불좌상 1구가 있었다고 하나, 현재 이곳은 과수원으로 경작지화 되어 있으며 석불입상 1구만 보호각 안에 남아 있다. 전하는 말로는 순흥면사무소에 있는 두부가 없는 석불좌상 1구와 봉서루 옆에 쌓아둔 석조물이 승림사지에서 옮겨온 것이라고 한다"라고 하고 있어 『조선보물고적조사자료』에 기록하고 있는 좌상이 아닌 다른 입상을 지목하고 있다.

『경상북도 문화재지표조사보고서Ⅱ』(1981)에는 전 승림사지 출토 불상(도판34-2)이라 하여 순흥면 사무소의 석조물을 소개하고 있다. 하지만 현재 순흥면 사무소에는 보이지 않는다. 도난을 당한 것이다.

---

16 『慶尙北道 文化財地表調査報告書Ⅱ』, 1981.

등록 제103호 숙수사지(宿水寺址) 당간지주(幢竿支柱)

소수서원 내

*『매일신보』1916년 6월 27일자에는 다음과 같은 기사가 있다.

복명서 사진

부석사와 소수서원

원은 풍기군수 주세붕이 건영建營한 것이니 숙수원宿水院의 구기舊基라 숙수사의 창립사적은 알지 못하나 현재 초석, 당간지주 등으로 이를 추고한 즉 조각 기교가 모두 뛰어나 신라초창인 것이 확실함과 같으며 어느 시대까지 존재하였는지 문헌에 없어 알지 못하겠으나 조선초기에 억불흥유抑佛興儒정책을 취하였을 때 파괴한 것이 아닌지, 서원역내 수림 사이에 법등法燈이 풍豊하고 당시를 추상할 많은 고 3칸여의 당간이 서 있고 <중략> 원의 건축의 초계礎階는 숙수사의 석계로 중용한 것이니 간간히 우려한 연판을 각한 것과 천부를 육각한 것이 잔존한 것을 보겠더라.

봉화 서동리 삼층석탑(등록 제155호, 봉화군 춘양면 서동리 104)

보고서에는 "대장에 기재된 동서 2기 병립, 동탑은 정부를 잃고 심하게 동북방으로 경사짐"이라 하고 사진을 첨부하고 있다.

복명서 사진

（塔西　三英）　　　　　（塔東　二英）

복명서 사진

*『조선보물고적조사자료』에는 "남화사지覽華寺址라 하며 부근 일대에는 석
단, 용도불명의 대반석 외 약 2칸의 거리를 둔 고 2칸의 5층석탑 2기와 두부가
결손된 고 2척의 석불좌상 1구가 있다" 라고 하는데 '5층석탑' 이라는 것은 3층
석탑의 오기로 보인다.

이곳 사지는 춘양중학교가 들어서고 두 탑은 정원 내에 동서로 쌍탑 형식으로 서있다. 이 석탑이 자리한 곳이 신라 고찰 람화사의 옛터로 알려져 있다. 1962년에 해체수리를 했는데 서탑에서 사리함을 넣었던 사리공이 발견되었으나 내용물은 없어 이미 도굴당했음을 알 수 있다. 동탑에서는 사리병과 함께 99개의 소토탑이 발견되어 경주국립박물관에 보관했다.

사와 슌이치澤俊—의 복명서에 첨부한 동탑 뒤쪽에 보이는 석불좌상은 현재

동탑 출토 유물(국립경주박물관)

춘양중학교 정원에 있는 석탑과 석불좌상

춘양중학교 정원에 초석들과 함께 배치되어 있다.

국립중앙박물관 소장 유리건판을 보면 언제 촬영한 것인지는 알 수 없으나, 1933년 2월에 사와 슌이치澤俊一의 조사 때 촬영한 것과 거의 같은 방향에서 촬영한 사진이다. 그런데 1933년 2월의 사진은 사지가 경작지화 되어 논으로 이루어졌으나, 국립중앙박물관 소장 유리건판은 쌍탑 앞쪽의 사지 흙이 떠내려가고 물바다를 이룬 모습을 보이고 있다.

언제인지는 모르지만 폭우로 사지가 수해를 입은 것이다. 현재 춘양중학교 정문 앞에 개울이 있다.

국립중앙박물관 소장 유리건판 사진

안동 신세동 칠층벽탑(등록 제146호, 안동군 안동읍 신세동)

복명서에는 "1916년 3월에 본부에서 수리" 했다고 하고 사진을 첨부하고 있다.

* 이 탑은 높이 14.8미터로 현존하는 우리나라 전탑 중에서 그 규묘가 가장

크다.[17] 현재 이 탑이 속했던 사찰은 법흥사法興寺로 추정되며,[18] 법흥사에 대해『신증동국여지승람』에는 "부의 동쪽에 있다"라고 하며,『영가지』에는 "법림사전탑法林寺甎塔", "재부동삼리금지유삼간在府東三里今只有三間"이라고 하여 이때까지 겨우 그 법등을 이어 온 것으로 추정된다. 현재 탑의 낙수면에는 곳곳에 아직도 기와를 입혔던 흔적이 남아 있으며『영가지』에 "재부성동오리칠층본부대비보성화정미개축상유금동지식이고철이납관주성객사소용부물在府城東五里七層本府大

복명서 사진

神補成化丁未改築上有金銅之飾李股撤而納官鑄成客舍所用付物"이라 하여 상륜부에는 금동장식물金銅裝飾物이 있었는데 헐어서 객사 소용부물을 주조鑄造하였다고 하는 것으로 보아 본래는 웅장한 모습으로 화려한 장식을 하였던 것으로 보인다.

『조선고적도보 제4권』해설편에, "경상북도 안동읍에서 동으로 약십이정 되는 곳에 7층전탑으로 고 약55척, 기단은 금손괴今損壞"하였으며, 전탑 아래에서 발견된 당초문와(도판 1547~1549)는 동경공과대학 장藏으로 되어 있다.

---

17 지금까지 탑의 높이는 16.4미터로 알려져 왔으나, 정밀조사에 의해 14.8미터로 확인되었다.
    安東市,『安東 新世洞7層甎塔 精密寫眞 實測 및 補修復元方案 調査報告書』, 2003.
18 高裕燮은「조선의 甎塔에 대하여」에서,
    "지금 안동군내에 있는 전탑은 조선에 있는 전탑 중 最古의 것이며 우수한 것이라 하겠다. 그 중에서도 신세동의 7층전탑파가 대표적인 것이다. 신세동의 小字名이 法興洞이므로『東國與地勝覽』에 '法興寺在府東'이라고 보이는 것에 해당하는 것이 아닐까 한다"라고 하고 있다.

이후 일제기에 대대적인 보수를 하였으나[19] 신중한 연구의 결여로 원형의 손상도 함께 하였다.

1913년 8월 현재 해체 보수공사 중이다.

안동 동부동 5층벽탑(등록 제147호)

"대정5년 3월에 본부에서 수리" 했다고 하고 사진을 첨부하고 있다.

* 안동시 운흥동 231, 이 탑은 안동역 입구 있으며 기단부는 따로 없고 장대석을 계단식으로 쌓고 그 위에 탑신을 올렸다. 『영가지永嘉誌』에 "법림사法林寺전탑甎塔"으로 기록하고 있는 탑이 바로 본 전탑을 지칭하고 있는 것으로 추정

복명서 사진

된다. 현재 이 탑이 속했던 법림사에 대해서는 『신증동국여지승람』에는 "법림사재성남法林寺在城南"으로 기록하고 있으며, 『영가지』 불우조에는 "재부성남금지유삼간토불삼토상토사자각일在府城南今只有三間土佛三土像土獅子各一"이라고 기록하고 있어 16세기까지는 소규묘나마 법등을 이어온 것으로 추정된다. 그러나 『교남지嶠南誌』에는 "재군남금폐在郡南今廢"로 기록하고 있으며, 『범우고』에도 "금폐"라고 기록하고 있다.

---

19 『古蹟及遺物登錄臺帳抄錄』(1924년 朝鮮總督府)에는 1916년 3월에 안동동부동5층석탑과 함께 조선총독부에서 수리하고 鐵條柵을 설치한 것으로 기록하고 있다.

현재는 탑 근처에 당간지주만 남아 있고 『영가지』에 나타나 있는 토상土像, 토불土佛, 토사자土獅子는 그 흔적도 찾아 볼 수 없다. 이 탑은 창건 이후 여러 차례 보수를 하면서 많이 변경되었고 수리를 할 때[20] 부족한 전재塼材를 보충하면서 원형이 많이 변경되었다. 『영가지』 '석탑' 조에 "재부성남문외칠층본부대비보상식 여법흥사탑만력무술천장양등산군인철거在府城南門外七層本府大裨補上飾如法興寺塔萬歷戊戌天將楊登山軍人撤去"라고 하여 동지에 따르면 원래 7층이었으며 법흥사탑과 같이 상륜부는 금동제로 장식을 하였던 것 같다. 이후 임란을 맞아 만력무술萬歷戊戌 (1598, 선조31년)에 위 상륜부를 명나라 군인들이 도둑질 해 갔음을 밝히고 있다.

세키노關野의 기록에,

안동 남문외南門外 약 1정반 조금 동편에 오늘날 5중전탑이 있는데 안동읍 동7중석탑에 비해 규모는 적으나 고 약38척, 기단은 파괴되고 옥개는 각층 헌軒을 가지고 있으며 위에 와를 즙했다...... 로반 이상은 실, 초층 남면에 입구를

최근 모습

설하여 안에 감실을 만들고 석불을 안치한 것으로 짐작하는데, 오늘날 실

---

20 補修年代는 정확히 밝히고 있지 않으나 신세동칠층전탑(국보16호)의 경우에 成化(明의 年號)丁未(1487)로 기록하고 있으며, 영가지 臨河寺塼塔條에 "七層本府裨補成化丁未吏民合力修築"이라는 것으로 보아 1487년에 훼손된 塔들을 吏民이 合心하여 대대적으로 수리한 것으로 보아 동부동5층전탑도 이 당시에 수리한 것이 아닌가 추정해 볼 수도 있다.

하였다. 제3층의 남면에 소감小龕이 있는데 최근에 금동불을 안치한 것을 어떤 자가 훔쳐 달아났다.[21]

고 한다.

1910년경에 이곳을 조사한 고적조사원들은 이곳에서 수집한 인왕상 각석 2점과 그 외 와편을 동경 공과대학으로 반출해 갔다.[22]

『고적급등록대장초록』(1924)에는 "1916년 3월 총독부에서 수리하고 철조망을 설치" 했다고 한다.

한국전쟁 때 일부 파손되었던 것을 1962년에 현재의 모습으로 복원하였다.

안동 동부동 5층전탑이 운흥동 5층전탑으로 명칭을 변경했다.

안동 조탑동 5층벽탑(등록 제148호)

"1916년 3월에 본부에서 수리" 했다고 하며, 사진을 첨부하고 있다.

복명서 사진

*『고적급유물등록대장초록』(1924)에는, "1916년 3월에 총독부에서 수리" 했다고 한다.

2013년 8월 현재 해체보수공사 중이다. 안동시 일직면 조탑리 139로 행정구역이 변경되었다.

---

21 關野貞, 『朝鮮の建築と藝術』, 1941, p.549.
22 『朝鮮古蹟圖譜 第4冊』圖版1541~1546.

안동 안기동 석불상(등록 제150호)

"두부頭部를 잃고 대좌도 파괴된 개소가 많다"고 하며, 사진은 누락되었다.

* 영가지永嘉誌에는 근처에 운안사雲安寺가 있었다고 전하고 있다. 석불상은 1961년에 보물 제58호로 지정되었다. 현재 민가 안에 석불사란 작은 사찰이 들어서 법당 안에 모셔 있는데 두부는 새로 만들어 붙였다.

사찰 앞쪽으로는 삼층석탑이 있는데,『조선보물고적조사자료』에는 "부락의 중中에 있다. 3층탑으로 고 2칸 조금 불완전하다" 라고 기록하고 있다. 전에 민가 마당에 있었는데 현재 아름답게 정원화하여 꾸며 놓았다. 기단부는 시멘트로 일부 보완을 하고 있다.

안기동 석불좌상과 3층석탑

안동 옥리동 3층석탑(등록 제149호, 안동군 안동읍 옥동 153)

복명서 사진

최근 모습

"기단이 붕괴되어 상부가 동북방으로 심하게 기울어져 도괴되기 직전의 상태로 지급 修築해야 할 것으로 생각"한다고 하며, 기단이 붕괴되어 도괴 직전의 사진을 첨부하고 있다.

*『조선보물고적조사자료』에는 "3층방탑으로 고 약 3칸 기단이 붕괴되어 동으로 기울어져 있다"고 기록하고 있어 그동안 수리하지 않은 채 방치되어 왔음을 알 수 있다. 탑이 위치한 곳은 현재 안동시 평화동으로 행정구역이 변경되었다. 탑이 주변에 민가가 들어서 있어 절터의 흔적은 찾을 수 없으며, 절 이름 또한 알 길이 없다.

현재 보물 114호로 지정되어 있으며 3층석탑이 도굴된 흔적이 1966년 9월 19일 밝혀졌다. 2층탑신과 1층 옥개 접촉부의 동쪽과 서쪽에 돌이 조각으로 파손되고 탑신에 변화가 생겼다. 안동시 교육청은 현지를 답사하고 탑에 변화 있다는 점을 확인 도굴 여부의 진상을 규명하기 위해 문화재 전문위원에 조사를 의뢰하기도 했다.[23]

---

23 『朝鮮日報』 1966년 9월 21일자.

그런데 한 가지 중요한 것은 국립중앙박물관 소장 유리건판 사진을 보면 이 석탑의 앞에 두부를 잃은 2체의 석불좌상이 놓여 있다. 사진 설명에는 도리이 류조鳥居龍藏가 1914년에 3회 사료조사 때 촬영한 것이라고 하는데, 도리이 류조 鳥居龍藏의 제4회 사료조사는 1914년 4월부터 동 6월까지 경북 경주, 안동 일대 및 전남 전반에 걸쳐 유사이전의 유적을 조사한 것으로 나타나 있다.[24] 그렇다 면 이 석불좌상은 1914년 6월경까지는 있었다는 것이다. 그런데『조선보물고적 조사자료』(1916, 1917년경)나 사와 순이치澤俊一의 복명서 사진은 도리이의 사 진 촬영 방향과 꼭 일치하지만 석불이 있어야 할 곳은 말끔히 비어 있으며 언급 이 없는 것으로 보아 1916년 이전에 이미 다른 곳으로 반출된 것으로 보인다.

옥동 3층석탑 앞의 석불좌상(국립중앙박물관 소장 유리건판)

---

24 「조선에서의 박물관사업과 고적조사사업사(史)」,『국립중앙박물관 소장 조선총독부박물 관 문서』, 목록번호 : 96-284.

청도 송서동 삼층석탑(등록 제114호, 청도군 풍각면 봉기동 719-4)

복명서에는 "고 약 16척으로 기단의 주위에 간극이 생기고 도괴의 우려가 있어 조만간 수리를 요할 상태이다. 등록대장의 송서동이란 소재지는 봉기동으로 개정을 요한다"고 하며 사진을 첨부하고 있다.

*『보물고적조사자료』에는 "고 15척 대석 폭8척의 3층석탑 1기, 송서부락 밭에 있으며 이곳을 천정사지天井寺址라 함" 이라고 기록하고 있다.

현재 이 석탑은 풍각면 송서리 풍각초등학교 서편 길 건너편에 있다. 3층석탑 옆에는 석등연화대석 1개가 놓여져 있는데 역시 천정사 유물로 풍각초등학교 안에 두었다가 2007년 10월에 이곳으로 옮겼다. 이 석탑이 있는 일대와 풍각초등학교 부근이 신라 시대의 천정사지로 알려져 있다.

복명서 사진

2013년 모습

고령 쾌빈동 삼층석탑(등록 제112호, 고령군 고령면 쾌빈동)

복명서에 사진을 첨부하고 있는데 탑 뒤편으로 석등 1기가 보이고 있다.

* 이 석탑과 석등은 현재 고령 대가야박물관 야외전시관에 진열하고 있다. 고령 대가야박물관 야외전시관에는 많은 석조물들이 진열되어 있다.[25] 그 설명에 "고령의 불교문화재. 고령군 내의 여러 곳에 흩어져 있던 것을 모아 고령향교 뒤편의 연조공원에 전시하다가 2004년 12월 현재의 자리로 옮겼다"고 하는 데 그 중의 삼층석탑(통일신라) 1기와 석등(고려시대) 1기는 현재 사진과 그 모습이 거의 일치하고 있다.

복명서 사진

대가야박물관 야외전시관에
옮겨진 쾌빈동 석탑과 석등

고령 지산동 당간지주(幢竿支柱)(등록 제113호)

복명서에 첨부한 사진에는 들판에 방치되어 있는데, 현재 이 당간지주가 있는 자리는 시가지로 변하여 고령읍내 시장거리에 있다.

---

25 앞 책 1917년 11월, '今西龍의 창녕, 고령, 김천 일대의 조사' 참조.

복명서 사진

영주사현정리당간지주(등록 제104호, 영주군 순흥면 읍내리)

복명서에 "등록 후에 도난을 당함"이라고 하고, 사진은 없다.

상주 지사리전탑(등록 제110호, 상주 외남면 지사리 655)

복명서에는 1917년 5월 23일 성씨불명의 일선인日鮮人 2명이 붕괴한 사실을 구체적으로 기술하고 있다.

상주군 함창면 증촌리 258번지 소재 석탑 및 석등(미등록)

복명서에는 석탑은 "3개의 개석, 1개의 탑신, 2개의 기단석 있음, 타 기단은 지하에 매몰되었다고 한다. 석등은 연변을 조각한 1개의 대석이 있는데 탑 위에 올려두었음" 이라 하고 있다.

복명서 사진

* 사진을 보면 민가의 짚더미에 덮여 3개의 개석 위에 탑신이 올려져 있고 탑신 위에 다시 석등 기석이 올려져 있고 그 옆에 2개의 탑의 기단 면석이 있다.

이곳에 해방 후 용화사란 사찰이 들어서고 2001년에 대웅전 앞마당에 새로 삼층석탑을 건립하면서 1층옥개석과 2층옥개석을 사용하고, 복명서의 사진상에 나타난 탑신석은 용화사 석탑 앞에 놓여 있다.

영주군 순흥면 읍내리 소재 석등(미등록)

"석등 정부 화대 주석 등을 잃음, 현재

용화사석탑과 탑신석

오국진의 소유지에 등록 제 104호 사현정리당간지주가 있었던 개소에 산재한다."하고 사진을 첨부하고 있다.

榮州郡順興面邑內里所在石燈

복명서 사진(이 석재들은 현재 소재 불명이다)

영주군 영주면 하망리 소재 석불(미등록)

"두부와 오른 팔을 잃음, 원형의 蓮座 2개가 있으며 우수한 좌상으로 신라시대의 작으로 생각된다. 원래 읍내 하망리 산록 사지에 있었는데 공립보통학교 앞 도로광장 큰나무 밑에 반출, 현재 등록 105호 영주리석불 근처에 안치"했다고 하며 사진을 첨부하고 있다.

복명서 사진

안동군 안동읍 이천동 2 석탑(미등록)

"고 약 9척 상부의 제1층은 가까이 전락됨, 등록 제151호 송천동석불의 배후에 있다"고 한다.

복명서 사진

최근 모습

* 이 부근을 제비원이라하여 연미사지로 추정하고 있다.[26] 이 탑은 마애불이 조각된 대암석위에 건립한 것으로 연미사 뒷산으로 올라가 작은 능선을 따라 내려오면 바위 끝부분에 위치한다. 안내판을 보면 원래 석불상 뒤에 흩어진 탑재를 모아서 복원했다고 하는 것으로 보아 도굴의 화를 입었던 것으로 보인다.

고령군 고령면 쾌빈동 332번지 소재 석탑 및 방형 석좌(石座)(미등록)

"제1층 및 제2층 탑신을 잃고 기단의 북벽을 결실함, 석좌는 蓮瓣을 각했다"고 하며 사진을 첨부했는데 탑은 도괴 직전의 모습으로 논바닥에 방치되어 있다.

복명서 사진

* 현재 고령 대가야박물관의 야외전시관에 소재, 박물관에 전시된 것은 2층 몸돌을 새로 만들어 보충했다.[27]

---

26 진홍섭, 「이형석탑의 1기단형식의 고찰 보」, 『고고미술』 146, 147호, 1980년 8월.
27 앞 책 1917년 11월, '今西龍의 창녕, 고령, 김천 일대의 조사' 참조.

복명서 사진에 보이는 석좌는 대가야박물
관에도 보이지 않는다.

대가야박물관 소재 석탑

1933년 2월 26일

충청남도 고적유물 보존상황 조사

1933년 2월 26일부터 3월 5일까지 조선총
독부 촉탁 오사카 긴타로大坂金太郎는 충청남
도 서천, 보령, 청양, 서산, 천안, 논산, 공주,
부여 등지의 유적 및 유물을 조사한 후 1933
년 3월 11일 복명서를 제출했다. 고적대장에
등록이 완료된 5건의 유적 및 유물의 현상과
고적대장에 등록할 만한 가치가 있다고 여겨
지는 17건의 유적 및 유물의 모양, 상태, 특
징, 내력 등이 기록되어 있다. 보령 성주사지
聖住寺址에서 출토된 문자와文字瓦 탁본拓本과
천안 봉선홍경사갈奉先弘慶寺碣 부근에서 채집
한 문자와文字瓦 탁본拓本이 첨부되어 있다.[28]

천안군 성환면 대홍리
봉선홍경사갈(奉先弘慶寺碣) 부근에서
채집한 문자와(文字瓦) 탁본(拓本)

28 「충청남도 고적유물 보존상황 조사」, 『국립중앙박물관 소장 조선총독부박물관 공문서』,

원지에서 이동된 유물에 대해서는 몇 건을 기술하고 있다.

고적대장에 미등록이나 등록의 가치가 있다고 하는 17건은 다음과 같다.

(1) 보령군 성주사지 동3층석탑

(2) 보령군 성주사지 석계石階

(3) 서산 운산면 신창리 개심사 5층석탑

(4) 논산군 연산면 5층석탑– 고적도보 6권 '2911'에 나와 있는 폐개태사석탑으로 현재 옮겨 읍외 공원 내에 세웠음

(5) 논산군 은진면 관촉사 3층석탑

(6) 논산군 은진면 관촉사석등

(7) 천안군 성거면 천흥리 5층석탑

(8) 부여군 부여면 가탑리 금성산 석불

(9) 부여군 부여면 가탑리 금성산 비로사나불

(10) 부여군 부여면 석목리 노은사지老隱寺址 석불

(11) 부여군 부여면 석목리 노은사지 석탑– 화강암제의 석탑임, 고려시대 작으로 십수 년 전에 옮겨져 부여경찰서 앞에 있다가 소화4년 보존회 진열관으로 옮겨 보존

(12) 부여군 부여면 고란사 약사불석상– 고적도보 제7권 3173으로 기재된 것으로 소화4년에 옮겨 보존회 진열관에 있다.

(13) 부여군 부여면 고란사 미륵석불– 고적도보 제7권 3176으로 기재되어 있으며 소화4년에 옮겨 보존회 진열관에 있다. 화강암제의 좌상으로 두부는 보수함

(14) 부여군 임천면 대조사 석불– 고적도보 제7권 '3162'로 기재

목록번호 : 96-279.

(15)부여면 외산면 무량사 5층석탑– 고적도보 제5권 '1448'로 기재

(16)부여면 외산면 무량사 당간지주– 고적도보 제5권 '1612'로 기재

(17)부여군 외산면 무량사 석등– 고적도보 제5권 '1637' 기재

* 보령군 성주사지 석계는 현재 분실하여 새로 제작했다.

『조선고적도보』를 보면, 금당지에 있었던 것으로 추정되는 석계단이 실려 있는데 평지에서 높게 건축한 기단을 오르는 돌계단의 층석으로 석계단 양편에 사자상을 조각한 미술품[29]

도난당한 석계

이었으나 1986년에 불법자들에 의해 도난을 당하여 현재까지 행방불명이다.

---

29 사진은 『朝鮮古蹟圖譜』 제4책 도판번호 1481로 실려 있으며, 이 石階에 대해서는 1962년 4월에 『고고미술』에 소개한 이은창의 「보령 성주사지의 금당지」에 다음과 같이 소개하고 있다.
基壇 남측 중앙에 石階가 殘存하는데 階段式 踏石(디딤돌)이 층층이 놓이고 양측 隅石으로 짜였다. 隅石의 조각이 볼만한 것이니 지대석 우석, 석사가 모두 一石으로 되었는데 鮮妙한 線刻으로 지대석을 표시하고 그 위에 원판으로 4등분한 모습의 우석을 놓았고 또 이 隅石背를 突帶로 修飾하였으며 그리고 이 石階의 특이한 점은 隅石端 양측에 각각 石獅를 배치한 것이다.
石獅는 전후 四肢를 모아 지대석상에 跪坐의 자세를 취하였다. 양눈을 부릅뜨고 開口한 치열은 험상 굳게 하고 …… 본 사찰의 창건과 동시에 羅末의 소작인즉 저 화엄사 사자석탑계의 유례와 같은 것임을 添記해 둔다

1933년 2월

대구 김재선金在善이 미술품, 전적, 초상 등 사료 5백점을 수집하여 개인 박물관에 전시하고 일반의 관람에 제공하다.[30] 그가 소장하였던 대원군 때의 천주교도로 학살당한 남종삼南鍾三이 남긴 옥중수찰獄中手札과 기독고상基督苦像, 기타 10여 점의 역사 참고품은 1937년에 보성전문도서관에 기증하고, 3대 째 모은 그의 골동서화는 1939년 10월에 경성 흥인심상소학교에 기증을 한다.

평양 양덕군 양덕면 상석리 363번지 임모 씨의 소유 토지에서 고 8척8촌의 8층석탑이 최근 발견되어 수일 전에 임모로부터 부내 모일본인이 이를 매수하려는 것을 양덕경찰서에서 알고 중지시켰다.[31]

충남 부여읍 남산의 금성산 남록에서 고 약 9척의 석불을 발견하다.[32]

---

30 『東亞日報』 1933년 2월 24일자
31 『每日申報』 1933년 2월 7일자.
32 『每日申報』 1933년 2월 26일자.

인제 백담사에서는 1932년 5월 19일 불상 1체를 도난당했는데, 경춘선 금곡 주재소에서 찾았다.[33]

1933년 3월 6일

충청북도 고적유물 보존상황 조사

1933년 3월 6일부터 14일까지 조선총독부 촉탁 고이즈미 아키오小泉顯夫는 충청 북도 내 등록 고적 유물 청주 용두사지철당간, 괴산 마애이체불상 등 총 9건의 유물 및 유적의 소재지, 상태, 보수 현황을 조사한 후 사진 을 첨부하여 1933년 4월 6일 조사내용을 복명했다.[34]

용두사지(龍頭寺址) **철당간**(등록번호 제33호, 청주군 청주면 본성 3성목 청수경찰서 구내)

용두사지龍頭寺址 철당간은 "대정5년 11월 수리를 가함" 이라 하고 청주 경찰서 구내에 있는 사진을 첨부하고 있다.

용두사지 철당간 전경(복명서)

33 『毎日申報』 1933년 2월 7일자.
34 「忠淸北道 古蹟遺物 保存狀況 調査」, 『國立中央博物館 所藏 朝鮮總督府博物館 公文 書』, 目錄 番號 : 96-279.

* 1916년에 충독부에서 보존공사 중에 당간을 구성하고 있는 철통의 중심에 채워진 목재의 부패한 개소에서 목편과 함께 2촌 여의 철주도김불상 1구와 5층 탑 1개를 발견했다.[35]

괴산 신풍리 마애이체불상(磨崖二體佛像)(등록번호 제40호)

신풍리 마애이체불상(복명서)

수안보온천으로부터 연풍에 이르는 이등도로 서의 암벽면에 각출되어 있으며 암벽의 높이는 약 40척, 그 중앙에 약 12척 사방의 방형감方形龕을 만들고 내에 2구의 불상을 조출刻出한 반육조로 원래 채색을 한 것으로 생각된다. 길옆에 "국보이불석불 연풍면國寶二佛石佛 延豊面" 이란 방주표식方柱標式했다고 한다.

사자빈신사지(師子頻迅寺址) 4층석탑(등록번호 제39호, 충북 제천군 한수면 송계리)

사자빈신사지 4층석탑은 초층탑신 이상은 도괴되어 초층, 2층, 3층의 개석은 기단 옆에 흩어져 있는 사진을 첨부하고 있다. 이같이 탑이 도괴된 것은 부근 주민들의 말에 의하면 1932년 5월 15일 타 부락 주민에 의해 파괴되었으며, 이와 같이 각층의 탑신은 하나만 현상과 유존한다고 한다. 초층탑신의 중앙부에

---

35 「彙報」, 『考古學雜誌』 제7권 3호, 1916년 11월.

직경8촌3분 깊이 약 8촌의 원형공圓形孔이 있
으나 내부의 유물은 1932년 파괴 때 약취掠取
해 갔다고 한다. 탑기단의 각명刻銘에 의하면
9층의 석탑으로 알려졌으나, 고적도보 제6
소재 사진촬영 당시에 이미 5층탑신 이상을
잃어버린 것을 알 수 있다고 보고하고 있다.

　*『고적급유물등록대장초록』(1924년 4월)
에는 "4층 이상은 잃고 제3층개석 결손됨"
이라고 기록하고 있다.

　이 탑의 건립연대와 탑지명寺址名은 석탑
기단면석에 음각된 10행 전 79자의 조탑기

사자빈신사지4층석탑(복명서)

로 정확히 알 수 있다. 고려 현종13년(1022)에 건립되었으며 당시의 절 이름은
사자빈신사獅子頻迅寺였다. 현재 보물 제94호
로 지정되어 있다.

충주 남문 밖 철불상(등록번호 제36호)

　"등록번호 제36호 충주 남문외 철불상. 충
주군 충주읍 영정 116번지, 서본원사 충주포
교소 내, 1932년 12월 27일부 충주지사보고
에 의하면 등록대장 기재의 소재지가 현존과
같이 된 것은 1928년 4월 20일로 충주읍내
영정 116번지 서본원사포교소 본당 앞에 이

『조선고적도보』에 나타난 모습

전하였다"고 한다.

　* 이 불상의 원래 위치는 알 수 없다.『조선고적도보』제5책에는 '충북 청주
읍 남 철조석가여래좌상' 이라 이름하고 황량한 들판에 방치된 사진을 남기고
있다. 1915년에 구로이타 가쓰미黑板勝美가 학술 조사를 위해 조선에 왔을 때 5
월 2일에 충주군청에 들러 이 철불을 조사했는데, 이때 남긴 사진을 보면 홍법
대선사묘탑弘法大禪師墓塔과 함께 깨끗하게 정돈된 정원에 주변에 철책으로 보
호를 받으며 진열되어 있다.[36]『고적급유물등록대장초록』(1924년 4월)에는 "등
록번호 제36호, 충주 남문외 철불상, 충주군 충주읍내, 쌍수 공히 절손" 이라고
기재하고 있다. 1929년 3월경 군청사 신축 계획상 충주본원사 포교소내로 옮겨
목하 동포교소에 보관했었다. 1934년에 보물로 지정되었다. 현재 보물 제98호
로 지정되어 충청북도 충주시 지현동 대원사에 모셔져 있다.

충주본원사 포교소 내의 모습(복명서)　　　　　양 손를 새로 보완한 대원사 철불

36　黑板勝美,「朝鮮史蹟遺物調査復命書」,『黑板勝美先生遺文』, 吉川弘文館, 1974.

충주 탑정리 칠층석탑(등록번호 제34호)

"탑의 남방 약 6척의 지점에 지름 3척4촌5분의 방형석에 팔변연화八辨蓮華의 조각이 있고 중앙에 지름 1척4촌5분의 팔각형조출八角形造出로 원형 구멍이 있는 석등기석 1개가 존재" 한다고 한다.

충주 탑정리 칠층석탑 전경(복명서)

정토사지(淨土寺址) 법경대사자등탑비(法鏡大師慈燈塔碑)(등록번호 제35호)

법경대사자등탑비(복명서)

법경대사자등탑비는 그 보존 정도가 양호하며 부근에 사는 한 농부가 자력으로 보호하고 있다고 하며, 경작지 가에 세워져 있는 사진 2매를 첨부하고 있다.

* 정토사지淨土寺址는 충북 중원군 동량면 하천리에 소재한다. 창건연대는 정확히 알 수 없으나 이 지역은 지리 조건상 대단히 중요한 요충지로서 일찍부터 왕건과 결탁한 충주 유씨는 왕비족이 될 정도로 긴밀한 유대를 맺고 있었다.[37]

법경대사法鏡大師의 법휘法諱는 현휘玄暉 속성은 이 씨이다. 신라 헌강왕憲康王 5년(879)에 출생하여 효공왕孝恭王2년(898)에 가야산사에서 구족계具足戒를 받고 효공왕9년(905)에 입당入唐하여 수학한 후 경애왕景哀王2년(925)에 본국으로 돌아오자 왕은 국사國師로서 예우를 하였다. 941년(고려 태조24년) 11월 26일 법경대사가 이곳에서 입적하니 제자 300여 인이 유해를 받들어 11월 28일에 북쪽 산봉우리의 양지 바른 곳에 장사지냈다. 이에 임금이 시호諡號를 주어 법경대사라 하고 탑을 세워 자등지탑慈燈之塔이라 이름하였다. 그 비문에, "중원부 고개천산정토사 교익법경대사자등지탑비명中原府故開天山淨土寺 教謚法鏡大師慈燈 之塔碑銘"이라 기록하고, 943년(태조26년) 6월에 비를 세웠음을 밝히고 있다.[38] 개천산에 대해서는, 『신증동국여지승람』 제14권 '충주목 산천' 조에, "정토산 : 혹은 개천산이라고도 한다. 고을 30리에 있다" 라고 하여 개천산은 정토산이라고도 불리어지는 바 사명寺名 바로 산 이름에서 유래되었다고 보여 진다.[39]

---

37 태조 왕건은 그가 받아들인 유학승 중의 한 사람인 법경대사 현휘(玄暉 : 879-941)를 충주지역의 정토사에 머물게 하여 충주지역과 긴밀한 유대를 가지려 하였다(채상식, 「충주 정토사지 법경대사비의 음기」, 『충북의 석조미술』, 충북개발연구원 부설 충북학연구소, 2000, p.336). 따라서 정토사는 고려 초부터 왕실의 비호를 받으며 번창하였을 것으로 짐작된다.
38 『羅末麗初金石文』, 도서출판 혜안, 1996.
39 『新增東國輿地勝覽 第14卷』 '忠州牧 佛宇'條에는 다음과 같이 기술하고 있다.
龍頭寺 : 삼국때 북쪽 오랑캐가 자주 침노하므로, 이에 절을 짓고 탑을 세워서 祈禳하였다. 고려 崔彦撝가 지은 승 法鏡의 자등탑 비문이 있다. 李崇仁이 道生上人을 보내는 시에, '개천 서쪽 憶井 동쪽에 높직하게 이 절이 있다. 산은 평야를 둘렀는데 새벽구름이

정토사淨土寺는 다른 사명寺名으로 개천사開天寺로도 불리운 듯하다. 이숭인의 시에는 '정토산개천사淨土山開天寺'라 하고, 권근權近의 「보각국사비명普覺國師碑銘」에도 정토사란 사명을 사용하지 않고 개천사라는 사명을 사용하고 있는 것을 보면 정토사가 개천사로 개명改名이 된 듯하다.

와타나베渡邊業志가 1914년에 이 정토사지에서 「개천사開天寺」의 문자가 양각된 고와古瓦 수 편을 발견[40]한 점으로 미루어 더욱 확실해 진다. 폐사의 시기는 밝혀진 것은 없으나 1870년대에 발간한『충주군읍지忠州郡邑誌』에는 "개천사재정토산하금폐開天寺在淨土山下今廢"로 기록되어 있으며, 안정복安鼎福이 정조3년(1779)에 목천현木川縣의 수령으로 부임하여 구지舊誌를 참고삼아 편찬한『대록지大麓誌』에도 개천사가 "금폐今廢"로 기록된 점으로 보아 최소한 18세기 중반에는 폐사지로 남아 있었던 것으로 추정된다.

이곳에는 경복궁으로 옮겨진 흥법국사실상탑興法國師實相塔의 옛터가 있고 이곳보다 낮고 부락에서 가까운 곳에는 또 하나의 비석이 남아있어 「정토사법경대사자등탑비淨土寺法鏡大師慈燈塔碑」라 되어있다. 그런데 이곳에 있어야 할 그의

희고, 강은 성긴 숲을 둘렀으니 단풍잎이 붉도다. 상인은 오늘에 돌아가는 돛대를 움직이고, 노는 손을 전년에 울리는 종소리 들었노라….'
開天寺 : 淨土山에 있다. 고려 역대왕조의 실록을 처음에는 합천 해인사에 간직하여 두었다가, 왜구로 인하여 선산 득익사에 옮기고, 또 죽주 칠장사에 옮기었다가 공양왕2년에 그 땅이 바다에 가까워서 왜구가 쉽게 이를 수 있다하여 다시 이 절에 간직하여 두었다. 우리 세종 때에 고려사를 편찬하기 위해 모두 서울로 운반하였다. 이숭인이 권사군을 보내는 시에 '정토산이 대단히 좋다. 벽을 향한 이는 높은 중이러라…' 하였다.
葛城末治의『朝鮮金石攷』(大阪屋號書店, 1935, p.313)에서는 위『新增東國輿地勝覽』에서 기술한 용두사는 인근에 있는 용두사와 혼동한 오기인 듯 하다고 한다.
40 葛城末治, 『朝鮮金石攷』, 大阪屋號書店, 1935, p.313.

부도인 자등탑은 없다. 이 탑은 일찍이 일인들에 의해 운반되었다고 한다.[41]

억정사지(億政寺址) 대지국사비(大智國師碑)(등록번호 제37호, 충북 충주군 최정면 괴동리 억정사지)

대지국사비大智國師碑의 비신은 후방으로 기우려져 전도의 우려가 있어 수리가 필요하다고 하며 경작지 중에 있는 사진 3매를 첨부하고 있다.

---

41 노인들의 말에 따르면(황수영 확인) 이곳 절터에는 알독(卵甕) 두 개가 비석과 나란히 전하고 있었다고 한다. 이것은 두 기의 탑비와 두 기의 탑을 말하는 것이며 그 탑신이 모두 원구형이었다는 것이다. 큰 알독과 작은 알독으로 각각 불려져온 그 두 탑은 모두 배에 실어 서울로 갔다고 한다."(黃壽永, 「잃어버린 國寶」,『黃壽永全集5』)
장준식의 「중원지방의 석조부도」(『충북의 석조미술』, 충북개발연구원 부설 충북학연구소, 2000)에 의하면,
이곳에 있었던 두 기의 부도탑 탑신이 둥근 원구형이었기 때문에 현지 주민들은 이 부도탑을 '알독' 이라 불렀다 한다. 법경대사의 부도탑이 홍법국사실상탑 보다 더 컸기 때문에 이를 '큰 알독' 홍법국사실상탑을 '작은 알독' 이라 하였다고 한다.
그 중 작은 알독만이 오늘날 서울에 있는데 다른 큰 알독은 그 행방을 알 수 없다는 것이다. 이 석조물의 반출을 전해주는 기록은 1912년 11월 20일경에 이곳을 답사한 谷井濟一의 기록(谷井濟一, 「朝鮮通信」,『考古學雜誌』3-6. 1913년 2월, p.49)에 전해지는 바, "이렇게 훌륭한 비까지 마련되어 있으므로 반드시 탑에도 훌륭한 조각이 있었으리라 믿어지나 지금은 매각되어 그 자리는 파헤쳐져 있다" 라고 하여 1912년 이전에 반출되었음을 알 수 있다. 당시 村老들의 증언에 "소 20마리 인부 50명이 동원되어 선창까지 10여일이 소요되었는데 몇 푼의 돈을 받은 구장과 일본인 사이에 소송이 벌어져 마침내 경복궁에 있는 작은 알독은 되찾았으나 큰 알독 만은 국외로 이미 반출되었다"고 한다(黃壽永, 「잃어버린 國寶」,『黃壽永全集5』).
장준식에 의하면, 자등탑의 위치는 탑비로부터 남동 60미터 지점으로 정토사 입구의 어구에 해당되는데, 1983년 시행된 발굴조사에서 부도탑지에서 8각지대석의 1변석재와 2매의 板石과 많은 積心石이 노출되었다. 특히 적심석 부근에서 骨壺片으로 추정되는 토기편이 다소 수습되기도 하였다(장준식, 『충북의 석조미술』, 충북개발연구원 부설 충북학연구소, 2000). 현재는 충주댐의 담수로 수몰되었다.

대지국사비(복명서)

1933년 3월 12일

경상남도 고적유물 조사

조선총독부 촉탁 노모리 겐野守健은 1933년 3월 12일부터 경상남도 창녕, 합천, 산청, 하동, 함안, 김해 소재 등록 유물의 위치와 현존상태 시찰과 미등록 유물유적 조사를 마치고 3월 24일 귀임하여 관련 사진, 도면 등을 첨부하여 같은 해 4월 4일에 복명서를 제출했다.[42]

---

42 「경상남도 고적유물 조사」, 『國立中央博物館 所藏 朝鮮總督府博物館 公文書』, 목록번호
: 96-279.

창녕군 신라 진흥왕척경비(眞興王拓境碑)(등록 제115호, 창녕군 창녕면 교상리 21-1)

1924년 보존을 위해 창녕면 교상도 85번지로부터 창녕면 교상동 28번지-1호로 옮겨 비각을 세워 보존하므로써 보존상태 양호하다고 하며 실측도를 첨부하고 있다.

창녕 동3층석탑(복명서)

창녕 동삼층석탑(등록 제156호, 창녕군 창녕면 술정리)

"읍내 서 상인가의 사이 좁은 도로 곁에 있다"라고 하며 상륜부를 제외한 나머지는 완전한 상태의 사진을 첨부하고 있다.

* 1965년에 탑을 해체 복원할 당시 3층탑신에서 사리용기 등이 발견되었다. 현재 주변을 정리하고 국보 제34호로 지정되어 있다.

송현동 석각불상(복명서)

창녕군 송현동 석각불상(石刻佛像)(등록 제157호, 창녕군 창녕면 송현동)

읍의 동방 약 7정 계류의 북반에 있으며 현재 소당小堂을 중수하고 보존상태 양호하다고 보고하고 있다.

창녕군 교동 석불상(등록 제158호, 창녕군 창녕면 교동)

읍의 서북 약 6정 거리의 밭 중의 각내閣內에 있다고 한다.

창녕군 미등록 술정리 서삼층석탑

읍의 서방 약 8정 도로 곁에 세워져 있다.

* 술정리 서삼층탑은 동삼층탑으로부터 2km 정도 떨어져 있으며 둘은 별개의 것이다. 현재 보물 제520호로 지정되어 있다.

술정리서3층탑(복명서)

창녕군 미등록 직교리 찰간지주(刹竿支柱)(창녕군 창녕면 직교리)

전기 서삼층석탑의 서북 약 2정 직교리 부락의 동단에 있다.

* 현재 마을을 관통하는 작은 도로 옆 주택 사이에 위치한다.

직교리 당간지주(복명서)

합천이군 반야사지(般若寺址) 원경왕사비(元景王師碑)(등록 제161호, 합천군 가야면 야천리)

가야산 해인사의 동남 약 1리4정의 곳에 운동이라 부르는 부락, 그 부락의 서단 구릉에 접해 있는 인가의 사이 좁은 도로 가까이에 있다고 하며, 비 앞의

반야사 원경왕사비(복명서)

전중에는 고와가 산란하다고 기술하고 있다.

*『조선보물고적조사자료』에는 "가야면 오천리, 반야사지라 칭하며 해인사 남방 범 1리반에 있음, 고 8척, 폭 4척, 두께 5촌의 석비 1기가 있다"라고 기록하고 있다. 『고적급유물등록대장초록』(1924년 4월)에는 "귀부의 일부가 파괴됨, 원경은 고려중기의 승으로 오랫동안 법수法水, 귀법歸法의 양사에 주住하고, 70세에 귀법사에서 몰歿한 후 사리는 합천 반야사에 옮겨 안치했다"라고 기록하고 있다.

오랫동안 가야면 야천리 반야사지에 방치되어 있던 것을 1961년에 해인사 경내로 옮겨왔다. 1963년에 보물 제128호로 지정하였다.

합천군 월광사지(月光寺址) 삼층석탑(등록 제117호, 합천군 치로면 월광리)

동서 2기 각 3층탑, 타 1기는 현재 도괴, 서석탑은 사진 누락

* 월광사가 18세기경에 폐사가 된 후 이곳에는 원래 본존3불이 전해졌다고 하나,[43] 오랫동안 동서 석탑 두 기만이 남아 있었다.

---

43 1935년에 刊行한 『慶南旅行の友』(上野盛一 著)에 의하면,
"현재 礎石及五重石塔이 남아 있을 뿐이며, 당시 安置하였던 本尊3佛은 지금으로부터 百數十年前에 海印寺의 大寂光殿에 불이나 본존불이 소실되어 임시로 이를 해인사의 본존으로 移奉하였는데 그 후 월광사는 황폐하고 복구할 생각을 버리고 본존3불은 해인사에 안치하기에 이르렀다"고 하고 있으나 진위에 대해서는 미상이다.

1916, 1917년경에 조사한『조선보물고적조사자료』에는, "사명 불명不明하고 석탑 2기가 재在, 그 중 1기는 완전"이라고 기록하고 있어 나머지 1기는 이상이 있다는 것인데, 1917년 3월 15일자로 등재한『고적급유물대장』과『고적급유물등록대장초록』(1924년 4월)에는 월광사 서삼층탑에 대해 "전도轉倒"로 기록하고 있다.

1935년 조선총독부에서 편찬한『조선보물고적천연기념물요람』을 보면, "소재지 : 경상남도 합천군 치로면 월광리369번지 분묘지墳墓地"로 기록하고 있다. 이런 점으로 보아 이미 이 지역은 분묘지로 사용되면서 2기의 석탑에 대해서는 그동안 아무런 보호조치 없이 버려져 있었을 것으로 짐작된다.[44]

1937년 조선총독부에서 간행한『조선보물고적명승천연기념물요람』에는,

월광사지석탑(복명서)

지정번호 : 제204호

월광사지3층석탑, (경남합천군 치노면 월광리)

본 탑은 동서 2기로 각 3층의 석탑이다. 동쪽에 있는 것은 이성의 기단에 세운 화강암의 3층석탑으로 고 약 16척6촌7분, 다른 1기는 동형同型으로

---

44 羅惠錫의「海印寺의 風光」(『삼천리』제10권 제8호, 1938년 8월)에는 다음과 같은 내용이 보인다.
伽倻山 下 20리 許에 月光里, 이곳은 현재도 月光里이며 자동차로 海印寺로 드러오면서 10리 쯤 되는 지점에 바로 月光樹라고 삭인 다리가 있고 그 다리에서 건너편 野田 中에 古塔이 있으니 이것이 옛날 月光 태자께서 月光寺를 지으시고 공부하시든 곳이다.

당초 3층석탑이나 금 도괴되어 있음

으로 기록하고 있다.

이상으로 보아 서탑은 1917년 이전에 파괴되어 오랫동안 방치되어 있었던 것으로 짐작된다.

현재 이곳에는 1970년에 월광사라는 작은 사찰이 들어서 있으며 도괴되어 있던 서탑도 복구 재건하였다.

고적대장에 등록하면서 촬영한 것으로 추정되는 월광사 서삼층탑(국립중앙박물관 소장 유리건판)

『신증동국여지승람』에, "야로현 북쪽 5리에 있다. 대가야 태자 월광月光이 창건한 것이다" 라고 기록하고 월광사에 관련한 이숭인의 시[45]가 게재되어 있다.

---

45 "……소나무 탑에서 불경 외우니 길고 짧은 음성이네. 산천은 그림 같은데, 수목도 해가 깊어 절로 늙었네. 북으로 가니 언제 또 남으로 오나, 이곳 풍경이 잊히지 않은 것 미리 알겠네."

탑이 건립되어 있는 주변에서 고려자기의 파편과 고려시대에 제작된 것으로 여겨지는 당초문양唐草文樣의 평와파편平瓦破片이 채집되었던[46] 점으로 보아 고려시대 말까지는 상당히 번창했을 것으로 추정된다.

『교남지嶠南誌』에는, "치로현 북 5리에 있다. 세전世傳에 대가야 태자 월광이 창건하였다. 지금은 폐하였다"라고 하고 있으며, 『합천군지陜川郡誌』에도 "월광사금무月光寺今無"라고만 기록하고 있는 것으로 보아 최소한 18세기경에는 폐사가 되었던 것으로 추정된다.

『신증동국여지승람』과 『교남지』에는 대가야 태자 월광이 창건한 것으로 기록하고 있으나 이는 시기적으로 맞지 않다. 고유섭은 이에 대하여 『세종실록지리지世宗實錄地理志』에 대가야의 멸망을 진흥왕22년(561)하였고 이를 표준삼아 역산추정逆算推定한다면 월광태자는 서기 200년대에 해당하는 신라의 내해왕대奈解王代를 중심으로 하여 그 전후에 창건했다는 것으로 이때는 아직 불교가 들어오기 전의 시기이므로 월광태자가 사찰을 창건했다는 것은 맞지 않음을 지적하고 있다. 또 『가야산해인사고적기』에 후백제의 태자 월광이 미숭산美崇山에서 고려 태조와 전투를 하였다는 기록을 들어, 이 기록에는 월광이란 자를 후백제 견훤의 아들로 기록하고 있는데 월광태자가 과연 견훤의 아들이라고 한다면 그 시대의 성시盛時의 상한上限을 진성여왕대 보다 오래지는 않는 것으로, 월광사의 창건은 오래 보아도 9세기 후반을 더 오를 수 없음을 지적하고 있다.[47]

46 朴敬源, 『慶南의 古蹟과 그 文化』, 東雲社, 1955.
47 高裕燮, 「朝鮮塔婆의 樣式變遷」, 『東方學志』 제2집, 연희대동방연구소, 1955년 5월, p.262.

복구 후의 모습

산청군 단속사지(斷俗寺址) 동삼층석탑(등록 제164호, 산청군 단성면 운리)

"운리부락의 북방 약 5정 탑동부락의 畑中에 있음", 이라고 하는데, 사지에는

민가가 들어서고 탑지 주변은 경작지화 된 모습의 사진을 남기고 있다.

단속사지 서3층탑(복명서)

단속사지 동3층탑(복명서)

    *『조선보물고적조사자료』에는 "부근일대에 고와가 산재하고 3층석탑이 있는데 고 1장7척 동서에 재함" 이라 하고,『고적급유물등록대장초록』에는 "수화 이상受花以上 잃음" 이라 기록하고 있다.

    현재 절터에는 당간지주와 3층석탑이 원위치에 있으며, 주변에는 금당지를 비롯하여 강당지 등의 초석이 그대로 남아 있어 신라시대의 가람배치를 짐작할 수 있다.

미등록 하동 신흥리 부도(浮屠)

    하동군 화개면 범왕리 51의 미등록 석종형 부도 2기의 사진을 남기고 있다.

복명서 사진

함안 대산리 삼체석불상(三體石佛像)(등록 제162호)

    함안군 함안면 대산리 1139번지, 부락의 서남 약 1정의 전중의 큰 나무 아래 삼체의 석불로, 2구는 입불이고 1구는 좌상이다. 좌상은 두부를 잃었다고 하며

복명서 사진

사진을 남기고 있다.

 *『조선보물고적조사자료』
에는 "화강암의 삼체불상으로
1은 고 5척4촌, 폭 2척5촌, 2는
고 5척, 폭 2척3촌, 3은 고 3척,
폭 2척"이라고 기록하고 있다.
현재 보물 제71호로 지정되어
대산리 마을 큰 느티나무 옆에

보호각을 건립하여 모셔 두고 있다.

미등록 함안 영운리 석탑(함안군 북면 영운리)

지곡부락의 서남 약 12정 방어산의 정상

우의 것은 현재 옥개 1층 및 2층의 탑신 1개를 잃고, 타의 것은 탑신 1개를 잃음.

복명서 사진

* 『조선보물고적조사자료』에는 "죽남면 영운리, 송방사지松防寺址라 부르고 벽암壁岩의 아래 2기의 석탑이 있는데 하나는 6층의 방탑으로 고 4척7촌, 하나는 4층의 방탑으로 고 5척3촌" 이라고 기록하고 있다.

1933년 3월 13일

청도군 옥산리 태산사 화재

3월 13일 경북 청도군 옥산리 태산사泰山寺에 불이 나 본당과 대성각, 그리고 불상 29체를 소실하여 그 면모를 완전히 잃어버렸다.[48]

1933년 3월 14일

상당산성(上黨山城) 조사

조선총독부 촉탁 고이즈미 아키오小泉顯夫는 1933년 3월 13일 충청북도 청주 상당산성上黨山城을 조사를 했다.

고이즈미는『동국여지승람』,『문헌비고』등의 자료를 참고하여 상당산성의

---

48 『中央日報』 1933년 3월 16일자.

연혁을 고찰하고 있다. 그리고 군창軍倉 등과 같은 산성山城의 부속 건물은 남아 있지 않으나 산성리 부락과 접한 일부 성벽을 제외한 나머지 성벽은 완전히 보존되어 있는 상태임을 지적하며 적절한 보존방법을 마련할 필요가 있다는 의견을 제시하고 있다.[49]

상당산성 서문

1933년 3월 16일

16일 마산고등여학교에서 마산고적보존회 설립을 위한 발기인회를 가졌다.[50]

---

49 「상상산성 조사」,『국립중앙박물관 소장 총독부박물관 공문서』, 목록번호 : 96-279.
50 『每日申報』1933년 3월 21일자.

1933년 3월 31일

황해도 고적유물 보존상황 조사

조선총독부 촉탁 사세 나오에佐瀬直衛는 1933
년 3월 31일부터 23일까지 황해도 황주 성불사
成佛寺 극락전極樂殿 복원 및 보존 사항과 황해도
소재 유물 및 고적의 현황을 조사했다. 아울러
해주 백세청풍비百世淸風碑, 봉산 휴류산성鵂鶹山
城, 황주 기성유허비箕聖遺墟碑 등 유적 및 유물에
대한 조사서, 사진 등을 함께 첨부하여 같은 해
4월 10일에 보고서를 제출했다.

봉산군 문정면 상탑동에 있는 고탑

복명서에서 주목되는 것은, 봉산군 지탑리 3층석탑(봉산군 문정면 지탑리 상
교동)은 제1층 탑신은 결하고 중층탑신 내에 불상을 조각한 탑으로 큰 나무에
의지하고 있는 모습의 사진을 첨부하고 있다.[51]

봉산군 문정면 상탑동에 있는 고탑古塔(고려조 중기)은『고적급유물등록대장
초록』(1924년 4월)에는 등록번호 제118호로 등록하고 있다. 하지만 1933년 조
사 이후 언제인가 사라져 <지정> 문서철(연대 불명)에는 '소재 불명 사진' 으로
분류하고 있다.

---

51 「황해도 고적유물 보존상황 조사」, 『국립중앙박물관 소장 총독부박물관 공문서』, 목록번
호 : 96-279.

1933년 3월

고구려불상 발견

『동아일보』 1933년 3월 30일자 기사에 의하면, 해주고등보통학교 교유 김종식金種式이란 사람이 해주의 한 고물상에서 '조선최고의 청동불상'을 구입하였다는 기사가 있다.

불상의 높이는 한 뼘쯤 되는 것으로 청동제로 수법이 힘이 있고 아름다우며 배광 뒷면에는 「대위태평진군이년육월십일제자감문예위부모경조 고불일구 공봉大魏太平眞君二年六月十日弟子甘文禮爲父母敬造 古佛一口 供奉」이라는 명이 있다고 한다.

청동불상
(『동아일보』 1933년 3월 30일자)

김종식의 해설로는 '大魏太平眞君二年'은 태무제(중국 후위의 3대왕, 재위424~452)의 연호로 고구려 장수왕29년(서기 441)에 해당한다고 한다. 이 불상은 해주 어떤 농부가 땅에서 파내어 해주읍 일본인 고물상에 몇 10전에 팔아 여러 골동품 속에 섞여 있었는데 이를 김종식이 구입하였다고 한다. "양식은 북위식이고 머리에는 보관을 쓰고 있는 관음보살상이다"라 한다. 이 불상이 고구려 사람의 손에 의해 제작된 것인지는 확실한 단서가 없다할 지라도 그 연대상으로는 가장 올라가는 것으로 대단히 귀중한 것이라 할 수 있다. 그 이후 이 불상에 대한 자료가 보이지 않고 있어 행방이 의문이다.

1933년 4월 3일

경주 노서리 215번지 고분 발견

1933년 4월에는 경주 노서리路西里에 있는 민가에서 우연히 한 고분(215호)이 발견되어 다수의 유물이 발굴되었으나 상세한 조사는 이루어지지 않았을 뿐 아니라 조사보고서도 나오지 않았다.

이 고분이 발견된 계기는 경주읍 노서리 215번지 김인동이란 사람이 4월 3일 오후 2시에 자기 집 뜰 앞 채소밭에서 호박을 심으려고 땅을 파다가 순금 장신구 수십 점을 발견하고 경찰서에 신고하여 계원의 임장 하에 발굴을 하였는데 장신구 40여 점이 발견되었다. 발견한 장신구는 순금제이식 1개, 순금제수식 33개, 비취구옥 1개, 호박구옥 1개, 순금제완륜 2개, 순금제지륜 1개 등으로 발견된 장소는 금관총에서 약 2정 가량 떨어져있는 곳이다.[52]

발견한 유물은 경주경찰서에 보관하고 이어 이리미츠 교이치에 의해 긴급 조사가 이루어졌다. 이미 유물을 모두 발굴한 후이라 유물의 배치 상태를 자세히 알 수 없었으며, 이에 대한 상세한 조사보고서를 남기지 않았다. 관련하여 다음과 같은 신문기사가 있다.

---

52 『中央日報』 1933년 4월 10일자; 『東亞日報』 1933년 4월 10일자; 『每日申報』 1933년 4월 9일자.

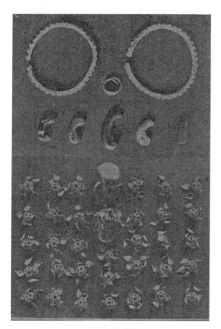

용문을 조각한 金製腕輪 발굴

경주에서 지난번에 고고학 자료를 발굴하였는데 이번에는 금제완륜을 발굴하였다. 그 완륜에는 용의 모양이 한쪽에 새겨 있다. 종래 신라유물의 진품은 수없이 많이 발굴되었으나 일찍이 이러한 용문이 새겨진 것은 보지못한 것이라고 한다. 이것이야 말로 신라시대의 고미술 연구상 중요한 자료로서 진귀한 것이다. 이 완륜은 당시 반드시 팔에 끼었던 것이라고 추측되는데 한쪽 것만 발견되었으므로 나머지 한 쪽 것은 이미 발굴되지나 않았나 하여 그

이 사진은 『매일신보』 1933년 4월 9일자에 실린 사진이며, 이 유물들은 모두 도쿄국립박물관으로 반출되었다

행방에 대하여 극비밀리에 탐사 중이라 한다(『매일신보』 1933년 5월 4일자).

조선미술의 정화 순금완륜純金腕輪을 또 발굴

종래로 보지못한 용의 조각 고미술 영구상 진보珍寶

얼마 전에도 귀중한 보물과 고고자료를 발굴한 경주에서는 금번에 또 순금으로 만든 팔찌를 발굴하였다. 금번에 발굴한 팔찌에는 용의 조각이 전면에 새겨 있다. 종래로 신라고물의 진품은 수없이 발굴되었지만은 아직까지도 이번에 파내인 것과 같은 용을 새긴 것은 처음으로서 신라시대의 고대 미술 연구상 귀중한 자료가 되어 있다고 한다. 이 팔찌는 매장 당시는 반드시 한 쌍씩 팔뚝에 끼어

매장한 것으로 남은 한 짝은 벌써 발굴되어버린 것이 아닌가 하여 그 향방을 극

비밀 속에 엄중히 수사를 하고 있다고 한다(『조선일보』 1933년 5월 3일자).

　　노서리 215번지에서 발견된 유물은 일본으로 반출되었다. 이를 반출해 간 자

는 이마이다 기요노라今井田淸德로, 이 자는 당시 정무총감이었을 뿐 아니라 '조

선보물고적명승천연기념물보존위원회'의 위원장으로 있으면서[53] 이곳에서 발

굴된 일괄유물一括遺物을 일본 제실박물관에 헌상獻上했다.[54] 이 유물은 후일 한

일협정시 반환문화재 중 일부로 돌려받게 되었다.[55]

　　반환받은 금목걸이는 보물 제456호, 금제팔찌는 보물 제454호로 지정되었다.

1933년 4월 30일

《주한문화특별전람회》

　　1933년 4월 30일부터 5월 15일까지 도쿄박물관에서 《주한문화특별전람회周漢

53　今井田淸德은 1909년 동경제국대학 법과를 졸업한 후 大坂中央郵便局長, 遞信局電話
　　課長, 1929년 遞信次官을 거쳐 1931년 朝鮮總督府 政務摠監이 되었다(阿部薰, 『朝鮮功
　　勞者銘鑑』, 民衆時論社, 1935).
54　최순우, 『최순우 전집2』, 학고재.
55　반환 받은 유물은 다음과 같다.
　　路西里215號墳 出土遺物 - 銀製釧 1双, 金製釧 1双, 金製指輪 2個, 金製頸飾 1連, 金製
　　太環耳飾 1双, 玉製頸飾 1連.
　　黃吾里16號墳 出土遺物 - 金製太環耳飾 1双, 金製太環耳飾曲玉附垂飾 2双, 玉製頸飾 1連.

文化特別展覽會》를 개최하고, 박물관 소장품을 시작으로 도쿄제국대학, 교토제국대학, 도쿄미술학교, 조선총독부박물관, 평양부립박물관 그 외 개인 소장 약간 등을 포함하여 총 133점을 진열하였는데[56] 한국에서 빌려간 것은 어떤 것인지 알 수 없다. 이 전시를 위해 제실박물관 학예위원 하라다 요시토原田淑人가 유물 출품 교섭을 위해 1933년 3월에 조선총독부박물관과 평양부립박물관을 방문하였으며, 감사관보 다카하시 마쓰오高橋男는 출품 수령을 위해 4월 1일부터 10일간 경성과 평양에 출장을 하였다. 전람회가 끝나고 박물관 감사관보 구아노 히로시桑野寬, 요시노 도미오吉野富雄는 조선총독부박물관과 평양부립박물관에서 빌린 유물들을 반환하기 위하여 5월 20일에 내한했다.[57] 품목은 알 수 없다.

1933년 4월

경주박물관장 모로가 히데오(諸鹿央雄)가 장물고매(臟物古賣) 죄로 구속되어 처벌 받다

경주박물관장 모로가 히데오諸鹿央雄는 금관총 유물 도난사건 후에도 자신의 지위를 이용하여 경주 일대에서 도굴한 유물들을 비밀히 매입하여 일본인 골동상과 결탁하여 사리를 취하였다. 그것은 조선고적연구회가 처음 조직되고 그 초년의 사

---

56 帝室博物館, 『帝室博物館年譜(昭和7年 1月~12月)』, 1933. p.149.
57 帝室博物館, 『帝室博物館年譜(昭和7年 1月~12月)』, 1933, p.158.

업으로 경주 황오리와 노서리 등지에 대한 집중적인 발굴조사가 이루어졌다. 그런데 귀중한 유물이 많이 매장되었으리라고 믿고 고분을 발굴하였는데 대부분이 이미 도굴을 당하여 특별한 유물을 발견하지 못하였다. 경주경찰서에서는 이를 탐문수색해 오던 중 1933년 4월 13일에 경주읍 인왕리에 살고 있는 김홍대와 황오리에 사는 서영수를 신라고분을 도굴한 혐의자로 경주경찰서에서 구금 조사를 하였다. 그런데 그간 극비리 조사하는 과정에서 이들 외에도 경주박물관 주임인 모로가와 모종의 관련이 있음이 들어나자 모로가諸鹿를 구금취조拘禁取調하게 되었다.[58]

그간에 경주경찰서 고등계 형사 등 수 명이 박물관에 자주 드나들었으나 그들이 왜 드나드는지 아무도 몰랐다. 1933년 4월 28일 경주경찰서의 형사가 박물관에 와서 경찰서장이 관장 모로가를 만나자고 하고는 모시려 왔다며 모로가를 데리고 경찰서로 갔다.

모로가는 경상북도 평의원일 뿐 아니라 경주박물관 주임인 까닭에 확실한 증거가 있지 않고는 구금시킬 수 없는 위치의 사람이다. 당시 모로가는 노서리 황오리 등지의 고분 발굴을 하면서 수차에 걸쳐 이미 도굴을 당한 상태를 보고 애매한 태도를 취해왔다고 한다.

1933년 4월 28일 모로가가 경주경찰서에 인치되어 조사를 받는 동안 대구검사국으로부터 소장 민완검사 2명이 경주로 파견되어 모로가의 가택을 수색하였다. 그의 자택에서 시가 2만 원어치의 숨겨둔 장물(도굴품)을 압수하였다. 경주박물관의 금고까지 샅샅이 수색하였다. 거물 인사인 모로가를 구속하기까지는 신중을 기하여 치밀한 계획과 정보를 수집하여 왔던 것이다. 경주경찰서장

58 『朝鮮中央日報』 1933년 5월 3일, 1933년 5월 10일자; 『東亞日報』 1933년 5월 3일자.

은 경북경찰부장에게, 경주검사국 검사는 대구검사국에 각각 보고하여 대구로부터 민완검사가 파견된 것이다.[59]

다음과 같은 관련기사가 있다.

대구지방법원 검사국 구로세黑瀬검사는 경주에 출장하여 경주지청 검사국과 협력하여 경북도 평의원이며 경주박물관분관장인 모로가諸鹿央雄 씨를 경주서에 인치하고 가택 수색을 하였는데 사건의 내용은 오래 전부터 경주에 있으며 신라예술품에 취미를 가지고 연구하며 그 방면에 정통하여 있는 것을 기회로 장물고매臟物古賣를 한 혐의인 것이라는데 가택수색을 한 결과 현품도 많이 압수하였다는데 구옥句玉 등 2만원의 장품이 있었다고 한다(『매일신보』 1933년 5월 3일자).

『매일신보』 1933년 5월 3일자 기사

경주박물관장 총독부촉탁 모로가 히데오諸鹿央雄 씨는 경찰의 손을 떠나서 목하 대구지방법원 구로세黑瀬검사가 직접취조를 계속하고 있는데 취조의 진행에 따라서 다른 연락자도 있는 모양으로 경북도 당국에

---

59 崔南柱, 「신라의 얼 찾아 한평생」, 『博物館學報 -石堂 崔南柱 先生 102周年 記念-』 12·13, 韓國博物館學會, 2007,

서도 중대한 관심을 가지고 사건의 경과 여하에 의하여서는 파면의 수속을 취할 것으로 관측된다. 모로가諸鹿씨의 이번 사건의 핵심이라고 할만한 점은 도굴 또는 장품고매인데 동 씨는 신라문화 연구가로서 이름이 높아서 어전구연御前口演까지 한 열력閱歷의 소유자로 그 연구 진행에 따라서 도굴을 한 것은 소위 연구로부터 전락轉落의 도정을 밟는 것이라 하겠는데 모로가諸鹿 씨의 도굴품 중에 중요한 것은 비취백옥翡翠白玉을 비롯하여 불상佛像, 이식耳飾 등 골동적 가치를 떠나서 계산하더라도 2만원으로 평가할 귀중한 국보적 가치가 있는 것이라 한다(『매일신보』 1933년 5월 4일자).

신라 때 진품珍品을 도매盜賣, 옥충장玉蟲帳도 불지거처不知去處
경주박물관장 장물 압수 사건
(경주) 지난 28일 오후 2시경에 경주박물관장 모로가 히데오諸鹿央雄 씨가 돌연 경주경찰서에 인치되어 장시간 취조를 받다가 동 5시경에는 대구지방법원으로부터 출장하여 온 구로세黑瀨 검사가 동씨의 가택을 수색한 결과 시가 2만원의 고적 장물을 숨겨둔 것을 압수하는 동시에 계속하여 엄중한 취조를 하고 있다.
발각의 단서는 고분 도굴 사건
조선총독부 촉탁이오 경주박물관장인 모로가 씨가 경주서의 검거를 보게된 것은 재작년 이래 경주박물관에서는 노서리, 황오리 등지의 고총을 발굴하던 중 귀중한 옥충장玉蟲帳이라든지 그 외 많은 고적이 들어났음을 예상했던바 매양 도굴을 당하였다고 애매한 태도를 취하고 있음에는 경찰당국이 일종의 의아를 가지고 내탐하여 오던 중 지난 4월 12일 경주읍 황오리에 사는 서영수와 인왕리 김홍대 두 사람이 고적 도굴 사건으로 말미암아 경주경찰서에 검거되어 그들을 취조하는 동안에 이외에도 모로가 씨가 관련되어 있음이 발로되자 당국에서는 비밀리에 그 진상을 적확히 하는 동시에 사건의 신중을 기하기 위하여 관계 당국의 양해를 얻어 대구지방법원의 구로세黑瀨 검사의 취조함을 보게 된 것이다.

경주를 좌우하던 유일의 권력가

장물 고매의 혐의를 받고 경주경찰서에 유치된 모로가 씨는 경상북도 평의원, 경주읍회 의원, 조선총독부 촉탁, 경주박물관장으로 있으면서 사법대서업을 경영하고 경주 유일한 권력가로 경주를 좌우하는 책사로서 경주를 찾는 고귀한 손님에게 자주 어전 강연을 하던 사람이다.

씨는 경주에 온지 20여 년에 고적에 대하여는 특별한 취미를 갖고 연구에 몰두하여 경주 부근의 유물 진품을 수없이 모아두고 처음에는 고적보존회에 진열까지 하였던바 최근은 이것을 일본 어느 골동상과 연락을 하여 한 개에 2천여 원어치의 구옥勾玉을 팔아버렸다는 풍설도 떠돌고 있다(『동아일보』1933년 5월 3일자 기사).

1933년 4월 28일부터 경주경찰서에서 조사를 받던 모로가는 유치기간이 만료되어 5월 8일에 서류와 함께 경주검사분국으로 넘어갔다. 모로가가 검거된 이후 경주지방에서는 이와 관련하여 고물을 사고 판 사람의 수가 30여 명에 이르렀으며 아애 도주한 사람도 있었다.[60]

---

60 『東亞日報』1933년 5월 12일자

1933년 5월 8일 모로가는 경주검사분국으로 송치된 이후 조사를 받다가 5월 13일 대구검사국으로 이송하였다. 이송하기 위하여 두 대의 자동차가 동원되고 검사와 사법주임이 형사와 검사국 서기주임을 대동하고 호송을 하였는데 이는 피해자를 위해서 검사가 직접 호송한 것이 처음이며 이같이 사건이 중대하다는 것을 반증하고 있다.[61]

이 사건으로 인해 모로가는 1년 징역과 벌금 200원을 구형求刑받게 되는데, 『매일신보』1933년 7월 12일자에는 다음과 같은 기사가 있다.

전 경주박물분관장이던 제록앙웅에 관한 장물고매죄의 서영수, 김홍대 등
에 관한 공판은 예전과 같이 10일 오전 10시에 대구지방법원 제4호 법정
에서 열렸다.

징역 1년 벌금 200원   제록앙웅
징역 6개월   서영수

『매일신보』 7월 17일자 기사

---

61 『東亞日報』1933년 5월 16일자.

징역 6개월 벌금 20원   김홍대

등 각각 구형을 하고 퇴정하였는바 언도는 오는 17일로 되었다.

자세한 내용이 밝혀지지 않았지만 구형량으로 볼 때 그가 얼마나 악한 행위를 하였는지 짐작할 수 있다.

이튿날 많은 신문은 대서특필했으며, 공판 중의 유물감정은 대구여자보통학교장 시라가미 주키치白神壽吉가 했는데 그는 유물의 가치를 가급적 낮게 평가하여 모로가에게 유리하게 하였다.

모로가가 구속되어 공판을 받던 중 일본에서 총리대신 사이토齊藤實로부터 위로의 서신이 왔었다. 이 편지는 공판 중인 변호인들이 재판장에게 보이며 일국의 총리대신이 피의자에게 서신을 보내어 위로하니 관대한 판결을 바란다고 변호하였다. 그리고 일본 학계의 원로인 고고학자 하마다 고우사쿠濱田耕作와 구로이타 가쓰미黑板勝美도 재판장에게 탄원서를 보낸 일이 있었다고 한다.[62]

모로가는 1심에서 징역 1년 벌금 500원에 불복하여 공소하였으나 2심에서는 징역 2년에 집행유예 3년을 언도받았다.[63]

이에 대해 오사카 긴타로大坂金太郎는 그의 회고에,

1933년 5월 모로가諸鹿 씨는 도굴한 금제 귀걸이 등을 매수 은닉한 혐의를

62 崔南柱, 「신라의 얼 찾아 한평생」, 『博物館學報 -石堂 崔南柱 先生 102周年 記念-』12 · 13, 韓國博物館學會, 2007, p.90.
63 『東亞日報』 1933년 11월 11일자.

받아, 경주경찰서로 구인되어 법정에까지 세워 졌다는 소식을 받았다. 모로가諸鹿씨는 평소부터 경주의 유물은 절대 다른 땅으로 흘러 나가게 하지 않을 것, 아무리 도굴품이라도 나온다면 척척 박물관으로 매수할 것, 그것이 오히려 도굴 예방도 된다라는 주의를 가지고 있었으므로 오해를 받은 것이겠지, 곧 혐의도 풀리고 돌아오겠지 라고 생각하고 있을 때 이윽고 무죄 방면되고 그 압수된 유물은 총독부박물관에 보존되었다고 한다.[64]

라고 하여 오사카는 장물취득에 대하여는 타지로 흘러가는 것을 방지하기 위한 것이라고 오히려 모로가를 옹호하고 있다.

그러나 우메하라 스에지梅原末治는 이와 다른 사실을 증언하고 있다.

금관총 출현에 맞혀 발굴을 생生한 모로가諸鹿 씨가 발굴물 장물 취득 혐의로 경주경찰서에 검거되었다는 불상사적인 사건이 일어나 사이토 마코토齋藤實 총독을 비롯한 관계자 일동을 몹시 놀라게 했다. <중략> 재판관의 손으로 취조가 진행됨에 따라 뜻밖에도 다이쇼大正말년의 기괴한 금관총의 유물 도난사건이 내면에서 그것과 관련된 어느 일을 추정해 감과 동시에 금관총 그것의 발굴 당시에 중요한 경옥硬玉의 옥돌류, 그 외 다른 것이 일부 산실된 것도 인정된 것이다.[65]

64 大坂金太郎,「在鮮回顧 十題」,『朝鮮學報 第45輯』, 朝鮮學會, 1967년 10월.
65 梅原末治,「日韓併合の期間に行なわれた半島の古蹟調査と保存事業たすさわった一考古學徒の回想錄」,『朝鮮學報 第51輯』, 1969년 5월, p.120,

라고 증언하고 있다.

『동아일보』 1933년 5월 3일자에는 다음과 같은 기사가 있다.

씨는 경주에 온지 20여 년에 고적에 대하여는 특별한 취미를 갖고 연구에 몰두하야 경주 부근의 유물 진품을 수없이 모아 두고 처음에는 고적보존회에 진열까지 하였던바 최근에는 이것을 일본 어느 골동상과 연락을 하여 한 개에 천원어치의 구옥을 팔아먹었다는 풍설도 떠돌고 있다.

이러한 소문은 그간 도굴꾼과 고물상들 사이에 은밀히 나돌던 것이다. 우메하라 스에지梅原末治는 또 다음과 같이 증언하고 있다.

산실散失된 출토품 중에서 옥돌류 중 소위所謂 수형獸形 등의 양질의 오래된 유품이 포함되어 있다. 『금관총과 그 유물 상편』에는 많은 옥돌류를 실어 놓았지만 지금은 한 점도 볼 수 없는 것이다. 지금 고베神戶의 백학白鶴미술관에 소장된 진귀한 충장형옥虫狀形玉은 그 하나이고,[66]

모로가는 결국 유물을 팔아먹은 죄와 장물취득 죄로 1, 2심을 거쳐 경성고등법원에서 상고까지 하였으나, 1933년 12월 18일 고등법원은 상고기각 언도를 하였다. 결국 복심판결인 1년 징역에 벌금 200원 집행유예 2년을 확정하였다.

---

66 梅原末治,「日韓併合の期間に行なわれた半島の古蹟調査と保存事業たすさわった一考古學徒の回想錄」,『朝鮮學報 第51輯』, 1969년 5월.

모로가의 집에서 압수하여 증거물로 제시되었던 유물들은 국고國庫로 귀속되어 1934년에 박물관에 입고된다. 1934년 8월 22일부로 대구지방법원검사장이 조선총독에게 보낸 '국고에 귀속되었던 고적출토품 처분에 관한 건'[67]에 의하면, 1933년 7월 17일 제록앙응에 대한 판결이 12월 18일 고등법원에서 상고기각되어 재판확정이 되어, 본건에 대한 물건은 자동으로 소유자에게 환부 확정되었다. 그 소유자는 불명으로 공고하여 1934년 8월 21일부로 공고기간이 만료되어 국고로 귀속하게 되었다.

대구지방법원검사국에서 국고로 귀속되어 박물관으로 들어간 유물 목록은 다음과 같다.

모로가는 이 사건으로 인해 박물관을 사직하고 영일군 포항읍에 있는 경상북도수산시험소의 주임으로 근무하면서 창고업을 운영하다가 일본으로 돌아갔다.

일본의 패망 후 일본으로 돌아간 오사카 긴타로는 1945년 10월에 모로가를 우연히 만났는데, 한국에 있을 때 도굴품 은닉으로 압수당한 금제이식 등은 경주 내남면 두릉리杜陵里의 이씨 양반 마을의 고분에서 나온 도굴품으로 왕족의 무덤으로 보았다고 한다.[68]

* 모로가는 경주를 방문하는 실력자나 학자들을 안내하면서 유대관계를 가졌는데, 1912년 데라우치 총독의 경주방문이나 1919년 사이토의 경주 순시, 1923

---

67 「昭和8~18년도 인계품, 기부품, 채집품 문서철」,『국립중앙박물관 소장 총독부박물관 공문서』, 목록번호 : 97-발견20.
68 大坂金太郎,「在鮮回顧十題」,『朝鮮學報』 제45輯, 朝鮮學會, 1967년 10월, p.91.

物件番號	品　目	員數
證第一號	白燒丸玉	貳個
證第二號	灰色丸切燒	壹個
證第三號	灰色家形燒	壹個
證第四號	白水晶角玉	貳個
證第五號	勾玉	壹個
證第六號	硝子製小玉	六個
證第七號	鐵製金具	壹連
證第一六號	金銅製基坐	壹個

物件番號	品　目	員數
證第三六號ノ一	青銅製鉈頭	壹個
證第三八號ノ一二三	硝子製小玉	參聯
證第六二號	金製細環式耳飾	壹個
證第七一號	青銅製鏡	壹個
證第七二號	金銅製太環式耳飾	壹対
證第七九號	金製細環式耳飾	貳個
證第八一號	金製耳飾	貳個朱
證第八二號ノ一二	翡翠勾玉	貳個
證第八四號ノ一二三四五	翡翠勾玉	五個

국고로 귀속된 물건 목록

物件番號	品　目	員數
證第八五號	金製耳飾	四対
證第八六號	金製環	五個
證第八七號	金製耳飾	壹対
證第八八號	金製耳飾	壹対
證第八九號	鐵製釜	壹個
證第九八號ノ一二	青銅製立佛像	壹体
證第九九號	鉈瓦	壹個
證第一〇〇號	鬼瓦	壹個
證第一一四號	金製耳飾	壹対
證第一一五號	砥石付銀製垂下佩	壹個

物件番號	品　目	員數
證第一一六號	瑪瑙製切小玉	拾數個
證第一一七號	硝子製小玉	壹聯
證第一一八號	銀製袴板	壹揃
證第一一九號	翡翠勾玉	貳個
以上		

국고로 귀속된 물건 목록

년의 재차 사이토의 경주 방문 때도 모로가가 안내를 하면서 친분을 쌓았다. 그의 실력은 이런 권력과의 친분을 쌓으면서 경주의 최고 실력자로 자리한다.

금관총 발굴 후에는 경주고적보존회를 중심으로 금관총 유물을 경주에 보관케 하는데 노력하였다. 경주 금관총의 발굴을 계기로 1923년 지방 유지들의 기부금으로 금관고 건물을 짓기 시작하여 1926년에 금관고가 완성되었다. 금관고의 완성에 따라 조선총독부에 보관되었던 금관총 출토 유물을 경주로 송환시켜 '금관총 출토 유물 전시관'에 진열하였다. 이것을 계기로 조선총독부 경주분관으로 승격 개칭하여 경주고적보존회에서 운영해 오던 것을 국영으로 하였다. 그리고 경주고적보존에 애를 쓴 모로가의 공로가 인정되어 분관 주임에 모로가가 임명되었다.

1929년에는 대구에서 개최한 신라예술전람회에 주동적 역할을 했으며, 1930년에는 대구의 유지들과 협의하여 대구시립박물관 건설을 추진하기도 하였다. 그는 경상북도의 평의원으로 활동하면서 경주 대구를 중심으로 한 문화발전에 힘쓴 것처럼 밖으로 드러나 있었다.

모로가는 오래 동안 경주에 재주하면서 다양한 유물을 수집을 하여 양이나 질로서 가장 우수하다 할 수 있다. 그가 언제부터 경주 일대의 유물을 수집하게 되었는지는 알 수 없으나 그가 경주에 재주하면서 바로 시작되었던 것으로 보인다.

그가 1915년 1월에 발기한 경주사담회의 일원으로 「고구려호태왕비의 발견과 조선역사에 대하여」라는 제목으로 강연했다는 것은 한국의 고적과 유물에 대한 식견이 일반 사람들에 비해 상당했다는 것을 알 수 있으며, 또한 상당한 유물을 섭렵했다고 볼 수 있다.

그는 『부산일보』 1918년 1월 11일부터 1918년 1월 25일까지 「경주의 석기시대」라는 제하의 글을 발표하면서 석기시대 유물을 분류하고 그 유물 분포지를 설명하고 있다. 1914년부터 경주 남산에서 처음으로 석기시대의 유적을 발견하고, 이후 남산을 시작으로 불국사 영지부근, 외동면 냉천리 및 울산병영 등 경주에서 울산을 통하는 유역 및 경주에서 포항을 통하는 유역 등에서 석기시대의 유적을 발견했다고 하고 있다.[69]

특히 석기시대 유물 수집에 대해서는,

> 나는 일찍이 남산의 일봉—峯 황금대에서 지석砥石 2개를 발견, 그 가까이에서 다수의 석기재료 및 미성未成의 석기 및 파편완성품 등이 산재하고, 또 그 부근에 다수의 토기파편이 산란한 것으로 보아 주거적住居迹으로 의심 <중략> 명활산의 붕괴 또는 박락한 개소에서 석검, 석족, 토기파편 등을 발견, 반월성지 및 안압지 부근의 밭이랑 중에서 석족石鏃 기타를 채집했다.[70]

고 하고 있다. 유물에 대하여 "석부류石斧類, 석족류, 석포도石庖刀, 석검, 석창, 석도, 석추石錐, 환석環石, 지석砥石, 토기土器" 등을 열거하고 있어 다양한 유물을 채집하고 있음을 알 수 있다.

1917년 도리이 류조鳥居龍藏가 유적조사를 위해 경주에 왔을 때 『부산일보』에는 다음과 같은 기사가 보인다.

---

69 諸鹿央雄, 「慶州の石器時代」, 『釜山日報』 1918년 1월 11일자.
70 諸鹿央雄, 「慶州の石器時代」, 『釜山日報』 1918년 1월 12일자.

조거 유적조사.

동대 강사로 조선총독부 고적조사원으로 조거룡장 씨는 당 지방에서 유적
조사를 위해 총독부 택준일 씨와 함께 지난 월(10월) 25일 경주에 와 목하
같이 신라유족의 조사 柴田여관에 체재 중 <중략> 지난 26일 고적보존회
제록 씨와 함께 회 간사 용야 서기 및 금융조합이사 등 제씨와 석기시대의
유적을 조사를 위해 남산 기타에서 토기 및 석부, 석족, 석도 등 유물을 발
견하고 그리고 29일 전년에 시도하였던 반월성지에서 유물포함층을 발굴
하여 11월 8일까지 당지에서 유적조사를 마치고 운운.[71]

이 기사의 내용을 보면, 고적조사를 위해 경주에 오는 학자들의 안내와 함께
발굴 작업에도 함께하고 있음을 알 수 있다.

『조선고적도보』제5권에는 신라고와가 600여 점이 수록되어 있는데 이 중에
는 개인으로는 고히라小平와 모로가諸鹿의 것이 가장 많은 량을 점하고 있는데,
모로가의 것이 120여 점이 수록되어 있다.

그 고와의 일부는 총독부박물관과 경주박물관에 진열하기도 하였다. 1915년
시정5주년공진회에 모로가는 사천왕사지에서 출토한 천조와干鳥瓦, 귀면와鬼面
瓦 등을 출품했다. 1916년에는 모로가가 사천왕사지 사탑유지寺塔遺址로 생각
되는 토단土壇의 남측에서 녹유사천왕전綠釉四天王塼을 발굴하여 일본고고학회
에 소개하였으며,[72] 모로가는 스스로 수 회 이곳을 방문하여 직접 발굴을 하기

71 『釜山日報』1917년 11월 3일자.
72 諸鹿央雄,「朝鮮 慶州發見釉塼」,『考古學雜誌』제6권 9호, 1916년 4월.

諸鹿央雄所藏 梅原末治編序

新羅古瓦譜 第一輯 靑陵題

慶州古蹟保存會發行

『신라고와보』표지

도 했지만 선동鮮童들을 시켜 꾸준히 수소문을 해왔다.[73] 이를 보면 모로가는 경주고적보존회의 활동을 하면서 총독부의 정식 허가도 없이 유적지의 지표면을 파헤치고 유물을 채집하였다. 이는 보존회라는 이름을 등에 업고 유물을 수집한 도굴행위라 할 수 있다.

1926년에는 모로가가 소장하고 있는 고와를 가지고 『신라고와보』를 우메하라梅原가 편찬 발간하기까지 하였다.[74]

조선총독부박물관 주임(관장격) 후지타 료사쿠藤田亮策가 1928년 구미박물관 등을 돌아보고 기술한 내용 중에는 대영박물관에 소장 진열된 마제석부磨製石斧, 석족石鏃, 석도石刀에 대해 신수품 소개란에 '경주 제록앙웅씨망아기념기증慶州 諸鹿央雄氏亡兒記念寄贈'이란 설명표가 있다고 한다. 이 물품에 대해 신수품이란 표시가 있다는 것은 후지타가 실견한 1928년경에 경주의 모로가 히데오諸鹿央雄가 그의 죽은 자식을 생각해서 기증했다는 것이다. 그의 망아가 대영박물관과는 어떤 관계를 가지고 있는지는 알 수 없으나, 영국에 까지 한국 유물을 기증 했다는 사실은 놀라운 일이 아닐 수 없다. 그는 경주고적보존회 활동과 경주박물관장을 지낸 자이면서 한국 유물을 얼마나 사유화하고 함부로 취급했는지를 엿볼 수 있다.

73 「朝鮮 慶州發見釉塼」,『考古學雜誌』第6卷 8號, 考古學會, 1916년 4월.
74 諸鹿央雄 藏, 梅原末治 編,『新羅古瓦譜』, 慶州古蹟保存會, 1930.

도쿄제실박물관의 『제실박물관연보(昭和10年 1月~12月)』[75]를 보면 1935년에는 경주 황남리, 보문리, 천북리 기타 경주 일대의 고분에서 출토된 유물(歷史部第11區4399~4520)을 대량 구입한 건이 보이고 있다.

한일협정 때 도쿄국립박물관으로부터 반환받은 「한일회담 반환문화재 인수유물목록」[76]을 보면 도쿄박물관에서 모로가로부터 구입하였던 다음과 같은 상당한 유물이 포함되어 있다.

金銅製杏葉 (2개), 銀製帶金具(4), 銅製鐎斗殘缺(3), 銀製垂飾具(1), 金銅製雲珠(2), 水晶曲玉(1), 琉璃玉(4련), 玉環(1連), 水晶切子玉(1련), 硬玉曲玉(1), 水晶算盤玉(1), 琉璃玉製頸飾(2連), 硬玉丸玉(1) 陶器 및 土器(71점), 施釉塼(5점)	구입, 諸鹿央雄이 반출. 한일협정 때 도쿄국립박물관 으로부터 반환[333]

이들은 모두 고분에서 나온 유물들로서, 모로가가 도굴꾼들과 상당한 연관이 있었던 것임을 증언 하고 있다. 모로가는 도굴과 관련한 장물취급으로 경주박물관장을 퇴임한 후에 중요한 유물을 몇 차례에 걸쳐서 한 번에 몇 십 개씩 도쿄제실박물관에 납입하였는데 '무상인물골호舞象人物骨壺'도 바로 그러한 유물에 속한다. 모로가諸鹿는 1935년 6월 1일 다른 7개의 큰 골호와 아울러 도쿄제실박물관에 납입했는데 한일협정에 의해 찾아오게 된다.[78]

모로가는 경주에 재주하는 동안 경주고적보존회, 경주사담회, 경주박물관 주임으로 활동하면서 각종 발굴에 참여하였다. 그가 직접 수집하거나 도굴을

75 帝室博物館, 『帝室博物館年譜(昭和10年 1月~12月)』, 1936.

76 韓國美術史學會, 『考古美術』165호, 1985.

77 「韓日會談 返還文化財 引受遺物目錄」, 『考古美術』165호. 1985.

78 崔淳雨, 『崔淳雨全集』, 學古齋, 1992.

사주하여 많은 도굴품을 소장했으며 이들 중 대부분 일본의 박물관이나 대학에 기증 또는 매도했다. 그는 따지고 보면 경주 문화재를 권력과 경제적 치부로 이용한 자로, 경주 문화재를 거침없이 파괴 유린한 자라 할 수 있다.

1933년 5월 2일

진서리(신작리) 제17 도요지

전라북도 부안 도요지(陶窯址) 조사

전라북도 부안군 산내면 진서리에 유존하는 도요지 2개 처의 소재 임야는 1917년 식산국 산림과에서 구분 조사할 때 사적보존상 필요하다고 인정되어 을종요존림으로 되어 있었다. 그런데 1933년 전북도지사로부터 진서리의 을종요존임야의 해제 신청을 해옴에 따라 기수 가와시마 히데오川島秀雄와 조선총독부 촉탁 노모리 겐野守健이 1933년 5월 2일부터 14일까지 전라북도 부안군 보안면, 산내면 일대에 분포한 고려시대와 조선시대 도요지의 입지환경, 출토물의 종류 및 특징, 상태 등을 조사하게 되었다.

전북 부안군 보안면 고려시대 도요지는 류천리 부락의 바로 후방 구릉의 경사면에 약 14개소, 또 가도 가까이에 수개소가 있었다. 이런 등의 요지로부터 발견된 도자편에 어떤 것은 음양각의 초화문이 있는 고려청자의 우수품이 출토되었다.

산내면 고려시대 도요지는 23개 처로 제1도요지부터 제5도요지 및 제23도요지는 연동에 속하고, 제6도요지부터 제18도요지는 신작리에 속하고, 제19 내지 제22 도요지는 진서리에 속해 있었다. 산내면의 도요지에서 각종 청자편을 채집했다.[79]

1933년 5월 6일

평안남도 순천 운봉리 고분 조사

1933년 4월 5일 평안남도 순천군 순천면 운봉리 153번지 밭에서 벽화고분을 발견함으로서 5월 1일부로 총독부에 보고가 올라갔다. 이에 조선총독부 촉탁 가야모토 가메지로楢本龜次郎이 파견되어 5월 6일부터 5월 9일까지 평안남도 순천군 순천면 운봉리 벽화고분을 조사하게 되었다.

벽화 고분은 대동강 남안에 근접해 있는 운봉리 부락의 인가에 인접해 있었으며, 고분 발견 후 4월 28일 군청, 경찰서원 등이 현장을 시찰하고 석실내외의 일부를 발굴하여 석실의 구조 및 개략을 확인하고 방치해 두었다. 석실 내부에는 흙으로 차 벽면은 현재 3, 4척 정도 노출되었다. 이에 대한 조사를 하고, 주

---

79 「전라북도 부안 도요지(陶窯址) 조사」, 『국립중앙박물관 소장 조선총독부박물관 공문서』, 목록번호 : 96-279.

운봉리 벽화고분 천정부

변의 삼화리, 독산리 고분의 특징 및 상태 등도 조사했다.[80]

1933년 5월 9일

대동강면 율리에서 낙랑유물 발견

5월 9일 평남 대동군 대동강면 율리에서 경마장 확장공사를 하던 중에 낙랑
시대의 고분을 발견했다. 이 고분에서 고위고관의 행렬시 사용하던 장병산長柄

---

80 「평안남도 순천 운봉리 고분 조사」, 『국립중앙박물관 소장 조선총독부박물관 공문서』, 목
   록번호 : 96-279.

傘, 철부鐵斧 등 다수의 귀중한 부장품을 발견하여 도 학무과에 신고를 하였다. 이에 때 마침 운봉리 고구려 벽화고분을 조사하기 위해 평양에 온 가야모토 가메지로梶本龜次郎가 발굴물을 조사하고 고분 조사는 고이즈미 아키오小泉顯夫에게 맡기고 유물을 본부박물관으로 송치하였다.[81]

『조선중앙일보』1933년 5월 12일자에는 다음과 같은 기사가 있다.

평양경마장 공사 중 진귀한 고물 발굴, 이름 적힌 우산도 있어
부외 대동강면 율리 경마장 공사 현장에서 낙랑고분이 드러나 그 속으로부터 낙랑시대의 고물 수점을 발굴하여 총독부 학무국 가야모토梶本 촉탁이 실지 조사한 후 9일 총독부로 보냈는데 금번 발굴한 고물은 다음과 같다.
토기감, 칠기, 철부, 부병斧柄, 토기파편, 목상木床, 기타 부장품
이상의 물품 외에 특히 진귀한 것은 자연목 나뭇가지에 정교하게 칠한 길이 7척, 직경 1촌3분의 우산대 한 개와 길이 약 2척의 우산살 90여 개도 발굴하였다는데 전기 우산대에는 한문자로 윤영일尹英一이라고 새겨 있다고 한다. 이 고분은 낙랑시대의 상당히 고귀한 분인 듯함으로 11일부터 총독부 학무국 촉탁이 머물면서 부근 일대를 발굴 조사하기로 되었다하는바 학계 연구재료에 가장 귀중한 것으로 크게 기대된다고 한다.

지난 9일에 발견된 낙랑고분을 발굴하기 위하여 평양에 체재 중인 본부박물관 고이즈미小泉 촉탁이 5월 14일 대동군 대동강면 율리의 신경마장에서 3개소

---

81 『每日申報』1933년 5월 13일자.

의 고분을 더 발견했다.[82]

1933년 5월 10일

고구려시대의 불상 2체를 발견

5월 10일 평남 평원군 한천면 원오리 서방 답중에서 동리 농부 박신교가 고구려시대의 작품인 고 9촌의 적색소소赤色素燒의 불상泥佛 2체를 발견했다. 박은 이것을 18일 평양에 가지고 왔는데 마침 평양에 와있던 본부박물관 고이즈미小泉가 발견하고 매입하였다. 이번의 출토품은 조금도 파손이 없어 완전한 것이라 한다.[83]

1933년 5월 28일

영주 부석사 경내에서 금사자상 발견

영주군 부석사 주지 황경파가 5월 28일 그 절 안에 있는 밭을 갈다가 길이 3촌5분 고 1촌2분 64돈중의 금으로 만든 사자상 한 개를 발견하고 도보안과에

---

82 『每日申報』 1933년 5월 16일자.
83 『每日申報』 1933년 5월 25일자.

신고하여 보안과에 보관하다.[84]

1933년 6월 6일

발해고도에서 4개의 대궁전 발굴

하라다 요시토原田淑人 일행이 만주국 관헌과 외무군부의 후원을 얻어 6월 6일에 반만군토벌대를 따라 현장에 들어가 6월 26일까지 20일간 모험적 발굴을 한 결과 10리 사방에 묻혀 있는 4개의 큰 궁전과 다수한 귀중자료를 발견하여 최근 학계에 소개하다.[85]

1933년 6월 7일

6월 7일 대전 대사리 부사동 남산록 토지 일부가 붕괴되어 높이 7척 넓이 6척 가량 되는 석불이 발견되었다.[86]

새로 발견한 석불
(『조선중앙일보』 1933년 6월 10일자)

---

84 『每日申報』 1933년 6월 17일자.
85 『東亞日報』 1933년 7월 16일자.
86 『東亞日報』 1933년 6월 10일자; 『每日申報』 1933년 6월 12일자; 『朝鮮中央日報』 1933년 6월 10일자.

1933년 6월 14일

학술진흥회 조선 보조

일본학술진흥회의 보조금 결정에 관한 이사회는 6월 14일 우에노제국학사국에서 개최하여 원조신청 건을 심의 했는데, 원조 결정된 조선관계의 건은 다음과 같다.

신청사항 : 한 낙랑군 유적의 조사 발굴 및 그 보고서 작성 출판

신청자 : 조선고적연구회 이사장 이마이다 기요노리今井 田清德[87]

도난당했던 금불을 찾다

수원군 의왕면 청계사에 보존하여 오던 불상 1구를 6월 4일에 도난을 당하여 경찰에 신고를 했다. 6월 14일 잃은 지 10일 만에 고양군 한지면 신당리 모의 집에 있는 것을 발견하고 찾아 왔다. 불상을 훔친 자는 4명으로 이들은 공모하여 불상을 훔친 후 팔려다가 모두 검거되었다.[88]

---

87 『每日申報』 1933년 6월 16일자
88 『每日申報』 1933년 6월 25일자.

1933년 6월 16일

카사하라笠原烏丸은 1933년 6월 16
일 개인적으로, 평안남도 대동군 추
을미면 미림리에서 석기시대 유물
56점을 채집했다.[89]

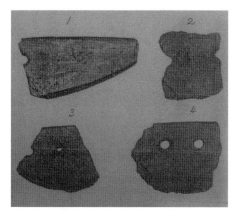

채집 유물

1933년 6월 17일

전라남도 순천군 쌍암면 선암사 산내 말사 선조암禪助庵을 폐지하다.[90]

1933년 6월

부여군 규암면 백강리 문연봉은 백제시대의 청룡사지였던 부산 중턱에 절을
신축하려고 터를 닦던 중 금불 1좌 석불 2좌를 발견하였다. 금불은 고적보존회
진열관으로 옮겼다.[91]

---

89 笠原烏丸,「朝鮮美林發見の石錐に就て」,『考古學雜誌』제23권 제10호, 1933년 10월.
90 『朝鮮總督府官報』1933년 6월 17일자.
91 『毎日申報』1933년 6월 19일자.

1933년 7월 14일

1933년 10월 6일자 전북도지사가 조선총독에게 보낸 '학술 기예 또는 고고자료에 이바지할 유물 건'[92]에 의하면, 1933년 7월 14일 전라북도 임실군 둔남면 봉천리 산 88번지의 5층석탑(높이 1장3척)에서 청동제향로 2개를 발견했다.

발견자는 이부엽이라는 정원사로, 이부엽은 7월 14일 정원석을 탐색하기 위해 둔남면 봉천리 임야에 들어갔는데 임야 중앙에 하2단이 남고 상 3단은 이미 붕괴된 5층탑 1기 및 그 최하단 석층으로부터 청동제향로 2개를 발견하여 7월 18일 당국에 신고를 했다.

『매일신보』 1933년 7월 26일자 기사

1933년 7월 18일

함북 일대 유적 조사

경성대 예과교수 요코야마 쇼자부로橫山將三郎 7월 18일부터 2개월을 예정으로 함북 일대의 석기시대 유적을 조사했다. 18일부터는 함북 경성군 용성면 농포동

---

92 『국립중앙박물관 소장 조선총독부박물관 공문서』, 목록번호 : 96-166.

유판패총을 발굴하여 토기, 석기, 골재, 등 3일간의 발굴물이 마대로 2개나 되었다. 또 경성군 오촌면 원수대 부근을 발굴하여 투명한 환옥環玉, 수식 등을 발견했다.[93]

1933년 7월 25일

경북 칠성군 유가면 비슬산 중에 있는 유가사瑜珈寺에서는 7월 25일경에 괴한이 침입하여 금불상 한 개를 도적해 갔다. 이 불상은 원래 도성사道成寺라는 절에 두었던 것인데 도난의 우려가 있어서 유가사로 옮겨 놓았던 것이 몇 날 되지 못하여 도난을 당했다.[94]

1933년 7월

묘석 절취범 검거

고양군 은평면 불광리에 거주하는 호계정은 불광리의 이 모의 소유 불광리 산 142번지 산에 들어가 분묘 앞에 있는 묘석 9개를 절취하여 팔아먹으려다 서

---

93 『每日申報』 1933년 7월 25일자, 26일자; 有光敎一, 『有光敎一著作集 第1卷』, 1990, pp.5-6; 橫山將三郞, 「油坂貝塚に就て」 『(小田先生頌壽記念)朝鮮論集』, 小田先生頌壽記念會, 1934.
94 『東亞日報』 1933년 8월 17일자.

발견한 석상

대문서원에게 체포되었다.[95]

석상을 발견

춘천군 사북면 오탄리에서 약 3백년 된 고분에서 속칭 장군석이라 하는 석상이 발견되었다.[96]

공주 송산리 제6호분 조사 및 도굴

공주 송산리 제6호분은 무령왕릉과 더불어 벽돌로 축조된 무덤으로 동쪽에는 5호분, 서쪽에는 29호분이 자리하고 있다. 1933년에 조사는 되었으나 정식 보고서는 발간되지 않았다. 1932년 우연히 그 단서가 발견되었다. 1932년 가을에 송산리 고분군을 통과하는 관람도로 건설공사를 하던 중 1932년 10월 26일에 배수구 일단이 발견되었다. 하지만 이런 단서가 발견되었으나 상부에 보고는 되지 않았다. 보고도 되지 않은 상태에서 가루베 지온輕部慈恩은 이 고분을 발굴한 후에 상부에 신고를 했다.

공주에서 왕릉이 발견되었다는 연락을 받고 총독부박물관에서 조사원을 파

---

95 『每日申報』1933년 7월 16일자.
96 『每日申報』1933년 7월 17일자.

견하게 된다. 『매일신보』 1933년 8월 7일자에는 다음과 같은 기사가 있다.

공주말엽의 왕도王都 공주에서 왕릉 발견

속칭 왕릉 가는 도로공사에 종래의 왕릉을 요히遙히 능시凌視할만한 왕릉을
발견함에 이르렀다. 그래서 공사 중의 일동
은 탄성을 높이 부르짖게 되는 동시에 후지
타藤田 본부박물관장을 초래招來하여 감정 중
에 있는데 종래의 왕릉이 대개 자연석으로
배수구를 설設함에 반하여 이 왕릉은 벽돌로
만들었을 뿐만 아니라 벽화조각이 모두 유
서 있는 것이므로 일반은 경이의 눈으로 보
게 되었다는 바 박물학자博物學者의 감정 결
과를 일대 흥미의 눈으로 보고 있다고 한다.

송산리고분 배수구
(『부산일보』 1935년 10월 24일자)

가루베는 그의 저서 『백제미술百濟美術』에서 송산리 제6호분의 발굴에 대해
다음과 같이 기술하고 있다.

소화7년(1932) 10월 26일 우연히 전에 발견한 제1유형에 속하는 송산리
제1호분 이하 제5호분 및 배총인 7, 8호분의 서측의 구릉지맥 첨단尖端 가
까이 전축고분에 부속한 배수구를 발견, 소화8년(1933) 7월 하순부터 배
수구의 출구 첨단부터 봉토를 제거하여 약 25m 나아가 석회로 굳힌 연도
의 전벽에 도달하게 되었다. 그리고 전벽의 내측, 즉 연도羨道의 천정이 이

미 파괴되어 옛날에 도굴을 당한 것으로 알게 되었다.

8월 1일에 점차 현실 내에 도달하기에 이르러, 백제문양이 있는 전곽, 4벽에는 사신 및 일월 등의 벽화를 발견했다. 이에 전보로 조선총독부에 교섭하고 경성박물관으로부터 후지타 료사쿠藤田亮策, 고이즈미 아키오小泉顯夫 씨의 내원來援을 얻어 조사를 개시하게 되었다.[97]

이 내용은 8월 1일까지 독단으로 발굴을 하고는, 그 이후에 총독부에 전보를 하여 본격적으로 했다는 이야기다.

『부산일보』 1935년 10월 23일자 기사에는 "공주 송산리 제6호분 발견. 8월 1일 공주고보 교유 가루베 지온輕部慈恩이 발견" 이라 하고 "현실은 장방형으로 폭 2.24m 길이 3.70m로, 현실의 중앙으로부터 동쪽으로 약간 치우쳐 관대를 설치하고 그 위에 목관을 안치한 것으로 보인다. 또 현실 벽면에는 칠식을 하여 기하학적인 문양을 시施하고, 동서남북 벽면에는 청룡, 백호, 주작, 현무 사신 및 일월을 그렸다" 라고 하고 있다. 이 기사는 물론 2년이나 지난 일을 꺼내어 기술하고 있긴 하지만 1933년 8월 1일에 가루베에 의해 발견했다는 것은 그 전에는 어느 누구도 이 고분에 대해 손을 댄 것은 물론이거니와 알지도 못했다는 것을 말하고 있는 것이다.

가루베 지온輕部慈恩은 10여 년 간 공주고등보통학교에 근무하면서 학생들에게 수시로 향토조사에 관한 과제를 주었는데 여기에서 발견되는 근거를 가지

---

97 輕部慈恩, 『百濟美術』, 寶雲舍, 1946, p.117.

고 공주 일대를 샅샅이 훑으면서 백제의 고분을 수없이 파헤쳤다.[98] 특히 1933년 무령왕릉과 같이 붙어 있는 송산리6호분을 발견하고 완전히 도굴, 모든 부장품을 깨끗이 약탈했다.

당시 그 곳을 조사한 총독부 박물관 촉탁 고이즈미小泉는 "그것은 눈뜨고 볼 수 없는 참상이었다"고 술회하였다. 가루베의 자술대로라면 이듬해 1933년 7월 29일부터 8월 2일까지 단독 발굴을 하고, 후에 총독부에 신고를 하여 고적 조사원들과 함께 하였다고 한다. 하지만 그의 진술은 신빙성이 떨어진다.

가루베 자신이 1935년에 『충청남도 향토지』에 기고한 기록을 보면,

그 후 교촌리, 외약리 등에 있어서도 동종同種의 전塼을 발견하고 1932년 10월 20일에는 도로공사 중에 발견된 송산리 제5호분의 조사와 함께 석곽 내부에 2개의 전축관대塼築棺臺 및 연도羨道의 입구를 막기 위하여 사용한 전벽塼壁의 실례實例를 얻었다. 그리고 동년同年 10월 26일에는 앞에서 기술한 바와 같이 송산리 제5호분의 서쪽부근에 전축塼築의 배수구를 찾아내어 여기에 드디어 제6호분 발굴의 동기를 만들었던 것이다.

누누히 조사를 위해 이 부근을 배회하여 부근에 많은 문양이 있는 백제전이 산재하는 것을 발견하고 또 소화 6년경 부근의 농부 등 많은 사람들이 모여 이번에 발견한 연도羨道 부근을 발굴하고 있는 것을 발견하고 즉시 공주경찰서에 보고하여 이것을 중지하도록 했다. 그때의 전塼은 나중에 조선총독부박물관으로 보냈던 것이다. 그리고 동년同年 가을에 총독부박물관 고이즈

---

98 이러한 정황은 『忠淸南道 鄕土誌』에 실린 학생들의 향토조사에서 알 수 있다.

미 아키오小泉顯夫 씨가 와서 나와 함께 조선인 농부들에 의해 도굴된 몇 장소를 계속 발굴하려고 했지만 도중에 호우를 만나 중지할 수밖에 없었다.

이곳의 지세가 백제의 묘상墓相으로서 가장 적합한 장소이고 더욱더 확신을 얻어 1933년 7월 29일에는 공주보승회의 의뢰를 받아 송산리 제6호분의 시굴을 시작하였다. 1932년 10월 도로공사 중에 노출된 최남단에 있는 배수구에서 차례로 북쪽으로 지산地山을 남기고 성토盛土만을 빼고 시행하였다. 그리고 8월 1일 오후에 이르러 약 21미터를 북쪽으로 파 올라가 연도전벽상부羨道前壁上部의 끝이 되는 곳에 이르게 된 것이다. 여기에 있어서 연도전벽내면羨道前壁內面 즉 연도 최남단 천정에 닿는 부분을 아래로 파내려가 직경 30센티 내외의 할석割石과 섞이어 다수의 문양이 들어간 전塼이 출토되었다. 더 파 내려가 약 1미터 정도에 이르자 전과 섞이어 이조말기의 백색유白色釉의 발형鉢形 도기파편陶器破片이 나왔기 때문에 이전에 이미 도굴된 것이 명백하여 잠시 실망을 했다. 다시 1.3미터 정도를 파 내려갔을 때 연도천정羨道天井의 일부가 파괴되어 있는 것이 분명하여 이조말기에 속하는 기와가 나타나고 또 연도 내에 침입한 토사를 제거해 나가는 과정에서 연도의 마루면에 가까운 곳에서 계룡산 반포면 도요지에서 출토된 종류의 소위 하게메刷毛目 계통의 도기조각 하나가 출토되었다. 이러한 사실 즉 연도 전면의 천정 남북 66센치 동서 55센치의 넓이에 전이 직경30센티 내외의 할석재割石材와 섞이어 축곽용築槨用의 전塼이 어수선하게 연도내의 일부분에 채워져 있는 것과 힘께 그 흙속에 이제까지의 말한바와 같이 근대의 기와, 도기조각 등이 섞이어 있었던 것은 그다지 멀지 않은 과거에 도굴당한 것을 말해주고 있다. 8월 2일 오후 4시경에 이르러 겨우 곽내槨內

로 들어갈 수가 있었다. 그리고 예상외로 내부는 완전히 보존되고 벽화도

있고 불감佛龕, 관대棺臺도 있고 유물도 도굴된 편에 비하여 비교적 많이 남

아 있어 그 기쁨 중에 경성에 있는 조선총독부박물관에 타전하여 고이즈

미 아키오小泉顯夫 씨의 출장을 의뢰하여 공동으로 조사가 시작된 것이다.

<중략> 유물의 중요한 것은 대부분 도난을 당하고, 호박구옥琥珀勾玉, 진주

환자옥眞珠丸子玉 80여 개, 순금제이식純金製耳飾, 대금구帶金具, 대도大刀, 도

자파편刀子破片, 그 외 금동제장신구金銅製裝身具를 출토했다.[99]

여기에서 가루베의 행위를 보
면, 이 일대에서 1931년에 농부들
이 전을 발견하였으며 1932년 10
월에 이미 6호분의 존재를 확인하
고 있었다. 그런데 발굴은 그 이듬
해 1933년 7월 29일부터 시작하여
8월 2일에 곽내에 들어가 조사를
한 후에 총독부에 신고를 한 것으
로 되어 있다. 그러나 『백제미술』
에서는 1933년 7월 하순에 배수구
출구 끝부분에서 봉토封土를 제거

송산리 제6호분 연도(『부산일보』 1935년 10월 29일자)

99 輕部慈恩, 「公州に於ける百濟遺蹟」『忠淸南道 鄕土誌』, 公州公立高等普通學校 校友會
   發行, 1935, pp.10~13.

하기 시작하여 8월 1일에 현실 내에 도달한 것으로 기술하고 있다.[100] 이에 대해서는 가루베가 언제 현실 내에 들어갔는지는 전적으로 가루베의 말 외는 증명할 수 있는 방법이 없다. 그가 7, 8년 전부터 이 일대를 집중적으로 조사한 전력을 본다면 그간에 그냥 두지 않았을 것이다.

고이즈미小泉에 의하면 "1933년 8월 상순 돌연 공주고적보존회장으로부터 전보가 왔는데 벽화고분을 발견했다는 보고를 하고 조사요원의 급파를 총독부학무국장에게 보내왔다. 연락을 받은 총독부박물관에서는 후지타 료사쿠藤田亮策 고적조사원을 주사로 사와 슌이치澤俊一, 고이즈미 아키오小泉顯夫 등 3명이 파견되어 조사를 담당하였다"[101]고 하며 당시 조사상황을 다음과 같이 기술하고 있다.

우리가 도착한 깜깜한 실내의 상황이다.

도굴분이라고 하기에는 너무나 내부가 깨끗했으며 유물 토기의 조각 잔재도 남아 있지 않았으며 얇은 진흙이 건조된 것 같은 흙 위에는 무수히 많은 발자국들이 있었다. 관대상棺台上의 주변이나 연문서羨門西 옆의 벽돌대가 흩어져 있음에도 도굴자가 유물을 찾아다니기보다는 오히려 관대棺台나 현실상玄室床의 구조를 조사하려 한 것으로 강하게 추정되었다. 후지다藤田 위원뿐만 아니라 지금까지 많은 도굴분을 조사해 왔던 우리들도 그것을 짐작했다.

최초로 현실내로 들어간 가루베 지온輕部慈恩 씨에게 「유물은 어떻게 된 것일까?」라는 문제를 제기해 보았지만 「당초부터 이 상태이며 아무것도 남아

---

100 經部慈恩, 『百濟美術』, 寶雲舍, 1946, p.117.
101 小泉顯夫, 『朝鮮古代遺蹟の遍歷』, 六興出版, 1986, p.200.

있지 않았다」라고 회답을 했다. 우리가 상상관대상床上棺台上의 흐트러진 흙을 정밀조사 해본 결과 관대 위의 흐트러진 벽돌 사이에서 순금제이식純金製耳飾 조각과 관대 및 그 주위에 흩어져 있는 유리소옥玻璃小玉과 동시에 미세한 조각의 진주옥 다수가 발견되었다. 지금 정확한 개수는 알 수 없지만 모두 합해서 수백 조각 정도이며 옥 조각은 진한 청색, 황색, 붉은 색의 세 가지 색이었다. 전체의 3분의 1에 해당하는 진주는 천연진주의 특성인 불정형不整形이고 큰 것은 쌀알 크기의 정도의 수개이며, 그의 반 정도는 쌀알의 3분의 1정도의 크기가 대부분이었다. 그 중에는 어떻게 해서 연결용의 실구멍을 낼 수 있을까하는 작은 것도 포함되어 있다. 지금 아름다운 진주색깔의 화려함을 갖고 있으며 바다에서 생산된 것인지 강에서 생산된 것인지 구별이 안 될 정도이다. 유일한 장신구인 순금제이식純金製耳飾 한 개는 길이가 5-6센치 직경이 1.5센치 정도의 가느다란 고리이고……[102]

송산리 제6호분 연도전벽내면(羨道前壁內面)
(『부산일보』 1935년 10월 28일자)

가루베의 신고를 받고 현장에 도착한 고이즈미小泉 등의 조사에서도 무뢰한의 도굴이 아니라는 것을 직감하고 있다. 이는 가루베가 이미 6호분에

---

102 小泉顯夫,「百濟の舊都夫餘と公州」『朝鮮古代遺蹟の遍歷』, 六興出版, 1986, pp.205-206.

대한 도굴과 아울러 충분한 조사를 하였다는 것을 입증立證하고 있다.

또 이런 엄청난 발굴을 발굴이 끝난 연후에 신고를 했다는 것은 상식 이하이고 그런 탓에 총독부에서 내려온 조사원은 보고서조차 만들 수가 없었던 것이다. 또 한 가지는 가루베는 이 고분이 이미 전에 도굴 당한 것이라고 하고 있는데 일반적으로 도굴꾼이 무덤을 도굴한 후 다시 그 무덤을 원상 복구하는 예는 없다. 따라서 이는 그가 말한 대로 1932년 10월에 6호분의 존재를 확인한 후에 도굴을 하고 그 무덤을 옛날에 이미 도굴된 것처럼 꾸미기 위해 다시 원상 복구한 것으로 추정된다. 아니면 1933년 7월에 시작된 발굴에서 유물을 빼돌리고 이미 도굴분인 것처럼 꾸몄을 것이다.

오사카 긴타로大坂金太郎는, "6호분은 잡초가 심하게 무성하고 외관 구릉으로 생각되는 것으로 도적이 연도羡道 천장의 일부를 파괴하여 내부로 침입하여 유물을 도취해 가버렸다. 그 도굴을 최초로 발견한 것은 당시 공주공립고등보통학교 가루베 지온輕部慈恩씨로 동 씨의 보고를 받고 총독부박물관장 후지다 료사쿠藤田亮策, 고이즈미 아키오小泉顯夫가 동지同地에 출장, 가루베輕部씨의 협력으로 조사하였다"[103] 하는데, 가루베는 자기가 도굴을 하고도 당국에 신고까지 하는 뻔뻔한 자였던 것이다.

후지타와 고이즈미가 많은 유물을 기대했었지만 큰 소득 없이 경성으로 올라간 후 8월 17일에 세키노의 공주 방문이 있었다. 『매일신보』 1933년 8월 20일자에는 다음과 같은 기사가 있다.

---

103 大坂金太郎, 「百濟壁畫博室在銘博に就いて」, 『朝鮮學報 第51輯』, 朝鮮學會, 1969, p.149-150.

공주 신왕릉, 세키노關野 박사 내검來檢

공주군내에서 진귀한 왕릉을 발견하였다 함은 기보한 바이어니와 본부의 초빙에 의하여 동대교수 세키노關野 박사가 지난 17일 공주로 와 박식적 감정안으로 모든 것을 조사하는 중이라는데 결과 어떠한 발표가 있을까 함은 일반의 주시 중이라 한다.

세키노의 공주 방문에는 그의 입에서 어떤 말이 나올까 잔뜩 기대를 했다.

『조선중앙일보』 1933년 8월 24일자에는 다음과 같은 기사가 있다.

『조선중앙일보』 1933년 8월 24일자(기사에서 '關水박사'가 2회 나오는데 이는 '關野박사'의 오기로 보인다)

고분을 통해 본 백제시대 문화

삼한시대의 왕국으로서- 현재 충남 부여의 지점을 찬란하게 장식하였던 백제시대의 문화는 천고의 비밀로 비장되어 있던바 금번 동대 교수 세키노關野 박사가 약 1주일 전부터 충남 공주군 주내면에 와서 고분을 발굴함에 의하여 백제시대의 문화가 북중국으로부터 남중국에 이르기까지에 적지 않은 영향을 받은 사실이 이번에 새로 발견되어 지금으로부터 1천6백년 전의 풍모를 용이히 엿볼 수 있는 동시에 고고학계에 귀중한 공헌 재료를 제공하였다 한다. 이제 세키노 박사가 전기 고분을 발굴하여 조사한 바에 의하면 그 고분은 '터널'을 단면으로 베인 것과 같이 되었는데 내부에

는 전부 백색과 흑색의 벽돌로 쌓았고 옆으로는 창을 만들고 그곳에는 불

상을 놓게 되어 있었으나 이미 불상은 도굴을 당하고 귀耳 장식품과 옥석

玉石 등만이 발견되었다는 바 채색, 구조 등으로 미루어 보건대 분명히 북

경北京으로부터 남경南京으로 천도한 후 수당시대隋唐時代의 고분과 동형으

로 이것은 당시 백제와 남중국과의 교역이 얼마나 왕성하였다는 것을 족

히 엿볼 수 있는 사실이라 한다.

이는 이미 조사가 완전히 끝난 후에 세키노가 도착하여 고분의 구조와 축조한 전

을 살핀 내용으로,[104] 이미 유물은 사라져 이에 대한 어떤 특별한 단서는 얻지 못했다.

조선중앙일보 기사 중에 고분의 벽면에 창을 만들고 그곳에 불상을 두었을

것이나 도굴당했다고 하는데, 이는 세키노 등의 추측으로 보인다.[105]

1933년 8월 9일자 『오사카아사이신문大阪朝日新聞』에서는, 1931년 9월에 공주

를 방문한 고토 슈이치後藤守一 일행이 송산리 제6호분 근처에서 습득한 불상[106]

에 대해 "소화6년(1931) 9월 도쿄제실박물관 감사관 고토 슈이치後藤守一 씨가 현

장 아래서 발견한 국보 동조석가여래상이 혹 이 고분에서 당병이 발굴하여 훔쳐

---

104 『每日申報』1933년 8월 20일자에 의하면 關野가 공주에 도착한 것은 8월 17일이다.

105 『東亞日報』1933년 8월 23일자에도 다음과 같은 기사가 있다.

　　이달에 忠南 公州郡 州內面에서 百濟時代 古墳이 발견되다. 同古墳은 東京帝大發掘調
　　査團에 의하여 발견되었는데 古墳은 턴넬式으로 되어 있고 白 또는 黑色으로 市松모양
　　으로 채색이 되어 있다. 佛像은 盜掘되어 없어지고 裝飾品과 曲玉등의 遺物이 발견되다.

106 輕部慈恩의「公州에 於ける百濟古墳」(『考古學雜誌』제26권 제4호, 1936년 4월, p.20)에 의하면,
　　1931년 9월 22일 도쿄제실박물관 後藤守一 및 矢島正昭, 北原大輔 씨 일행을 안내하여
　　송산리 고분지대에 이르러 제5호분 서방 약 15m 근처에서 일행이 동조석가상입상(약
　　7cm) 1구를 우연히 습득했다고 한다.

가다가 떨어트린 것"으로 추정하여 이고분의 1차 도굴을 당병에게 돌리고 있다.

송산리 6호분 조사과정에서 연도 전벽前壁에 사용되었던 「양관와위사의梁官瓦爲師矣」의 6자의 초서체로 음각한 아주 희귀한 재명전在銘塼을 발견하였는데, 이 전塼은 장방형 삼각형에 가까운 형태로 측면에 문양이 되어 있는 것으로 부여로 가지고 와 재명전在銘塼을 탁본하고 현품과 함께 총독부박물관으로 송부했으나 해방 후 6·25를 겪으면서 그 행방이 묘연해 졌다[107]고 한다.

가루베는 처음부터 송산리 6호분에 대한 상세한 보고서를 작정으로 사진과 실측도 사진 자료에 일일이 번호를 붙여서 준비했었다. 이러한 자료의 일부는 가루베가 1969년 2월에 전 문화공보부 문화국장을 지낸 이성철에게 우편으로 보내와 밝혀지게 되었다. 가루베가 이성철에게 이 자료를 송부하게 된 것은 이성철이 일제 때 공주고보에서 가루베에게 배운 제자가 되고 또 이성철이 주일본 한국대사관의 공보관으로 근무할 때 가루베와 각별한 관계가 있었기 때문이라고 한다. 이 자료는 제6호분 발견 당시 현장사진과 일부는 실측도를 찍은 사진으로 28매라고 한다.

그런데 유의할 것은 1969년 가루베의 재자인 이성철(전 문화공보부 문화국장)에게 보낸 사진자료나『백제유적의 연구』에 나타나 있는 사진에는 6호분의 바닥 즉 관대와 현실의 유물 노출상태를 찍은 그 사진만 유독 빠져있다. 새로 발견되는 유적과 유물을 촬영하면서 가장 중요한 현실의 관대와 유물(도굴되어도 일부 유물은 남아있었을 것임)의 노출상태를 촬영하지 않았다는 것은 있을 수 없는 것이기 때문이다. 그것은 그가 끝까지 그의 악행을 철저히 은폐하

---

107 大坂金太郎,「百濟壁畵塼室在銘塼に就いて」,『朝鮮學報 第51輯』, 朝鮮學會, 1969, p.149-150.

기 위한 것으로 볼 수밖에 없다.[108] 그가『충청남도 향토지』에 기고한 기록에도 도판圖版으로는 '6호분의 연도羡道', '백제전百濟塼', '벽화 주작도壁畵 朱雀圖', '벽화 백호도壁畵 白虎圖'는 소개하고 있으나 현실 바닥 사진은 빠져 있다. 그의 기록에 분명히 "유물遺物이 비교적 남아 있었다"고 했었다. 그렇다면 바닥 노출상태를 찍은 사진에도 남아 있었을 것이다. 가루베가 1970년 죽기 전에 쓴『백제유적의 연구』[109]에도 공주 송산리 6호분의 도판이 12면이 실려 있으나 이곳에도 바닥 노출사진은 제외되어 있다. 그의 모든 기록에서 이 사진만 빠진 것은 그가 이미 유물을 빼돌린 사실이 들어 나는 것을 은폐하기 위한 것이다.

　당시 신고를 받고 현지 조사에 임한 사람은 후지타 료사쿠藤田亮策를 주임으로 하여 사와 슌이치澤俊一, 고이즈미 아키오小泉顯夫 이렇게 3명으로 구성되었다. 후지타는 현장을 돌아보고 바로 전문가의 도굴을 직감하고 그를 안내한 현지의 관계자에 대하여 무척 화가 나서 질타를 하였다는 것이다. 고이즈미는 당시를 다음과 같이 회술하고 있다.

　그처럼 온후한 후지타藤田 위원님의 얼굴빛을 바꾸며 격노에 찬 언사를 퍼부시는 것은 그전에도 그 후에도 본적이 없다. 그러나 후지타藤田 위원님의 질책은 재지在地의 관계 유력자들에 대한 것이 아니라 그들 중에 아무런 내색도 않고 설명진에 참가하고 있던 특정인물에 대한 것이라는 것을

108　정재훈,「公州 송산리 제6號墳에 대하여」,文化財 12호, 1987,
109　輕部慈恩,『百濟遺跡の研究』,吉川弘文館, 1971.

우리들은 알 수 있었다.[110]

그 특정인물이라는 것은 바로 가루베를 가르키는 것이다.[111] 당시 「고적급유물보존규칙」이 있어, "고적 또는 유물을 발견한 자는 현상現狀에 변경을 가함이 없이 3일 이내에 구두 혹은 서면으로 그 지역의 경찰서장에게 신고해야 한다" 하고 이를 어겼을 때에는 처벌을 받도록 되어 있다. 그런데도 이 사실에 대해서는 아무런 보고도 없었던 것이다.

후지이 가즈오藤井和夫의 논문[112]에는 와세다대학 문학부 강사였던 아이즈 야이치會津八一의 수필을 인용하고 있는데, 아이즈의 수필 내용은 1939년에 발표한 것으로, 1935년 7월에 도쿄부東京府 나카사구中野區 야마토쵸大和町에 있는 가루베 지온의 집으로 있었던 일을 다음과 같이 전하고 있다.

날짜는 잊어버렸으나 4, 5년 전의 일이다. 충청남도 공주에서 중학교 선생 노릇을 하고 있는 다른 우인이, 자신이 거기서 발견한 백제국왕의 묘에서 파낸 여러 가지 물품을 가지고 7월 휴가 때에 돌아왔다. 그걸 보기 위해 야마사구 야마토쵸의 집으로 향했다. <중략> 이윽고 발굴자의 설명을 들어가면서 동석한 4, 5명은 아주 조용히 수많은 물건들을 보았다. 이 묘는 이미 예전에 한 번

110 小泉顯夫,「百濟の舊都夫餘と公州」,『朝鮮古代遺蹟の遍歷』, 六興出版, 1986, p.201.
111 有光敎一, 藤田和夫,「公州 松山里古墳群의 發掘調査」,『朝鮮考古研究會 遺稿Ⅱ』, 도서출판 깊은 샘, 2002, p.5.
112 「早稻田大學 會津八一博士記念博物館所藏 高句麗瓦塼에 關하여」, 동북아역사재단편,『일본 소재 고구려 유물Ⅳ』, 동북아역사재단, 2011.

도굴을 당했던 것 같은데 유물은 대부분 작은 금구金具의 파편이나 남경옥南京
玉 등뿐이었으나, 그래도 그 파편의 도금한 색은 휘황찬란하게 우리들의 눈에
비쳐졌다. 방안 가득히 늘어놓은 파편으로부터 먼 옛날 그 나라 왕궁의 생활
을 조용히, 세밀히, 중간 중간 넋을 잃고 마음속에 그려봤다(1939년 발표).

위 인용문에서 후지이 가즈오藤井和夫는 주석을 붙여 "가루베 지온이 아이즈
야이치에게 보여 준 '백제 국왕의 무덤에서 파낸 여러 가지 물건'이 1933년 8월
에 후지타 료사쿠 등이 발굴한 송산리 제6호분에서 빼내온 것으로 조사 이전에
도굴해 가지고 있었던 것일 가능성이 높다" 라고 하고 있다.

* 가루베 지온(輕部慈恩)의 불법 조사 및 유물 반출

부여 공주를 대표하는 고고유물 수장가로는 가루베 지온을 들 수가 있다. 그
는 수장가라기 보다는 도굴꾼이라 해야 마땅할 것이다. 조선총독부 고적조사
원은 아니나 개인적으로 학술연구라는 미명하에 부여와 공주 일대의 고분은
그의 손을 거치지 않은 고분이 없을 정도이다.

그의 소장품들은 대부분 고분에서 출토된 고고유물로서 밖으로 들어난 것이
극히 드물다. 그의 소장품은 대부분 그가 공주에서 교편생활을 하면서 개인적
으로 채집해온 것들이다.[113]

---

113 1925-1926년 평양의 숭실전문학교 근무, 1927~1937년 공주고등보통학교 근무, 1938-1939년 공
   주중학교 근무, 1940~1942년 대동고등여학교 근무, 1943년~해방까지 강경고등여학교 근무.

가루베(1897~1970)의 교직생활은 1925년 평양의 숭실전문학교에서 시작되었다. 그가 한국에 건너와 평양에서 첫 교직생활을 한데에는 분명한 이유가 있었다. 그는 이유를 "평양의 숭실전문학교에서 고대사 강좌를 담당하면서 낙랑과 고구려유적을 탐사하고 싶어서 조선에 건너간 것이다"고 밝히고 있다.[114] 그런데 왜 그가 평양생활을 접고 공주로 내려 왔는가? 그가 평양에서 교직생활을 할 즈음에는 낙랑고분의 대난굴 시대로 도굴품들이 시중에 마구 쏟아져 평양의 유지, 수집가들은 그 수집에 여념이 없었다. 또한 1925년 도쿄제국대학에서 왕우묘를 발굴하여 몽땅 그네들 대학으로 반출하여 보고서를 발간하는 등 낙랑유적의 명성이 최고조에 달해있을 시기였다. 따라서 낙랑 유적 유물에 대한 연구열과 연구자가 많았던 시기인지라 젊은 자신으로서는 접근하기 어려운 형편이었다고 한다. 그러던 차에 공주의 중학교에 근무하였으면 하는 제안이 있어 "전문학교의 교직을 포기하고 중학교로 옮기는 것은 아쉬웠지만 그곳은 백제 당시의 구도이기도 하고 거기에 무언가 마음이 끌려 드디어 그곳으로 옮기기로 뜻을 정하였다"[115]고 한다. 이러한 면은 그가 얼마나 학문적 욕심이 강했는지를 엿볼 수 있다.

가루베의 유물수집 또는 조사 착수는 학생들에게 과제를 주고, 학생들이 조사한 지역의 전설, 고적, 유물 등에 대한 정보를 참고하여 직접 현지 조사에 착수했던 것으로 추정된다. 1935년에 공주공립고등보통학교에서 간행한『충남향토지忠南鄕土誌』를 보면 그러한 흔적을 볼 수 있다. 그 내용은 가루베와 학생들

---

114 輕部慈恩,「百濟と私」,『駿豆地方の古代文化』, p.114; 윤용혁,『가루베 지온의 백제연구』, 서경문화사, 2010에서 재인용.

115 輕部慈恩,「百濟と私」,『駿豆地方の古代文化』, p.114; 윤용혁,『가루베 지온의 백제연구』, 서경문화사, 2010에서 재인용.

이 조사한 충남의 고적, 유물 등의 조사를 싣고 있다.[116]

가루베는 1930년 3월에 교내에 향토관을 설치하고 "거교적으로 공주를 중심으로 한 백제시대의 토기, 와당, 탁본, 사진, 기타 향토의 훈풍을 담은 여러 가지 유물 수집에 힘썼다"고 한다.[117] 윤용혁이 『가루베 지온의 백제연구』[118]에서 제시한 '가루베 지온 수집 유물에 의한 공주고보 향토실'사진을 보면 각종 수집 유물이 잘 정리되어 진열되어 있다.

가루베는 공주 일대를 샅샅이 훑으면서 총독부의 정식 허가도 없이 백제의 고분을 수없이 파헤쳤다. 그가 공주에서 발굴한 고분 중에서 대표적인 것을 몇 가지 들어보면, 송산리 제5호분, 제8호분, 6호분(도굴)을 들 수 있다.

송산리 제5호분은 1932년 10월 30일 백제왕릉 진입로공사 중 발견하여 이튿날 공주군수의 의뢰를 받아 조사를 했다. 당시 공사감독관 다케우치竹內가 내부를 측량하고 가루베가 유물을 들어냈는데 항아리, 순금제장신구, 기타 잔여 유물이 출토되었다.

그가 발굴한 것 중 완전한 분이라고 하는 것은 가칭 송산리 제8호분이다. 출토상태의 사진은 그의 저서 『백제미술』에 도판으로 실려 있다. 이 출토유물은

---

116 『忠南鄕土誌』는 전설편, 향토사편, 토속자료편으로 나누고 전설편과 향토사편은 각 군별로 배열하고 각 지역의 고적 유물에 관한 것을 싣고 있다. 토속자료편은 풍속 관습, 민간 신앙, 연중행사, 오락 유희, 가요의 5부로 나누어 게재하고 있다. 이러한 모든 내용은 학생들이 조사한 내용들이다. 전설편의 앞부분에 輕部慈恩의 「公州に於ける百濟遺蹟」을 싣고 있는데, 1934년 11월『朝鮮』에 게재했던 것을『忠南鄕土誌』에 그대로 게재하고 있다.

117 윤용혁,『가루베 지온의 백제연구』, 서경문화사, 2010.
"私藏과 蒸發이라는 유물의 문제를 논외로 한다면, 가루베 지온은 공주라는 공간을 학문적 토대로 한 최초의 근대학자다." –책머리.

118 윤용혁의 저서『가루베 지온의 백제연구』는 자료적으로도 폭넓게 수집한 풍부한 양일 뿐만 아니라, 가루베가 범한 과오와 그가 남긴 개인적 실적을 객관적으로 정리했다는 점에서 가루베를 평가할 수 있는 좋은 참고서라 할 수 있다.

"오랫동안 공주군청에 보존되어 있다가 최근 공주박물관에 보관하여 진열하고 있다"[119]고 하나 무엇이 어떻게 보관되었는지에 대해서는 정확히 알 수 없다.

가루베가 백제유물을 얼마나 많이 수집 또는 도굴을 하였는지 그가 스스로 밝힌 내용은 다음과 같다.

> 내가 이 지역의 유적 유적의 조사를 시작한지 8개년, 그간 다행히 많은 백제관계의 고분, 사지, 성지, 궁원지宮院址 등 유적을 발견하였다. 또 각종의 백제계통에 속하는 유물을 채집하여 점차 웅진성시대의 백제문화의 윤곽을 밝히기에 이르렀다.[120]

백제고분 유물에 대해서는 상당한 연구가 있었으며, 일본 고고학계에 백제 유물과 고분을 소개하고 논문 등을 발표했다. 이런 점은 일본고고학계의 호응을 얻고 있다는 것으로 그의 불법행위를 조선총독부에서

1928년 공주 서혈사지에서 가루베가 수집한 와
1928년 8월 19일 가루베가 서혈사로부터 채집했던 것으로 1945년 귀국과 함께 그의 수집품을 가지고 돌아갔다. 그 후 나라(奈良)국립박물관에 위탁보관 하였다. 2006년 11월에 공주박물관에 기증해온 4점 중의 1점이다.[121]

---

119 經部慈恩, 『百濟美術』, 寶雲舍, 1946, p.131.

120 輕部慈恩, 「公州に於ける百濟遺蹟」『忠淸南道 鄕土誌』, 公州公立高等普通學校 校友會 發行, 1935, p.3.

121 戶田有二, 「百濟の鐙瓦製作技法について」, 『百濟文化』第37輯, 공주대학교 백제문화연구소, 2007.

도 어느 정도 묵인한 것으로 보인다.

그가 1927년부터 1933년까지 공주 일대에서 실견實見한 고분의 수는 1천여 기가 넘었다. 그 중에서 그는 완전한 분을 포함한 115기[122]에 대하여 실측 촬영하고 『고고학잡지』에 1933년부터 1936년까지 8회에 걸쳐 「공주백제고분」을 연재 발표하였는데[123] 상당수의 출토유물과 함께 사진을 소개하고 있다. 그 중 상당수는 그가 일본으로 반출한 것으로 추정된다.

가루베는 공주부근 백제고분 738기를 가지고 '백제고분분포개수표百濟古墳分布槪數表'를 만들고, 그 중 182기를 지역별, 유형별로 구분하여 표를 만들고 발견 시일과 상태, 출토유물을 기록하고 있다. 가루베가 고분으로부터 유물을 출토한 고분은 다음과 같다.

---

122 松山里 20基, 校村里 5基, 牛禁里 15基, 甫通洞 27基, 金鶴里 6基, 南山麓 42基.
123 『考古學雜誌』 23-7, 23-9, 24-3, 24-5, 24-6, 24-9, 26-3, 26-4.

가루베가 실측하고 발견한 고분 출토유물[124]

지역	고분	발견 시일	출토 유물
송산리 고분	1호분	1927년 3월	
	5호분	1932년 10월 30일	
	8호분	1932년 10월 27일	勾玉, 純金製裝身具 등
	9호분	1929년 4월 도굴	百濟陶器 3개, 五銖錢, 玉類
	14호분	1927년 5월	百濟陶器破片
	15호분	1927년 5월	大型百濟陶器
	16호분	1927년 5월	1924년경 도굴, 百濟陶器破片
	17호분	1928년 여름	百濟塼 多數
	18호분	1927년 가을	百濟陶器 多數
	19호분	1932년 10월	百濟三脚陶器 3개
교촌리 고분	3호분	1929년 6월	大型百濟陶器
우금리 고분	1호분	1931년 10월 18일	1931년 9월 도굴, 勾玉, 器玉, 金銅耳飾, 百濟陶器
	2호분	1931년 10월 18일	貨泉
	4호분	1931년 10월 18일	人骨, 百濟陶器
	5호분	1931년 10월 18일	百濟陶器
	6호분	1931년 10월 18일	百濟陶器
	7호분	1931년 10월 18일	百濟陶器
	12호분	1931년 10월 18일	百濟陶器殘缺
	13호분	1931년 10월 18일	石製陶器
	14호분	1931년 10월 18일	石製
	15호분	1931년 10월 18일	石製

---

124 輕部慈恩, 「公州に於ける百濟古墳」, 『考古學雜誌』 제23권 제9호, 1933년 9월.
　　輕部慈恩, 「公州に於ける百濟古墳」, 『考古學雜誌』 제24권 제3호, 1934년 3월.

지역	고분	발견 시일	출토 유물
보통동 고분	4호분	1931년 9월 23일	鐵釘, 鐵製棺用環, 漆器破片
	19호분	1932년 12월	百濟陶器殘缺
금학리 고분	1호분	1931년 1월	百濟陶器 3점,
	2호분	1930년 5월	百濟陶器坩破片
	6호분	1931년 10월	百濟陶器 2개
남산록 a구 고분	1호분	1931년 9월	木棺金具, 百濟陶器破片
	2호분	1931년 9월	百濟陶器
	4호분	1932년 3월	百濟陶器
남산록구 고분	18호분	1933년 1월	百濟陶器
	22호분	1932년 2월	百濟陶器, 鐵製棺金具
	41호분	1931년 11월	百濟陶器, 銅器破片
남산록 c구 고분	24호분	1928년 9월	百濟陶器破片
	27호분	1928년 10월	坩 및 鉢形百濟陶器
	28호분	1928년 4월	百濟陶器 3개
	29호분	1931년 4월	百濟陶器
	30호분	1931년 4월	百濟陶器
	32호분	1932년 4월	鉢形百濟陶器
주미리 고분	2호분	1930년 7월	百濟陶器殘缺
	5호분	1930년 9월	耳飾, 玉器
	7호분	1930년 7월	百濟陶器殘缺
	8호분	1930년 7월	百濟陶器殘缺
	12호분	1932년 10월	百濟陶器

지역	고분	발견 시일	출토 유물
릉시 고분	3호분	1930년 4월	百濟陶器殘缺
	5호분	1930년 4월	百濟陶器殘缺
	10호분	1930년 10월	百濟陶器殘缺
	20호분	1931년 4월	百濟陶器, 木棺釘
월성산록 고분	1호분	1931년 4월	百濟陶器殘缺
	5호분	1931년 4월	百濟陶器
주미산록 고분	3호분	1931년 5월	百濟陶器
	5호분	1931년 5월	百濟陶器殘缺
	7호분	1931년 5월	百濟陶器殘缺

이상을 보면 가루베가 공주고등보통학
교에 부임한 1927년부터 곧바로 백제고
분 조사를 행했으며, 조사 대상은 그가 이
논문을 발표한 1933년까지의 조사이다.

가루베의 「공주에 있어서의 백제고분
8」을 보면, 도판 제67도 1 '백제 출토의 이
식'으로 사진을 제시하고 있다. 또 옥잔玉
盞이 1점 제시되어 있는데, 제72도로 제시
된 '백제고분 출토의 옥기'라 하여 "주미
리 5호분에서 전술한 바와 같이 현재 도
쿄제실박물관 소장으로 있는 이식과 함께
출토"라 하고 있다. 그 설명에는 "현재 도
쿄제실박물관소장으로 1930년 가을 주미

「공주에 있어서의 백제고분8」 도판 제67도 (1)
백제고분출토 장신구(상단)
동조석가입상(하단우) 이식(하단좌)

리 제5호분에서 옥잔玉盞과 함께 출토"된 것으로 설명하고 있다.[125] 주미리 제
5호분은 1930년 8월경에 도굴당한 고분으로 1930년 9월에 가루베가 조사하여
잔여 유물을 발견한 것이다.[126] 이같이 가루베는 고분 출토유물들을 모두 개인
소장으로 하고 일부는 도쿄박물관으로 매각한 것이다. 주미리 출토품은 1932
년에 도쿄박물관에 매각한 것이다.[127]

「공주에 있어서 백제고분」 제67도 1 '백제 출토
의 이식'(『고고학잡지』 제26권 4호)

1932년에 도쿄제실박물관에서 조선,
중국 장식품, 경鏡을 포함 18건을 일괄
구입한 건이 있다. 그 중 6건은 조선 공
주 발견의 것으로 토기 3점과 금제이식
1점이 포함되어 있다. 토기에는 '가루베
소장품輕部所藏品' 이라 첨부되어 있으며
공주발견의 금제이식은 가루베의 "공
주에 있어서 백제고분」에 게재되어 있
는 것과 동일한 것" 이라고 한다. 동시에
가루베는 조선 공주발견 석족 3건을 기
증했다고 한다.[128]

---

125 輕部慈恩, 「公州に於ける百濟古墳」, 『考古學雜誌』 제26권 제4호, 1936년 4월.
126 輕部慈恩, 「公州に於ける百濟古墳」, 『考古學雜誌』 제24권 제호, 1936년 4월. p.26.
127 「東京國立博物館所藏朝鮮産土器·綠釉陶器の收集經緯」(東京國立博物館, 『東京國立博
物館圖版目錄』, 朝鮮陶磁篇(土器,綠釉陶器), 2004, p.171)에는 주미리 출토품을 1932년
에 동경박물관에 매각한 것으로 나타나 있다.
128 「東京國立博物館所藏朝鮮産土器·綠釉陶器の收集經緯」, 東京國立博物館, 『東京國立博

여기에서 18건을 일괄 구입했다는 것은 한 사람에게서 구입했다는 것으로 보인다. 6건은 공주의 것으로 그 중 토기 3건은 가루베의 것이며, 나머지 3점 중 금제이식은 가루베가 그의 논문에 게재했던 것이다. 이를 미루어 보면 18건 모두 가루베의 소장품으로 추정된다.

가루베의 「공주에 있어서 백제고분 8」을 보면, 제67도 1 '백제 출토의 이식'으로 사진을 제시하고 있다. 그 설명에는 "현재 도쿄 제실박물관 소장으로 1930년 가을 주미리 제3호분에서 옥잔玉盞과 함께 출토"된 것으로 설명하고 있다.[129]

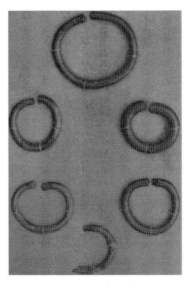

「공주에 있어서 백제고분8」 도판 제67도 2
백제출토 이식(가루베 소장)
중상은 주미리5호분 출토, 우상은 우금리 출토

「공주에 있어서 백제고분 8」에서는 옥잔玉盞이 1점 제시되어 있는데, 제72도로 제시된 '백제고분 출토의 옥기'라 하여 "주미리5호분에서 전술한 바와 같이 현재 도쿄제실박물관 소장으로 있는 이식과 함께 출토"라 하고 있다.[130]

그는 충청남도 공주에서 고등보통학교에 근무하면서 조선총독부와는 별도로 백제유적을 조사하고 발굴(도굴)한 일부를 기증 또는 매도한 것이다.

物館圖版目錄』朝鮮陶磁篇(土器,綠釉陶器), 2004. p.171.

129 輕部慈恩,「公州に於ける百濟古墳」,『考古學雜誌』제26권 제4호, 1936년 4월, p.14.
   玉盞의 출토지를 주미리 제3호분으로 기술하고 있지만, 그의 조사표에서는 1930년 9월에 조사한 주미리 5호분으로 기록하고 있어 주미리5호분이 맞는 것으로 보인다.

130 輕部慈恩,「公州に於ける百濟古墳」,『考古學雜誌』제26권 제4호, 1936년 4월, p.19.

「공주에 있어서 백제고분」 제72도의 '백제고분 출토의 玉盞玉器'(『고고학잡지』 제26권 4호)

가루베가 소장했던 유물

품명	출토 장소 및 시기	출처	비고
백제식와당, 와편, 기타 유물	1928년 3월, 서혈사지	『考古學雜誌』19-4,5[131]	
연화문파와 발견, 4종의 당초와, 문자와 채집	1928년 8월, 서혈사지	『考古學雜誌』19-4,5	
각종의 와를 채집	남혈사지	『考古學雜誌』19-4,5	
大通銘入瓦	웅진출토	『考古學雜誌』20-3[132] 제6도	석불 근처에서 발견
각종 耳飾	백제고분 출토	『考古學雜誌』26-4,[133] 第67圖(2)	
釜	남산고분지대	『考古學雜誌』26-4, 第70圖	
金銅製鳳凰形裝飾具	공산성지	『朝鮮』34-11,[134] 제2도	삼비의 서측 50미터

131 輕部慈恩,「百濟の舊都熊津に於ける西穴寺及び南穴寺址」,『考古學雜誌』 제19권 제4
    호, 5호, 1929년 5월, 6월.
132 輕部慈恩,「百濟の舊都熊津発견の百濟式石佛光背に就いて」,『考古學雜誌』 제20권 3
    호, 1930년 3월.
133 輕部慈恩,「公州に於ける百濟古墳」,『考古學雜誌』 제26권 제4호, 1936년 4월.
134 輕部慈恩,「公州に於ける百濟の遺蹟」,『朝鮮』 朝鮮總督府, 1934년 11월.

품명	출토 장소 및 시기	출처	비고
金銅製環狀金具 및 銅製蓋形器具	공산성지	『朝鮮』34-11, 제3도	쌍수교에서 동으로 40미터 지점
百濟式陶器	공산성지	『朝鮮』34-11	
石製器	공산성지	『朝鮮』34-11	
漁用土器 42개	공산성지	『朝鮮』34-11	쌍수교로부터 서쪽 50미터 정도
八葉蓮瓣瓦當 1개	공산성지	『朝鮮』34-11, 제5도	쌍수교로부터 서쪽 50미터 정도
百濟陶器 2개	공산성지	『朝鮮』34-11, 제4도	쌍수교로부터 서쪽 50미터 정도
토기 1개, 碗形石器 1개,	공산성지	『朝鮮』34-11	쌍수교로부터 서쪽 50미터 정도
石棒 1개	공산성지	『朝鮮』34-11	쌍수교로부터 서쪽 50미터 정도
塼 1개	공산성지	『朝鮮』34-11	
金銅如來像(높이 7cm)	공주읍 부근에서 출토	百濟美術[135]	
金銅挾侍菩薩像 (높이 5.7cm)	1930년 부여군 규암면 내리 출토	百濟美術, 圖版12	
金銅菩薩像 (높이 18.2cm)	1931년 가을 공주군 목동면 부근에서 출토	百濟美術, 圖版19-1	
鐎斗	공주공산성 출토	百濟美術, 圖版22-3	
金銅製鳳凰形把手	공주 부근	百濟美術, 圖版23	
金銅製金具 2점	공주 부근	百濟美術, 圖版24	
百濟裝身具	공주 부근	百濟美術, 圖版27	
百濟陶器坩臺	공주 부근	百濟美術, 圖版29	
百濟陶器	공주	百濟美術, 圖版31	
百濟陶器	공주	百濟美術, 圖版32	
百濟古瓦	1932년 대통사지	百濟美術, 圖版33	

품명	출토 장소 및 시기	출처	비고
百濟古瓦	신원사	百濟美術, 圖版34	
百濟古瓦		百濟美術, 圖版35-2,3,4	
百濟古瓦	공주	百濟美術, 圖版36	
百濟古瓦	익산미륵사	百濟美術, 圖版37	
百濟塼	공주	百濟美術, 圖版39, 40, 41	
百濟瓦	부여	百濟美術, p107, 圖47-1,2,5,6	
百濟瓦	공주	百濟美術, p107, 圖47-3,4,7,8	
百濟瓦	공주 대통사지	百濟美術, p213, 圖48-1	
百濟瓦	공주 신영리폐사지	百濟美術, p213, 圖48-2	
백제 樋先飾瓦	공주	百濟美術, p220, 圖49-2,4,5,6	
古瓦	공주 신원사	濱田1934,[136] 圖10-3	
古瓦 2점	공주 남혈사지	濱田1934, 圖10-3	
古瓦 2점	공주 대통사지	濱田1934, 圖10-3	
古瓦	공주 송산리 동록	濱田1934, 圖10-3	
古瓦	공주산성지	濱田1934, 圖10-3	
古瓦	공주	濱田1934, 圖10-3	
古瓦	舟尾寺址	濱田1934, 圖10-3	
석족 3건	공주 발견	『東京博物館圖版目錄』 2004[137]	1932년 동경제실 박물관에서 구입
토기 3점	공주 발견	『東京博物館圖版目錄』2004	1932년 동경제실 박물관에서 구입
금제이식	공주 발견	『東京博物館圖版目錄』2004	1932년 동경제실 박물관에서 구입

가루베의 『백제미술』을 보면, 도판 또는 삽화 중에 상당수가 가루베의 소장으로 기록하고 있다. 공주읍 부근에서 출토된 높이 7센치의 '금동여래상', 1930년 부여군 규암면 내리에서 출토한 높이 5.7센치의 '금동협시보살상', 1931년 가을 공주군 목동면 부근에서 출토한 높이 18.2센치의 '금동보살상'등은 모두 가루베의 소장으로 기록하고 있다.[138] 백제불상의 수가 극히 희소한데 비해 개인이 3구의 백제불상을 소장했다는 것은 상당한 것이라 할 수 있다.

이 외에도 공주 공산성 출토의 초두鐎斗, 금동제봉황형파수金銅製鳳凰形把手, 금동제금구金銅製金口 2점, 장신구(공주 부근 출토), 도기감대陶器坩臺(공주 부근 출토), 대통사 출토 와瓦, 신원사 출토 와瓦, 미륵사지 출토 와瓦 등이 가루베의 소장으로 기록하고 있다.

공산성 출토 금동제봉황형장식구

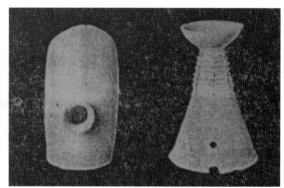

공산성 출토 백제도기

135 輕部慈恩, 『百濟美術』, 寶雲舍, 1946.
136 濱田耕作, 梅原末治, 『新羅古瓦の研究』, 京都帝國大學, 1934.
137 「東京國立博物館所藏朝鮮産土器・綠釉陶器の收集經緯」, 東京國立博物館, 『東京國立博物館圖版目錄』朝鮮陶磁篇(土器, 綠釉陶器), 2004.
138 輕部慈恩, 『百濟美術』, 寶雲舍, 1946, p.140, 143, 148 解說.

그는 공주 일대의 지표면 조사를 꾸준히 해왔는데, 특히 공산성지의 조사 기록을 보면,

공산성지에서 나는 수년간 지표면의 유물을 채집, 다수의 확실한 백제유물을 얻기에 이르렀다. 다시 1932년 여름과 가을에 유람도로 공사 후 빗물에 씻겨 내려가 기다幾多의 중요한 자료를 채집하고, 출토지에 배열하여 출토의 상황을 조사하였고 <중략> 쌍수교雙樹橋에서 서로 50미米정도의 사이에 수혈竪穴이 10개소가 있는데 이 중에서 하나는 겨우 경 90리經90糎의 혈穴 중에 어용토기漁用土器 42개, 팔엽연변와八葉蓮辨瓦 1개, 백제도기百濟陶器 1개, 토기 1개, 완형석기碗形石器 1개, 석봉石棒 1개 등이 출토되었다.[139]

이 같이 지표조사에서 유물 출토 · 채집 장소를 소상히 기록하고 있다.

이들은 모두 일본으로 반출해 간 것으로 추정되고 있다. 그러나 가루베는 『백제미술』 '예언例言' 에서 "본서本書 소재의 도판, 삽화 중에 '저자의 소장' 이라 쓴 자료의 대부분은 시국의 급전으로 조선에서 나올 때 그곳에 그냥 두고 왔다. 지금 이들이 어떻게 관리되고 있는지 알 길 없으나 본서에서는 그 소장을 정정하지 않고 종전從前의 고稿 그대로 싣기로 했다"[140]라고 하며 반출을 부인하고 있다.

후지이 가즈오藤井和夫가 밝힌 와세다대학의 아이즈 야이치會津八一기념박물

139 輕部慈恩, 「公州に於ける百濟遺蹟」, 『忠淸南道 鄕土誌』, 公州公立高等普通學校 校友會發行, 1935, p.5.
140 輕部慈恩, 『百濟美術』, 寶雲舍, 1946, p.4.

관 소장품 수집 경위를 보면, 아이즈 야이치의 컬렉션에는 고구려, 백제, 신라의 와전류가 많은데 그 대부분이 가루베 지온이 1930년대에 일본으로 가지고 들어와 매각한 것이라고 한다. 후지이는 1934년 2월 24일에 탈고한 아이즈 야이치의 수필 중 다음 내용을 싣고 있다.

나는 최근에 조선의 어느 방면에서 파편과 함께이기는 하지만 옛 신라시대의 고와를 400개 정도 구입했다. 지금까지 내 수중에 있던 일본이나 중국의 고와 200개를 더하면 600개 정도가 된다.

후지이 가즈오는 여기에 주석을 붙여, "이 당시 구입한 것으로 생각되는 신라 와전은 가루베 지온에게서 입수한 것이다. 이 와전에는 채집마다 1~14까지의 한자 숫자가 묵서되어 있는데 채집지가 몇 곳으로 구별되어 있었던 것 같고, 일부에는 숫자 이외에도 채집자명이 기재되어 있다. 가루베 지온는 아이즈 야이치僧津八—의 요구에 응해 일시에 대량의 와전을 채집, 사굴했기 때문에 혼란을 피할 목적으로 채집, 사굴지마다 번호를 부여해 분류한 후 아이즈 야이치에게 매각한 것에 아이즈 야이치 등이 주기한 것으로 보인다" 라고 한다. 이 한자의 숫자는 출토지를 나타내고 있다고 생각하는데,『회진팔일수장고기물목록』을 비교해 보면 월성, 흥륜사, 천군리, 보문사, 황룡사, 남산, 임해전, 사천왕사, 북군리, 나원사, 분황사, 창림사, 고선사 등지에서 채집한 것이라고 한다. 또『회진팔일수장고기물목록』제6책과 제7책에 따르면 1936년 2월 1일 현재 고구려와전 46점, 백제와전 85

점, 신라와전 525점이다. 이중 상당부분은 1934년에 구입한 것이라고 한다.[141]

후지이 가즈오는 "일찍이 필자는 아리미츠 교이치로부터 공주 송산리 제29호분의 보고서(有光敎一, 藤井和夫, 2002) 작성 준비 중에 들은 바가 있는데 '가루베의 형제가 교토에서 골동점을 하고 있었던 것 같다' 라고 하면서 그 골동점을 통해서도 매각을 하고 있었다고 전한다"고 한다.[142] 가루베는 해방 전에는 그가 도굴 또는 채집한 유물을 수시로 일본으로 반출하여 개인이나 형제가 하는 골동점 등을 통해 매각한 것이다.

가루베는 1940년 이후에는 대동고등여학교를 거쳐 강경고등여학교에 재직하다가 일본이 패망하자 그 동안 미처 일본으로 내보지 못했던 유물을 한 트럭 싣고 일본으로 사라졌다.[143] 후지이 가즈오藤井和夫는 가루베의 유물 반출에 대해 아리미츠 교이치로 전해 들었다고 하며 "또한 '가루베 지온은 일본으로 귀

---

141 藤井和夫, 朱洪奎, 「早稻田大學 會津八一博士記念博物館所藏 高句麗瓦塼에 關하여」, 동북아역사재단편, 『일본 소재 고구려 유물IV』 동북아역사재단, 2011.
　　會津八一은 1910년부터 1925년까지 도쿄의 와세다중학교에서 영어교사로 근무했다. 1926년에 와세다대학 문학부 강사로 동양미술사를 강의했다. 이때부터 본격적으로 미술자료를 수집하기 시작했다고 한다.

142 藤井和夫, 朱洪奎, 「早稻田大學 會津八一博士記念博物館所藏 高句麗瓦塼에 關하여」, 동북아역사재단편, 『일본 소재 고구려 유물IV』 동북아역사재단, 2011.

143 최순우는 「어처구니없는 일」(『최순우전집』, 학고재, 1992, pp.371-372.)에서, "小倉武之助는 대전에 있는 輕部慈恩이 소장한 백제문화재를 사서 싣고 갈 것이라고 했다는 것이다. 그 당시 輕部慈恩은 대전에 물건을 가지고 있었으므로 小倉武之助가 그 트럭에 사서 싣고 갔음이 분명했으며, 부여박물관의 그 일본인 직원은 輕部慈恩의 물건을 봐두기 위하여 일부러 대전까지 갔었다고 한다. 小倉이 그 후 물건을 어떻게 일본으로 반출해 갔는지 못 가져갔는지는 분명한 정보는 없지만…."이라고 하는데, 물론 이 이야기는 傳聞한 것이라 하지만 小倉武之助가 트럭을 동원하여 輕部慈恩을 만났다면 두 사람 사이에 매매가 성립되지 않았다 할지라도 그 트럭을 사용하여 輕部慈恩이 소장하고 있던 백제유물을 일본으로 반출하였을 것으로 추정된다.

환할 때 다른 일본인이 배낭 하나만 가지고 귀환선으로 고생하며 귀국한 것과 달리 돈이 있어서 어선을 전세 내어 귀환 했는데 그때 많은 자료를 가지고 돌아왔다' 라고 말했다"[144]고 증언하고 있다.

그의 불법반출에 대해 1946년 1월 10일 문화재반환청구를 재공주 미군정청을 경유하여 문교부교화국장에게 제출하였는데 이 문건이 재일본 맥아더 사령부로 이첩되어 가루베에게 조사를 하고 진술한 문건이 서울 본관으로 도착하였는데 진술에 의하면 자기가 소지하였던 유물들은 귀국 시 공주박물관에 기증하였다고 허위진술을 하여 사실무근임을 재발첩 했다.

공주박물관 측은 1946년 6월 20일에 가루베가 소지하였던 문화재반환을 충청남도 적산관리과장에게 요구서를 제출하고, 7월 19일 류시종 공주박물관장은 공주 군정장관 카타중령과 가루베의 최종 재직처인 강경여자중학교를 방문 조사하였는데 당시 학교직원의 진술에 의하면 해방이 되자 가루베가 소지하였던 문화재와 도서 등을 트럭에 싣고 부산 방면으로 행방을 감추었기 때문에 학교에는 가루베의 소유물은 한 점도 없다고 진술했다.[145]

1947년 3월에는 문교부에서 도쿄연합국사령부에 일본이 조선으로부터 반출한 예술품, 고고학적 자료에 대한 목록을 작성하여 제출하였는데, 이 목록 속에는 그의 반출품도 포함되어 있었다. 연합국 총사령부에서는 1947년 3월 25일 일본정부에 한국의 문화재 반환을 명하였으나,[146] 일본정부는 이에 대한 아무

---

144 藤井和夫, 朱洪奎, 「早稻田大學 會津八一博士記念博物館所藏 高句麗瓦塼에 關하여」, 동북아역사재단편, 『일본 소재 고구려 유물IV』동북아역사재단, 2011.
145 「공주박물관의 발자취」, 『박물관신문』1973년 9월 1일자.
146 『大東新聞』1947년 4월 14일자.

런 성의도 보이지 않았다.

그 후 한일회담 때에도 그가 가지고 간 문화재를 반환 받기 위해 여러 방면으로 애를 썼으나 실패하고 말았다.

일본으로 도망 간 가루베는 자신이 발굴한 백제 고분 출토품을 토대로 1946년에 『백제미술』이라는 저서를 냈으며, 1971년에는 『백제유적의 연구』란 책을 냈다. 그가 반출해 간 유물 일부는 도쿄국립박물관에 기증하기도 했다.[147] 그의 사후에 아들이 고분 출토품을 물려받았으나 한국인의 분노를 염려했음인지 아직 공개하지 않고 있어 어떤 유물이 얼마나 있는지 파악되지 않고 있다.[148]

1933년 8월 5일

8월 5일 함남 함주군 하조양면 불지암에서 불상 1구를 도난당하다.[149]

---

147 동경국립박물관소장목록에 유물번호 28988, 28989, 29669, 28670, 28890, 28892, 28891번이 輕部慈恩이 기증한 유물이다.
148 정규홍, 『우리문화재 수난사』, 2005; 『우리문화재 반출사』, 2012.
149 『每日申報』1933년 8월 13일자.

1933년 8월 9일

'조선보물고적명승천연기념물보존령' 공포

총독부는 1933년 8월 8일에 새로이 칙령勅令 제224호로 '천연기념물보존위원회제天然記念物保存委員會制'를 공포公布하였다. 종래의 조사를 경유한 유적, 유물, 미술공예품과 새로이 명승 천연기념물을 더하여 조사를 행하고 연 1회 위원회를 개최하여 중요한 것은 지정하여, 지정물건은 본토에 보존하여 국외로의 지출持出을 제한하기 위해[150] 1933년 8월 9일에 제령制令 제6호로 '조선보물고적명승천연기념물보존령朝鮮寶物古蹟名勝天然記念物保存令'을 공포하였다.

당시 신문에는 다음과 같은 기사를 싣고 있다.

'조선보물고적명승천연기념물보존령'은 9일부 관보 호외로 공포되었는데 고총, 성지 등의 무허가 발굴은 금지되고 보물 소유자는 박물관에 내어 놓을 의무가 있게 되었다. 보물은 총독의 허가를 얻지 아니하고 수출할 수 없고, 천연기념물도 변경하지 못하도록 했다. 보물의 소유자는 총독의 명령에 의하여 1년 이내에 박물관에 출품할 의무가 있고 변경 훼손할 시는 신고할 것이라 하며, 고분, 사적, 성지 기타의 유적이라고 볼 만한 것은 총독의 허가 없이는 발굴하지 못하게 되었고 유물이라고 인정할 것을 발견하고 신고하지 않는 자는 100원 이하의 벌금에 처한다고 한다(『동아일보』 1933년 8월 10일자).

---

150 梅原末治, 「日韓併合の期間に行なわれた半島の古蹟調査と保存事業たすさわつた―考古學徒の回想錄」, 『朝鮮學報 第51輯』, 1969.

소유자에게 의무를 부한 조선보물보존령

작 9일 제령을 발포한 후 담화형식으로 와타나베渡邊 국장 담

종래 조선의 고적급유물의 보존에 관하여는 대정5년 '고적급유물보존규칙'을 발포하여 이래 이에 기基하여 보존을 요하는 고적급유물을 등록하여 등록한 물건의 현상을 변경 이전 또는 처분함을 금지해 왔는데 본 규정은 실제에 있어서 소유권에 제한을 가하는 것임에 불구하고 부령府令으로서 규정한 형식상의 결함이 있을 뿐 아니라 그 사무의 주관主管 관계에 있어서 금일의 시세에 적합지 않은 규정이 있는 등 내용상의 불비도 있고 또 종래의 실속實績에 감鑑하여 특히 역사의 증징 또는 미술의 모범이 될 유물에 대하여는 일층 그 보존을 확실케 하는 동시에 소유자에 대하여도 일정한 의무를 부負케 할 도途를 강할 필요가 있는 등 본 규칙은 근본적으로 이를 개정함이 적당하다고 인정하게 되어 금회 총독부에서 지난 9일부로 '조선보물고적명승천연기념물보존령'을 발포하는 동시에 '조선보물고적명승천연기념물보존회관제'가 제정되었는데 후자는 조선보물고적명승천연기념물보존령에 반한 조선총독의 자문기관에 관한 규정으로 근간 이러한 등의 시행에 필요한 제규정이 발포될 터인바 이제 총독부 와타나베渡邊 학무국장이 담화형식으로 발표한 후 본령의 개요를 술하면 다음과 같다.

(1) 조선보물고적명승천연기념물의 조사

조선총독은 보물 고적 명승 또는 천연기념물에 관한 조사를 할 필요가 있다고 인정할 때는 관리로서 필요한 장소에 입入하여 조사에 필요한 물건의 제공을 구하고 측량 조사를 하며 토지의 발굴 장애물의 변경 제거 기타 조사에 필요한 행위를 할 수가 있다. 이 경우에는 당해 관리는 그 신분을 증

명할 증표를 휴대한다. 그리고 만약 당해관리의 직무집행을 거방拒妨하거나 혹은 기피하여 조사에 필요한 물건으로서 허위의 것을 제공하는 자가 있으면 본인을 2백 원 이상의 벌금에 처한다(『매일신보』 1933년 8월 11일자).

조선보물고적보존령 공포(사설)

조선보물고적명승천연기념물보존령은 8월 9일부 제령 제6호로서 공포되었다. 그 내용은 건조물, 전적, 서적, 회화, 조각, 공예품 기타 물건으로서 특히 역사의 기징記徵 또는 미술의 모범일 될 것은 이를 보물로, 패총, 고분, 사지 성지, 요지 기타 유적을 승지 또는 동물, 식물 지질광물 기타 학술연구 재료로 보존할 필요가 있음으로서 인정하는 것은 고적, 명승 또는 천연기념물로 지정하여 조선총독의 허가를 받고 이를 수출 또는 이출치 못하고 또 그 현상을 변경하거나 또는 그 보존에 영향이 미칠 행위를 허용치 아니하는 동시에 보물 소유자는 조선총독의 명령에 의하여 1년내에 이왕가 관립 또는 공립박물관, 미술관에 그 보물을 출진할 의무가 있다는 것이어서 보물, 고적, 명승 천연기념물의 산일 또는 훼손을 방지하는 동시에 또 개인의 사유에 속한 것이라 할지라도 이를 고리庫裡이 심장深藏함을 금하여 보물로서의 의의, 학술연구재료로서의 가치를 충분히 발휘하려는 것이다(『매일신보』 1933년 8월 12일자).

이는 종래의 '고적급유물보존규칙古蹟及遺物保存規則'을 대신하여 한층 정돈된 느낌을 주지만, 원래 '고적급유물보존규칙'이 제정된 1916년부터 3년 후인 1919년에 일본에서는 '사적명승천연기념물보존법史蹟名勝天然記念物保存法'이 만들어지고, 그로부터 10년도 못 가 '국보보존법國寶保存法'이, 그리고 1933년에는

'중요미술품보존법重要美術品保存法'이 성립하므로서 문화재 관리를 위한 법제法制는 일단 정비단계에 들어섰다.[151]

바로 이 시점인 1933년 8월에 일본법을 모방하여[152] 종전의 조선고적유물 보존규칙을 골자로 일본 국보보존법, 사적 명승 기념물 보존법을 종합한 내용으로 새로 마련된 것이 '조선보물고적명승천연기념물보존령'으로서,[153] 이는 우리나라에 대한 통치가 굳어져 적어도 앞으로 몇 백 년 동안 자기들의 한국지배가 계속될 것을 전제로 하여 만든 것이다.[154]

151 史蹟名勝天然記念物保存法   法律제414호, 1919년 4월 10일
     史蹟名勝天然記念物保存法施行令   勅令제499호, 1919년 12월 29일
     史蹟名勝天然記念物保存法施行規則   內務省令제27호, 1919년 12월 29일
     國寶保存法   法律제17호, 1929년 3월 28일
     國寶保存法施行令   勅令제210호, 1929년 6월 29일
     國寶保存法施行規則   文部省令제37호, 1929년 6월 29일
     國寶保存法官制   勅令제211호, 1929년 6월 29일
     重要美術品 等의 保存에 關한 法律   法律제43호, 1933년 4월 1일
     重要美術品 等의 保存에 關한 法律 施行規則 文部省令제1호, 1933년 4월 1일
152 藤田은 「朝鮮의 古蹟調査와 保存의 沿革」(『朝鮮總覽』, 朝鮮總督府, 1933, p.1035)에서, "近年에 內地에서 '史蹟名勝天然記念物保存法' '國寶保存法' 등이 새로 발표되었는데 議會의 協贊을 經한 權威있는 法律로서 조선에서도 시급히 이를 模倣하여 制令으로 이를 정하여 고적과 함께 古建築物 및 天然記念物이 법률로 보호되기를 희망하며... 云云" 하고 있다.
153 藤田亮策, 「朝鮮 古文化財의 保存」, 『朝鮮學報 第1輯』, 1951년 5월.
154 「民族文化와 文化遺産(座談會)」에서 李弘稙敎授의 發言(『黃壽永全集 6』).

1933년 8월 15일

조선사편수회가 총독부 회의실에서 사료전람회를 개최하였는데 전시품은 노비전계문기奴婢傳繼文記, 광국공신상훈교서光國功臣賞勳敎書, 군문승록軍門勝錄 등 18종류 45권이다.[155]

1933년 8월 17일

두 번 도적맞은 부처님

경남 해인사 고령읍 불교포교소에서는 1932년 2월경에 관음불상 1구를 도적을 맞았다가 대구경찰서의 활동으로 찾게 되어 본당에 모셔 두었는데 8월 17일 밤중에 또 다시 도둑이 훔쳐갔다.[156]

155 『東亞日報』1933년 8월 25일자.
156 『東亞日報』1933년 8월 20일자; 『每日申報』1933년 8월 25일자.

1933년 8월 20일

불상 전문 절취범 체포

경북도내에 산재한 사찰을 횡행하며 불상을 전문으로 절취한 성주군 용두면 용두리 김남이를 8월 20일 김천서에서 체포하고 취조함에 따라 모든 범행을 일일이 자백하였는데 다음과 같다.[157]

1. 6월 상순 달성군 수성면 대명동 안일암 불상 1
2. 7월 28일 동군 유가면 유가리 석불 1
3. 7월 30일 김천군 벌정면 직지사 석불 1
4. 김천군 대덕면 봉곡사 불상 및 부속품
5. 8월 고령읍 모사 포교당 불상 1

1933년 8월 21일

경북 상주군 은척면 남곡동 채규진이 집 앞 밭에서 퇴비장을 만들다가 불상 1체를 발견하여 21일 경북 보안과에 신고를 하여 총독부박물관으로 송치했다.[158]

---

157 『朝鮮中央日報』 1933년 8월 28일자.
158 『東亞日報』 1933년 8월 24일자; 『每日申報』 1933년 8월 26일자.

1933년 8월 23일

경주 황오리 고분 조사

1933년 조선고적연구회의 사업으로 황오리皇吾里에 있는 제16호분과 제54호분의 갑, 을 2기를 발굴하였다.

황오리 제16호분은 1932년 9월 23일에 시작하여 12월 23일까지 제1곽~제9곽까지 발굴을 하고 한파로 인해 중지했던 고분이다. 제2차 발굴로 1933년 8월 23일에 시작하여 10월 31일까지 제10곽~제12곽까지 발굴을 하였다. 황오리 제16호분을 발굴하는 같은 기간에 제16호분과 인접해 있는 황오리 제54호분(갑총, 을총)을 함께 발굴을 하고 그 결과물은 『소화7년도개보』에 일부 게재하고 있다.[159]

『매일신보』1933년 8월 25일자에는 다음과 같은 기사가 있다.

경주고적보존회에서 신라고분 발굴 보조금 얻어서 발굴에 착수

경주 부근에 산재하여 있는 신라고적의 국보는 적지 않게 도굴당하여 염려를 하면서도 예산관계로 발굴에 착수치 못하고 있는 중 평양 낙랑고적 발굴에 보조한 1만 5천원 중에서 금번 경주신라고적연구소에도 보조금을 주게 되었으므로 고적연구소에서는 경주군 황오리 신라고분 2상과 경주군 내동면 배반리 남산고분 2상과 내남면 배리 통일신라시대 고분 2상 등

---

159 有光教一, 『朝鮮考古學75年』, 2007, p.26; 有光教一, 『有光教一著作集』 제3권, 1999; 有光教一, 「私の朝鮮考古學」 『朝鮮學史始め』, 靑丘文化史, 1997.

전부 6상의 고분을 발굴하기로 되어 아리미츠有光의 지휘로 착수하였다는 데 그 중에 2상은 삼국시대의 것으로 부장물이 상당히 많을 것이며 학술 연구품이 많이 발견될 것으로 그 결과가 매우 기대되는 바이라 한다.

황오리 제16호고분은 외호석렬外護石列로 둘러싸인 분구가 5기 연접한 형태로, 그 내부 주체는 유해를 매장하는 주곽의 목곽만으로 된 것과 주곽과 부곽으로 된 것이 있었는데 기본은 적석목곽분으로 집합된 형태로 되어 있었다. 그 중 3기 에서 금동관이 출토되었으며,[160] 그 외 순금이식, 구옥勾玉, 대식帶飾, 무기, 도기, 청동초두靑銅鐎斗 및 마탁馬鐸 등을 발굴하였는데 특히 이식은 각종 형식을 망라 하고 있다.[161] 그러나 이에 대한 자세한 보고서도 남기지 않았다. 다만 일본『고 고학』에 이식耳飾에 관한 것만 약간 소개되었을 뿐이며,[162] 이를 모두 일본으로 반출해 갔다. 이를 반출해 간 자는 이마이다 기요노리今井田淸德로, 이 자는 당시 정무총감이었을 뿐 아니라 '조선보물고적명승천연기념물보존위원회'의 위원장 으로 있으면서[163] 이곳에서 발굴된 일괄유물을 일본 제실박물관에 헌상했다.[164]

---

160 早乙女雅搏, 「新羅考古學史」, 『日帝强占期 新羅古墳 發掘調査 關聯資料集』, 국립경주 문화재연구소, 2011, p.33.

161 藤田亮策, 「昭和8年度朝鮮古蹟研究會の事業」, 『靑丘學叢』第14號, 1933년 11월, pp.203-204.

162 有光敎一, 「新羅金製耳飾 最近の出土例に就いて」 『考古學』(第7卷 6號), 東京考古學會, 1936년 6월.

163 今井田淸德은 1909년 동경제국대학 법과를 졸업한 후 大坂中央郵便局長, 遞信局電話 課長, 1929년 遞信次官을 거쳐 1931년 朝鮮總督府 政務摠監이 되었다.
(阿部薰, 『朝鮮功勞者銘鑑』, 民衆時論社, 1935)

164 최순우, 『최순우 전집2』, 학고재.

제54호분과 16호분의 발굴을 담당했던 아리미츠의 회고에 의하면, 이 두 고분을 발굴하는 과정에서 '조선보물고적명승천연기념물보존령'이 발포되면서 아리미츠는 조선총독부박물관으로 전근을 가게 되었으며, 출토유물은 경주박물관에 보관하고 이에 대한 보고서는 미간에 그쳤다고 한다.[165] 따라서 이는 소위 조선의 문화재를 보호하기 위한 조선보물고적명승천연기념물보존위원회의 위원장이란 자가 버젓이 박물관에 보관된 유물을 일본으로 반출한 것이다.

황오리 제54호분

이 유물은 후일 한일협정 때 반환문화재 중 일부로 돌려받게 되었다.[166] 현재도 도쿄박물관에는 경주 출토유물로 기록되어 있는 금관 2

황오리 제54호분(을분) 유물 출토 상황

---

165 有光敎一,「私の朝鮮考古學」『朝鮮學事始め』, 청구문화사, 1997.
166 반환 받은 유물은 다음과 같다.
　　路西里215號墳 出土遺物 - 銀製釧 1双, 金製釧 1双, 金製指輪 2個, 金製頸飾 1連, 金製太環耳飾 1双, 玉製頸飾 1連.
　　黃吾里16號墳 出土遺物 - 金製太環耳飾 1双, 金製太環耳飾曲玉附垂飾 2双, 玉製頸飾 1連.

점(유물번호29037 높이 35cm, 29038 높이 27.5cm) 이 소장되어 있다.

이 자가 도쿄박물관에 한국 유물을 기증할 때 기관이나 단체가 아닌 개인 이마이다 기요노리今井淸德로 기록되어 있다는 것은 한국에서 발굴한 유물을 마음대로 사유화 했다는 것으로, 개인 소장한 것도 상당수 있을 것으로 추정된다.

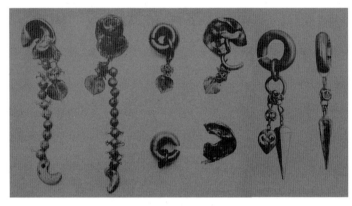

황오리 제54호분 출토 금제이식

1933년 8월 28일

9월 28일 평양부내 본정 5번지 기자궁 속에서 토목청부업자 도미요시富吉가 건축기초공사 중 지하 약 2척의 지점에서 매장품 다수를 발굴한 후 현품을 첨부하여 7일 도 보안과에 신고하였다.[167]

---

167 『每日申報』1933년 9월 11일자.

발견품(『매일신보』 1933년 9월 11일자)

1933년 8월

연희전문학교 교수 정인보鄭寅普가 경북 풍기에서 200여 년 전에 제작된 동
국조선지도東國朝鮮地圖와 백두산도白頭山圖를 발견하다.[168]

개성박물관에서 금화청자를 입수하다

개성박물관에 진열한 화금청자는 1933년 봄에 개성 만월대 가까이에 있는
인삼건조장의 개축공사 중에 발견하였다. 백토와 흑토로 상감을 하고 그 위에

---

168 『東亞日報』 1933년 8월 29일자.

금으로 칠하였는데 애석하게 파괴된 상태로 출토되었다. 상감의 대부분은 백토로 하고 흑토는 조금 사용하였는데 백토 상감문양 위에 금을 입힌 금화옹기라 할 수 있다. 이것을 발견한 자는 일본인 오카무라 시게로岡村茂郎란 자로 그가 한 동안 소장하고 있다가 1933년 8월에 개성박물관에 기증해옴에 따라 박

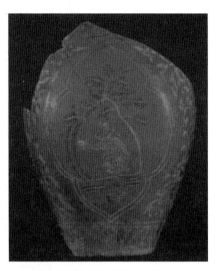

물관에 진열하게 된 것이다.[169]

금화청자金畵靑磁에 관한 기록은 『고려사』에 2건이 보이고 있지만[170] 그 실물이 처음 출현한 것은 1933년이며, 극히 희귀한 것이다.

고유섭은 「개성박물관의 진품 해설」에서,

청자 그 자신이 유명한 것은 이미 말하였지만 그 중에도 유명한 것은 화

'금화청자(金畵靑磁)', 국립중앙박물관 소장
1956년에 일본에서 간행한 『세계도자전집
13』에 도판 104로 소개되어 있다.

169 奧平武彦, 「高麗の畵金磁器」, 『陶磁』 6-6, 1934년 12월.
170 『高麗史』 열전, 권제105, 조인규 전에,
　　한번은 조인규가 금칠로 그림을 그린 자기를 황제(원 세조)께 바친 일이 있었는데, 세조가 묻기를, "금으로 그림을 그리는 것은 그릇이 견고해지라고 하는 거냐?" 라고 하였다. 조인규는 대답하기를, "다만 채색을 붙이려는 것뿐입니다" 라고 하였다. 또 묻기를, "그 금을 다시 쓸 수 있는냐?" 라고 하였으므로, "자기란 것은 쉽게 깨어지는 것이므로 금도 역시 그에 따라서 파괴되고 맙니다. 어찌 다시 쓸 수가 있겠습니까" 라고 대답하였다. 세조가 그의 대답이 잘 되었다고 칭찬하며 "지금부터는 자기에다가 금으로 그림을 그리지 말고 진헌進獻하지도 말아라" 하였다.
　　『高麗史』 세가, 권제 31, 충렬왕23년 丁酉 조에,
　　壬午日, 랑장 黃瑞를 원나라에 보내어 金畵甕器, 꿩 및 탐라도의 소고기를 바쳤다.

금청자이다. <중략> 청자 자신이 갖고 있는 찬란한 미가 벌써 현탈眩奪함이 있는데 순금니로써 다시 이것을 장식하였다면 상상만 하여도 그 형용이 어떠하겠는가. <중략> 이곳에 진열된 이 파호의 출토로 말미암아 실물이 어떻다는 것을 알게 되고 기타의 유사한 물품의 성질이 속속 단명케 되었다. 지금 이 파호는 금이 완전치 못하나 여하간 이만치라도 보이는 실물이 항간에 없었으므로 진중진珍中珍이라 하겠다.[171]

라고 그 중요성과 희귀성을 설명하고 있다.

1933년에 금화청자가 발견되고 그 이듬해 1934년에 오쿠다이라 다케히코奧平武彦는 「고려의 화금자기」란 글을 발표하였으며, 그는 금화청자에 대해 "고려청자기의 왕자王者의 지위"에 있다고 하였다. 이어 도자연구가들이 이 금화청자를 연구하기 위하여 개성박물관을 방문하였다.

1933년 9월 8일

평양박물관이 개관되다.

1933년 9월 8일 고이즈미 아키오小泉顯夫가 초대박물관장으로 취임하였으

---

171 高裕燮, 「開城博物館의 珍品 解說」, 『朝光』, 朝鮮日報社, 1940년 6월.

며,[172] 우가키 총독宇垣總督의 임석하에 성대하게 개관식이 행해졌다.

평양박물관 설치의 과정을 보면, 1916년 이래 연속적인 고분발굴로 많은 유물이 속출하자 관광유치를 위해 평양박물관 설치가 요망되게 되었다. 최초로는 평양중학교의 역사표본실歷史標本室을 개방하여 영광3년永光三年(기원전 41년)명의 효문묘동종孝文廟銅鐘을 중심으로 민간 수집가의 소장품을 진열하여 소규모로 관람케 했다. 1920년대 후반에 새로이 건설한 평양도서관 2층을 진열실로 하여 박물관으로 발전시켰다. 세키구치 나카바關口半, 도미타 신조富田晉二, 하시즈 요시키橋都芳樹, 모로오카 에이지諸岡榮治 등의 소장품을 기탁 받아 소규모의 고고박물관의 형태를 구비하였다. 그 후 1931년 6월에 후지타 료사쿠藤田亮策, 구로이타 가쓰미黑板勝美 및 기타 유지들의 발의에 의하여 총독부박물관분관 설치를 주장하여 관민 합동으로 총독부박물관분관설치기성회가 설치되고 총 공사비 7만원으로 1932년 7월 18일에 기공식을 모란봉 을밀대에서 기공식을 가지고, 박물관 진열은 '채협총' 출토의 일부 유물과 왕우묘 출토 영평11년재명칠대반永平十二年銘漆大盤 등을 비롯한 유물을 진열한 낙랑유물 특별실과 강서고분모사도 등을 진열한 고구려유물특별실을 두었다.

이번 개관을 위해 도쿄대학으로 반출한 왕우묘 출토 유물을 이번 기회에 모두 평양박물관에 가져와 진열해야 한다는 여론이 뜨겁게 일어났다. 이렇게 되자 도쿄대학에서는 마지못해 칠배 4개, 금은이유문칠배 4, 금동유문칠반金銅有紋漆盤 3

---

172 小泉顯夫,「古墳發掘漫談」,『朝鮮』, 1932년 6월.
小泉顯夫,「樂浪文化の殿堂 平壤府立博物館」,『朝鮮』, 朝鮮總督府 官方文書課, 1933년 9월, pp.115~117.

개, 유문칠배 등 겨우 20점을 평양박물관으로 돌려준다고 했다. 왕우묘 발굴물은 처음부터 모두 돌려주기로 되어 있었던 것이었다. 그러니 평양 측에서는 여간 불만이 아니었다. 『평양매일신보』 1933년 9월 2일자에는 다음과 같은 기사가 있다.

> 8일 가개관을 행하고 낙랑출토품에 관하여 8월 25일 낙랑평의원회에서 문제가 되었던 것을 다시 31일 개최한 평의원회에서 논의하여 낙랑유물을 수집 진열하기로 함, 1일 평양박물관 진열 책임자는 도쿄대문학부 우메하라梅原 교수와 낙랑연구소 책임자 오바小場 미술학교 촉탁으로부터 박물관 평의원 도미타 신조富田晉二에게 전달해온 정보에 의하면 도쿄제국대 문학부에 보관하고 있는 1925년 발굴한 왕우묘 출토품 수백 점 중 대표적인 20점을 선정하여 하조 발송하였다는 것이 판명되어 부내의 낙랑 권위자는 물론이고 유식자들은 불만의 소리가 일고 있다.

9월 3일에 평양박물관에 도착한 왕우묘 출토유물 20점에 대해 우메하라梅原은 "왕우묘 출토품은 주로 음식용구 건무21년, 건무28년 재명의 칠배 및 영평 12년 재명의 칠반 동재명의 신선용상화상칠반은 특히 학계의 진품이다."이라고 하면서 마치 왕우묘 출토품 중 그 정수를 모아 돌려 준 것처럼 그 가치를 확대 해석하여 민심을 누그러트리려 했다.[173]

평양박물관 개관식 후 우가키宇垣 총독은 진열된 채협총 출토품 등 한대漢代의 문물을 흥미롭게 돌아보면서 1923년 이래 도굴이 흥하여 유적이 무참히 파

---

173 『平壤每日申報』 1933년 9월 7일자.

괴당하고 있음을 내부관계자들로부터 전해 듣고 오후에 후지하라藤原 도지사와 함께 조사 중인 유적을 시찰하면서 많은 고분묘가 구멍이 뚫리고 파괴된 참상을 보고 놀라 즉각 방지를 지령했다. 결과 이튿날부터 기마경찰관騎馬警察官까지 동원하여 광범위하게 순회하여 감시하였다.[174]

1933년 9월 9일

부산시립박물관 건설을 위한 회의를 갖다

부산고고회에서는 출토품을 수집 보관하기 위하여 1933년에 '부산고고박물관'을 건설하기로 하였다.[175] 당시 부산의 가시이 겐타로香椎源太郎을 비롯한 민간인 수장가들이 학계의 연구를 위해 수장품 일부를 진열품으로 내놓으려고 하였다. 1933년 9월 9일에 박물관 걸설을 위한 1차 회의를 하였다.[176] 그 결과 도쿄대 구로이타 가쓰미黑板勝美의 조언을 받고, 구 영국영사관 자리를 매수하여 그 자리에 박물관을 짓되 그 건설비는 가시이의 소장품 일부를 매각하여 충당키로 하였다. 1934년 10월 10일자『매일신보』에는 다음과 같은 기사가 있다.

---

174 梅原末治,「日韓併合の期間に行なわれた半島の古蹟調査と保存事業たすさわつた一考古學徒の回想錄」,『朝鮮學報』第51輯, 朝鮮學會, 1969년 5월.

175 『每日申報』1933년 8월 23일자.

176 『釜山日報』1933년 9월 11일자.

내선문화의 적跡을 새롭게 하는 문헌, 고미술 공예품 등을 전람할 수 있는 박물관 건설의 필요가 제창되던바 금회 남선실업계의 원로로 고미술품 수집가 가시이 겐타로香椎源太郎 옹이 도쿄제국대학 문학부 교수 구로이타 가쓰미黑板勝美 박사의 후원을 득하여 다년의 숙제인 박물관 건설을 진행키로 되었다. 그 장소는 구영국영사관의 정지 4천 평을 매수하여 이를 부산부에 기부하여 여기에다 건설할 예정으로 건설비는 가시이 옹의 애장품 백 수십 점을 매각하여 충당키로 되었다.

이후에도 이 일은 상당히 진척되었으나 시국이 급박하게 돌아가면서 해방 때까지 실현은 보지 못하였다.

1931년에 부산을 중심으로 고고학에 관련한 연구와 취미 보급을 목적으로 결성한 '부산고고회'의 회원 명부를 보면 30여 명이 결성되어 있다. 박문당이라는 골동상점을 운영하는 요시다 신이치吉田新一 외에는 모두 일반인들로, 이들은 매매가 아니라 동호인회 성격의 와전이나 도자기 전람회를 수시로 가졌던 점으로 보아 당시 부산 일대를 중심으로 한 수집가들로 보인다.[177] 그 대표적인 자로는, 1908년 탁지부 부산세관에 부임 21년부터 전주전매국에 근무한 오마가리大曲美太郎, 1927년 동래보통학교, 후에 진해여자고등학교 근무한 오이카와及川民次郎, 1912년 3월 조선공립소학교 훈도에 임명되어 한국에 건너온 나미마츠並松茂 등이 있다.

---

177 高須賀虎夫,『朝鮮陶磁』, 釜山考古會, 1932.

평양 정백리고분 조사

일본학술진흥회의 제1년도의 사업으로 조선에서의 낙랑군 시대의 유적조사와 아울러 그 연구보고 출판을 위하여 1933년부터 궁내성으로부터 3개년 간 매년 5천원을 보조하는 것으로 결정되어, 1만5천 원의 원조금을 지출하게 되어 연구원 및 조수를 정하고 1933년 6월부터 그 사업을 개시했다.

일본학술진흥회의 보조금으로 낙랑유적조사 연구원과 보조원의 배정은 다음과 같다.

연구원 : 경성제국대학 법문학부 교수 후지타 료사쿠藤田亮策, 오바 쓰네키치小場恒吉, 교토제국대학 문학부 조교수 우메하라 스에지梅原末治, 하라다 요시토原田淑人

조사의 조수 및 보조 : 가야모토 가메지로榧本龜次郎, 사와 슌이치澤俊一, 동방문화학원 동경연구소 연구원 마츠모토 에이이치松本 榮一, 도쿄제실박물관 감사관보 야시마 교스케矢島恭介, 도쿄제실박물관 감사관보 야시마 교스케矢島恭介, 조선고적연구회 연구원 다쿠보 신고田窪眞吾, 도쿄제실박물관 미술공예과 하마모토 스케쵸濱本助千代가 발굴에 참여하였다.[178]

오바 쓰네키치小場恒吉는 목곽고분 5기를 중심으로 제1반으로 하고, 우메하라 스에지梅原末治 연구원은 전축분 3기를 중심으로 제2반으로 나누어 발굴을 하였다. 발굴은 9월 9일에 착수하여 2개월에 걸쳐 마치는 것으로 했다.

조사 일정 및 발굴 담당자는 다음과 같다.

---

178 朝鮮古蹟硏究會, 『昭和8年度 古蹟調査槪報』, 1935.

고분 번호	구분	상태	조사 기간	담당자
제8호분	목곽고분	완전	9월 9일~10월 18일	小藏, 矢島
제122호분	목곽고분	완전	9월 9일~9월 20일	榧本, 田窪
제219호분	전곽고분	도굴	9월 9일~11월 2일	梅原, 榧本, 澤
제221호분	전곽고분	도굴	9월 10일~9월 30일	梅原, 榧本, 澤
제13호분	목곽고분	완전	9월 20일~10월 18일	小藏, 矢島
제17호분	목곽고분	도굴	9월 21일~10월 10일	榧本, 田窪
제227호분	전곽고분	도굴	9월 25일~10월 30일	梅原, 榧本, 澤
제59호분	목곽고분	완전	10월 8일~10월 22일	榧本, 田窪, 松本, 濱本

이 중에는 처녀분이 4기이고 도굴분이 4기로[179] 영광원년재명칠이배永光元年在

銘漆耳杯, 금동칠반金銅漆盤,
은지륜銀指輪 등 막대한
유물을 출토시키고 "채집
유물은 평양부립박물관,
경성 총독부박물관, 교토
제국대학 고고학교실에
나누어 정리 중整理中"[180]

도쿄박물관 소장 정백리 제227호분 출토 토기

---

179 「樂浪古墳」,『昭和8年度樂浪古蹟調査槪報』, 朝鮮古蹟硏究會, 1934, pp.22~39.
   * 정백리 17호분 - "大正13年경에 內鮮人과 相謀하여 內部에 浸透하여 盜掘."
   * 정백리219호분 - "大正12,3년경에 盜掘로 인해 천정 破壞."
   * 정백리 221호분 - "昭和7年 春에 盜掘당하여 中央 塼室 일부가 露出."
   * 정백리 227호분 - "盜掘로 인하여 封土中央이 내려않음."
180 古蹟調査 槪報,「樂浪古墳」, 1933.

이라고 밝히고 있는 것으로 보아 상당수는 일본으로 가져갔을 것으로 보인다.

이번에 발굴한 8기의 고분 중 정백리 제227호분은 도굴을 당하여 봉토의 높이가 1미터 정도만 남아 있고, 봉토 중앙에는 요소凹所가 남아 있었다. 1932년 가을에 시찰할 때 요소凹所의 저부에 전실의 존재가 확인되어 이번에 발굴을 하게 된 것이다.

제227호분의 유물은 1937년에 도쿄국립박물관에 반출되어 현재 도쿄국립박물관 유물번호 29540~29548로 소장되어 있다. 기증자는 이마이다 기요노리今井田清德로 등재되어있다.[181] 이 자는 조선총독부 정무총감으로서 조선고적연구회 이사장을 겸임하고 있으면서 그 권력의 힘으로 평양 정백리 제227호분 출토 유물을 1937년에 도쿄제실박물관에 헌상한 것이다.

1933년 9월 13일

도난당한 봉원사 불구 되찾다

고양군 연희면 봉원리(현재 서울 서대문구 봉원사길 120)에 있는 봉원사奉元寺에서는 9월 7일 오전 1시경에서 6시경 사이에 어떤 자가 지붕을 뚫고 본당에 침입하여 붕어형불구鮒形佛具를 절취하여 도주하였다.[182] 도난당한 이 유물은

---

181 『東京國立博物館 所藏品目錄』, 1956.
182 『每日申報』1933년 9월 10일자.

며칠 후 9월 13일 새벽 부내 봉래정 봉래연탄회사 앞 개천에 버려진 것을 지나
가던 사람이 발견 봉래서에 신고하여 찾게 되었다.[183]

1933년 9월 14일

부여군 공의公醫 쓰치이 레이사쿠土井禮作는 그간 수집해온 고고품 상당수를
전부 부여고적보존회에 기증하였다. 9월 14일에도 부여면 쌍북리에서 고는 1
척2촌 폭은 1척6촌 백제시대 탑신을 발견하여 고적보존회에 기증하다.[184]

1933년 9월 20일

28년 만에 되찾아온 불국사사리탑(보물 제61호) 경찬법회

불국사 강당 뒤쪽 보호각에 있는 사리탑은 외형이 석등과 흡사한 사리탑으
로 사적기寺蹟記에 나오는 광학부도光學浮屠가 이것이 아닌가 추정하기도 하지
만,[185] 『삼국유사』 권제4 '광학부도圓光西學' 조에는 "부도재삼기산금곡사浮屠在三

---

183 『每日申報』 1933년 9월 14일자.
184 『每日申報』 1933년 9월 19일자.
185 문화공보부, 『文化財大觀』, 1968.

崎山金谷寺"라 기록하고 있다. 따라서 이 부도는 삼국유사에 기記한 부도로는 볼수 없으며 하대의 안상수법眼象手法, 중대석의 운문수법雲文手法 그 외 탑신의 감실龕室 주록선周綠線이 고려시대의 특징을 여실히 나타내고 있어[186] 그 제작은 고려 초에 건립된 것으로 추정되고 있다.[187]

1909년 세키노는 한국 각 도의 유적유물을 조사하던 중 다시 불국사를 방문하여 이 사리탑이 없어진 것을 매우 애석하게 생각하였다고 하는데, 이때는 불국사의 이름이 날로 높아져 한국을 유람하는 내외의 인사들이 필수적으로 이곳을 방문 일정에 넣었다고 한다. 조선총독부에서도 1910년 이후에 와서야 겨우 이 사리탑의 중요성을 알고 이 사리탑을 되찾아 다시 원위치에 가져다 두기로 계획하고 그 소재 파악을 세키노에게 위탁하였다. 세키노는 우선 세이요겐精養軒에 그 소재를 물었으나 그 행방을 알 수 없었다. 그 후 20년 동안 행방을 조사하였으나 찾지 못해 유감이었다고 한다. 그러던 중 1933년 5월에 도쿄에 있는 친구가 새로 집을 짓고 축하하는 연회석에 참석하여 달라는 청첩장을 받고 도쿄에 갔다가 나가노 긴야長尾欽彌의 정원에서 불국사 사리탑을 발견하였다. 세키노는 크게 기뻐하여 이 탑의 출처를 물으니 나가노는 탑의 형태가 특별하여 어떤 고물상으로부터 5만원을 주고 사왔다고 한다. 세키노는 나가노 긴

---

186 『文化財大觀』(해설편), 韓國文化財保護協會, 1989.
187 高裕燮은 『朝鮮美術文化史論叢』(1949, 서울신문사출판부, p.93, 주석2)에서, "경주 토함산 불국사 대웅전 뒤에 부도각내에 있는 것으로 학자에 의하여 신라작이라 하는 사람도 있으나 필자는 高麗作으로 인정하는 바이며, 광학부도라 한 것은 憑證이 없는 바이요 한 때 그러한 稱이 있어 인용한데 지나지 않는다. 광학은 憲康王妃의 法號라 하나 이 역시 未審이다"라고 한다.

야長尾欽彌의 소유로 되어 있는 이 사리탑은 원래 불국사의 것이라는 것을 설명하고 그의 논문에 실린 사진을 대조시켜 주었다. 그리고 이런 귀중한 유물은 개인이 사장私藏할 것이 아니라 조선 총독부로 기증하여 그 본토로 귀환될 수 있도록 설득하였다. 그래서 1933년 7월 22일 증상사增上寺에서 공양식供養式을 행하고 곧바로 한국으로 송치送致하게 되었다. 당시 나가노는 이 사리탑을 보전하는데 보탬이 되라고 5천원을 주었고 철도국에서는 무료로 운송을 하였다.[188]

이 과정에는 우가키宇垣 총독의 입김도 어느 정도 작용했던 것으로 보인다.[189]

『매일신보』 1933년 6월 23일자 기사에는 《고토故土 찾아 돌아오는 불국사 사리석탑舍利石塔》이라는 제하의 다음과 같은 글이 실려 있다.

<東京電> 약 30년 전에 종적踪跡을 알 수 없던 경주 불국사에 보관해 두었던 중보重寶 사리석탑이 동경시에서 발견되었다고 한다. 그것은 수 만원의 거액을 드려 사두었던 현재 소유자가 우가키宇垣 총독의 동상同上한 것을 귀히 삼아 다시 조선에 기증하게 된 것인데 이것이 최초 조선에서 없어지기는 현

---

188 關野貞, 『朝鮮の建築と藝術』, 昭和16년, p.697~702; 『佛國寺と石窟庵』, 朝鮮總督府, 1938, p.44; 『新韓民報』 1933년 8월 24일자; 『東亞日報』 1939년 9월 10일자.

189 佐瀨直衛는 "明治38, 39년경 어디로 옮겨져 오래 동안 소재를 잃었다가 선년 총독이 동경에 왔을 때 이 부도가 長尾欽彌씨 정원에 있는 것을 발견하고 長尾씨의 호의에 의하여 총독부에 기증하기에 이르게 되었다"(佐瀨直衛, 「朝鮮の佛敎藝術を語る」, 『古美術』 135號, 寶雲舍, 1942년 4월)고 하고,
『大阪朝日新聞』 1933년 6월 20일자 기사에는,
"경주의 고찰 불국사의 지보 사리석탑이 동경시내에서 발견되어 宇垣 조선총독의 상경을 계기로 최근 수만원을 투자하여 매수한 현소유자가 다시 조선에 기증한 미담이 화제가 되고 있다"고 한다.

『매일신보』 1933년 6월 23일자 기사(사진은 長尾)

동대 명예교수 세키노關野 박사가 메이지明治35년(1902)에 동 석탑에 관한 기술과 기타 점이 우수한 것을 경탄해서 논문을 발표한 후에, 개성의 모 씨가 곧 동사원同寺院의 승려를 설득하여 가지고 매수한 후 밤을 이용하여 비밀히 도쿄에 수송하여 가지고 우에노上野 세이요겐精養軒 앞뜰에 비치해 두었는데 그 후는 다시 행방불명이 되었다. 그것은 세타가야 구후카사와조世田谷區深澤町 본포주인 나가노 긴야長尾欽彌 씨가 수 만원을 들여 모처로부터 매수한 후 자기 집 정원에 비치하였던 것이다. 처음에는 나가노長尾 씨가 이를 매수할 때에 비장해 두고자 생각하였으나 지난 15일에 우가키宇垣 총독의 방문을 받았을 때에 이와 같은 귀중한 것을 개인의 소유로 하는 것은 아니 되겠다는 생각을 하여 총독부에 기부하기로 된 것이라고 한다. 근일 중에 고승高僧을 청해서 공양을 한 후에 수송하기로 되었다고 한다.

나가노 긴야長尾欽彌의 기증이 결정된 후 1933년 7월 20일 송별공양회送別供養를 치루고 고국으로 돌아오게 되는데, 『동아일보』 1933년 7월 24일자에는 다음과 같은 기사가 있다.

경주 불국사석탑

30년 만에 고국으로, 20일 동경에서 나
가노長尾씨 주최로 송별공양법회 개최
(동경지국 특신) 지금으로부터 30년 전
에 경주 불국사에 있는 석조사리탑은 어
떠한 자의 절취로 말미암아 그 종적을
몰랐었는데 얼마 전에 동경에 있는 나가
노 긴야長尾欽彌 씨의 소장한 고물古物 속
에서 발견되었는데 씨는 그 사리탑이 우
리 경주 불국사의 소유인 것을 알게 되
자 곧 경주로 봉환奉還할 결심을 하고 그

사리탑 안치 모습

동안 각 방면을 통하여 그 수속을 마친 후 지난 20일 오후 1시에 동경지구 증
산사 대법낭 안에 전기 사리탑을 봉안히고 송별공양회送別供養會를 열었다는
바 그 회에는 저명인사가 많이 찬집하였었고 그 탑은 즉시 경주로 돌아오게
되었다는데 이 탑은 불국사 대웅전 뒤 비로전 앞뜰 중앙에 서있던 것으로 높
이 6척의 화강석조요 조각의 정교한 것은 실로 둘도 없는 보배라고 한다.

이 사리탑이 1905년에 불국사를 떠나 일본으로 반출된 후 28년 간 이곳저곳
으로 옮겨 다니다가 드디어 1933년 9월 20일 경찬법회慶讚法會를 성대히 치르고
불국사에 안치하게 된 것이다.[190]

---

190 다음과 같은 기사가 있다.

1933년 10월 1일

덕수궁 개방

　덕수궁의 일부를 일반에 불하하면서 덕수궁을 정리하여 일반인에게 공개하기로 했다. 개방계획은 2만평의 궁터에 전반적으로 손을 대어 퇴락한 전각을 철거 및 개수를 하고 꽃과 나무를 대량으로 심고, 일부는 어린이 공원을 만들고 일부는 산책로로 만들었다.[191]

사리탑 위치 복건
20여 년 동안이나 종적을 감추고 있던 신라 국보의 사리탑은 동경의 長尾欽彌씨가 소유하고 있었는데 조선의 국보는 조선에 돌리겠다고 하여 총독부에 기부하여 수일전 조선에 건너온 것으로 그동안 불국사에 안치하였는데 이 사리탑은 원래 있던 위치에 두고자 사리탑 위치 보건 공사를 하던 중 어제 전부 완성되어 오는 20일 오전 11시부터 불국사에서 경찬법회를 거행하기로 하였는데 그날은 총독부에서 학무국장이 참석할 것이며 경북도에서는 김 지사 이하 관공민 유지 2백여 명과 도내에 있는 각 사찰승려들이 참석하여 성대하게 거행하기로 하였다(『매일신보』 1933년 9월 15일자).
불국사사리탑 경찬법회가 20일 오전11시에 거행
사리탑의 경찬법회는 예정한 바와 같이 20일 오전 11시에 경주 불국사에서 거행하였다. 총독부로부터 渡邊 학무국장과 유 사회과장, 박물관장 등이 참석하였으며 경북도에서는 김 지사와 학무과장 등 관공민 수십 명과 경북도 안에 있는 각 사찰 궁 등 수백 명이 참석하여 성대하게 행하였다(『매일신보』 1933년 9월 21일자).
191 다음과 같은 관련 기사가 있다.
　화려하던 전각도 모두 철훼방매(撤毀放賣)하고 황량한 옛 대궐터에는 석조전 하나만 남을 듯.
이왕직에서 덕수궁의 기지를 일본인 모회사에 팔려고 한다는 소문이 항간에 자자하다 함은 별항 보도와 같거니와 이 덕수궁의 기지를 판다는 것은 즉 궁궐이 없어지는 것을 의미하는 것이니 30년의 긴 세월을 참담한 역사 속에서 구슬픈 생애를 거듭하여 오며 고종황제를 받들던 대한문, 함녕전 등의 대소 궁문과 대소 전각까지 그 웅대 장려한 형태를 없이 할 것이다. 그런데 이들 전각에 대한 존폐 문제는 이왕지원은 물론 왕실 친척, 귀족들 사이에서도 들어나지는 않았으나 이면에 있어 의론이 다소 분분한 모양인바 이왕직의 수뇌부 대개는 그들 전각을 그대로 보존한다 함에 그리 찬의를 갖지 아니하여 될 수 있으면 모두 철훼 방매할 의견인 모양이니, 이는 그 전각을 그대로 보존하자면 또한 그만한 터를 필요케 되며 다시 현재의 위치로부터 다른 곳에 전부 옮겨 가야 할 것임으로 이에 대한 거대한 비용을 댈 방법도 없을 뿐만 아니라 하등의 용처와 필요를 감하지 않는 이 전각을 그대로 남기어 두고 비용을 들임도 경제적 견지에 있어서 그리 합리적인 일이 아니라 하는 의견에서 기지 방매와 함께 궁문, 전각들까지 철훼 방매하고자 함인 듯 하며, 그 중 석조전 하나만은 그대로 보관할 터이라 한즉 석조전과 함께 그 부근에는 그리 넓지 못한 약간의 기지가 남아있을 모양이라더라.

末松 서무과장 말

별항 보도의 사실에 대하여 이왕직 末松 서무과장은 이에 대한 가부적 확실한 대답을 피하고 극히 모호한 대답을 하길.

"오래 전부터 이는 문제가 된 터로 그 일부의 매도는 실현된 일인데 최근 그것이 구체화 하였다는 것은 나로서 이렇다 저렇다 말 할 수 없는 일이외다. 하여간 회계과에서 하는 일이며 또한 아직 그런 말을 듣지 못한 듯하오. 살 사람만 있으면 벌써 팔렸을 지도 모르나 하여튼 값이 비싸니까 살 사람이 얼른 나서지도 않는 모양이올시다. 물론 조금씩 뜯어서 팔지는 않을 작정인데 궁터 전부 1만 5,6천평은 다 안판다고 하고 1만평 가량만을 4, 5분하더라도 큰 것이니까요. 함녕전이나 대한문 등의 궁문 전각 존폐 문제는 아직 의논도 없습니다. 물론 석조전이야 보관되겠지요."

구궐 덕수궁 분할 판매된다고

최근 항간에 전하는 소식은 오래 전부터 덕수궁의 일부를 떼어 팔아온 이왕직에서 다시 그 나머지 전부나 혹은 반분을 팔기 위하여 비밀리에 그 매매운동이 계속되는 중이라 하니 전하는 소문이 사실이라면 아직까지 그 형제나마 가시고 있는 덕수궁마저 경운궁, 경복궁이 걸어간 눈물겨운 자취를 따라 또한 쓰러지고 말 모양인바 매매설의 자세한 바를 전하는 대로 보도하면 태평통 측으로 면한 정면의 기지를 매 평 180원의 시세로 모일본인 토지회사에 팔아넘길 모양이며 이 토지회사에서는 일수(一手)로 이것을 사가지고 그 전부를 여러 개로 나누어 판다고 하여 이곳을 상업지대로 만들어 가지고 그 이웃에 즐비하게 늘어가는 관청, 은행, 회사 등을 상대로 장사를 벌이려는 모양이라 한다(『中外日報』 1926년 12월 24일자).

조선인으로 보존을 요하는 고적이 그만치 일본인으로서는 성가신 것이라 하는 이도 있다. 그러나 일본인 편으로 본들 덕수궁이 홀대(忽待)받아서 가한 것인가. 의정서란 것을 어디서 하였으며 신협약이란 것을 어디서 하였으며
일본인의 손에 덕수궁이 없어진다 함과 그것이 다만 시가의 번성이라는 변변치 아니한 이유로 그리된다함은 도저히 驚怪를 견디지 못할 것이 있다(『동아일보』 1926년 12월 30일자).

덕수궁 일부 불하키로 내정, 태평통 발전에 장애가 된다고 덕수궁 일부를 불하키로 내정

대한문은 30칸 뒤로

덕수궁은 비어둔 채로 해를 거듭함에 따라 황폐해 질터인데 일시에는 덕수궁을 민간에 불하한다는 소문까지 전하여 역사 있는 건축물을 없앤다는 일부의 비난까지 있으나 이왕직에서도 그 건물을 없애는 것이 부당하다고 의견이 일치되어 함녕전 석조전 등 중요한 것은 그대로 보관하고 도로에 근접한 부분만 넓이 30칸을 떼어 지원자에게 불하하리라는데 그렇게 되면 대한문의 위치가 30間 뒤로 물러 들어갈 것이며 30칸 이내에 포함될 부속 건물은 헐어버릴 것이라는데 불하하는 이유는 太平洞이 해마다 번창하여 가는데 덕수궁으로 말미암아 발전에 영향이 미치는 바가 많다고 하야 벌써부터 불하 신청자가 많았을 뿐아니라 이왕직의 경비도 궁핍하야 부채의 일부에 보충하리라는 것이다(『동아일보』1927년 5월 10일자).

덕수궁 1만여 평에 대공원 건설 계획
'拂下나 貸下의 형식을 밟어'

조선 사람으로서 누구나 기억에 남아 있는 대한문 안 덕수궁의 일부도 이제는 멀지 않는 장래에 민중의 일종 산책 유원지로 개방케 되리라 한다. 팽창하여 가는 대경성의 시가는 마침내 이 역사 깊은 궁전에 까지 발전의 걸음을 옮기어 그 계획 여하는 이미 항간의 화제로 되었으니 이는 최근 경성 도시건설계획연구회에서 부내외 각종 시설과 시내 중앙에 대공원 설치의 안을 세우고 각처에 후보지가 될 만한 처소를 엿보던 중 마침내 덕수궁 옛터와 그 안에 광대한 일만 수천평을 불하 혹은 대하의 수속을 밟아 상당한 시설과 가공을 하여 장래 훌륭한 산책지로 만들고저 하는 것이다. 경성에는 중앙에 탑동공원의 한 곳이 있으나 그 면적이 극히 협잡하고 상당한 시설은 도저히 할 수도 없고 또 효창공원, 장충단, 남산공원 같은 곳이 있다할 지라도 복잡한 시가의 주택지와는 거리가 멀고 인접한 교외에 가까운 관계상 공원으로서 충분한 의의를 다하지 못한다하여 이 궁터를 헐어서 경성의 중앙공원을 만들자고 하는 것이라 한다(『조선일보』1931년 5월 16일자).

함녕전과 석조전만 보존, 덕수궁 일부 훼철 매각

덕수궁은 고종이 승하한 후 비어두어 이왕직에서는 이번에 그 중에서 역사적으로나 건축학상으로 보존할 필요가 있는 석조전과 함녕전, 대한문만 남겨 두고 그 나머지 모든 전각은 전부 헐어버리기로 되어 그 일부를 벌써 헐어서 이왕직 아악부 연주실을 건축 중이다. 석조전과 함녕전은 장차 이왕직박물관 분관을 설치할 터이오 정문인 대한문은 그 뒤로 약 30칸 옮겨 이와 일직선으로 태평통 도로에 면한 넓이 약 30칸은 1筆로 하여 상점건축지로 불하하리라 한다. 520년 전의 옛 대궐에 두견화 다시 피었건만 이후로 이 터전엔 주춧돌만 흐트러져 폐허의 애상을 느끼게 할 것이다.

말송 서무과장 담

덕수궁을 보존하려면 지붕이 다시 지붕을 만들어야만 보존하겠으므로 그 중에 건축학상으로나 역사적으로 유서가 깊은 석조전과 함녕전만 보존하고 나머지 건물은 전부 철훼할 석조전의 내외를 수리하고 정전인 중화전은 내부에 들어가 배관할 수 있도록 하고 고종의 본전인 함령전과 알현실이던 덕홍전은 정면의 문을 열고 밖에서 들여다 볼 수 있도록 했다. 그리고 원내에는 휴게소 2개소와 매점을 설치하였다. 석조전 뒤 높은 지대는 어린이 운동장을 만들어 각종 운동구를 설비하였다. 또 정원의 설비로는 함령전 경내에 목단과 작약 등의 큰 화단을 만들고 준

방침이외다. 도로에 면한 토지는 불하할 터이나 분할은 할 수 없고 1필로 하여 적당한 가격을 내면 팔겠습니다. 석조전과 함녕전은 박물관으로 쓰자는 말이 진섭 중에 있습니다. (『동아일보』1932년 4월 24일자)

산란한 초석에 남은 역사
풍우와 벗하는 덕수궁 공개
한국사 종말이 연출되던 무대가 주인 一去後에 公家로 10여 星霜
이왕가에서 계획을 수립
덕수궁은 고종께서 승하신 이래 10여 성상을 주인 없이 비어두어 잡초가 자욱이 지어 사라진 옛날을 회억케 하는 것을 만들 뿐이더니 이왕직에서는 그 웅장한 전각과 화려한 어원을 그대로 둠 보다는 역사적 유서가 깊은 전각을 보존하는 의미에서 전각의 수리를 새롭게 하고 어원을 장식하여 원형을 파손되지 않은 정도에서 일반 부민에게 개방할 방침을 세웠고 방금 여러 가지로 계획 중에 있나(『동아일보』1932년 7월 22일자).
사라진 과거의 회상터로 금추에 공개할 덕수궁
아동공원과 어른의 산책지를 만들고 석조전에는 회화관도 설치할 터이다.
일반 부민에게 개방하기로 된 덕수궁은 이봄 해빙기부터 꽃과 나무 심는 것과 퇴락한 전각의 개수에 착수하고자 이왕직에서는 방금 예산 편성 중이다.
개방계획의 내용은 궁터 2만평에 전부 손을 대이기로 되었다. 일부에는 아동공원을 만들고 일부는 어른들의 산책지에 적당한 시설을 한다. 그리고 전각 중의 중요한 곳도 개방하여 임의로 배관할 수 있게 하고 또 석조전에는 회화관을 만들어 지금 창경원에 이왕직박물간에 진열한 고대서화와 또 왕가에 비장한 회화를 진열하기로 하리라 한다.
처음에는 무료 개방설도 있으나 궁내의 시설을 보존하기 위하여 입장료 5전 또는 10전을 받아 함부러 들어가는 것을 제한하기로 한다.
공사는 금년 가을까지 걸릴 터이므로 가을에야 개방될 터이라고 한다.
이로써 고종 승하 이래 깊이 잠겼던 구중궁궐은 40만 경성부민의 사라진 과거를 회상하는 동산이 될 터이다(『동아일보』1933년 2월 12일자).

명전 후정에는 전면에 각종 철쭉 등을 심었다. 석조전 앞은 금잔디 밭을 만들었다. 함령전 행각은 국화 목단 등을 진열하여 관람자들에게 감상케 했다. 덕수궁 안의 정리와 혼잡을 방지하기 위하여 창경원과 같이 입장료로 대인 10전 소인 5전의 요금을 받았다.[192]『매일신보』1933년 10월 2일자에는 덕수궁 개방일의 모습을 다음과 같이 보도하고 있다.

금단禁斷의 존성尊城 훨신 열려, 덕수궁 개방의 초일

1년여를 두고 궁전 내부의 수리와 바깥 정원에 손을 대어 하루바삐 개방하고자 준비를 거듭하던 덕수궁의 개방은 금 1일 아침 9시에 정문을 여는 소리 요란하게 가을 하는 위로 높이 사모쳐 40만 장안에 울리며 대한문이 열

개방에 따라 몰려든 인파들(『매일신보』1933년 10월 2일자)

192 『東亞日報』1933년 9월 15일자.

리었다. 정각 전부터 몰려든 배관자들은 어른 아이를 물론하고 앞을 다투어 표사기에 분주하여 정오까지에 이미 3천 이상의 입원자가 쇄도하였었다. 가을 고궁에 진열한 미술품은 웅장하고 화려한 내부 장치와 함께 빛나는 고유한 그림의 정취를 있는대로 발휘하여 일반 관중의 심리를 자못 고요하고 그윽한 곳에 인도하는 것과 같았다. 또한 닫히었던 궁전 내부를 보는 관중은 일종 의아하는 뜻으로 감개 깊게 속속드리 살피며 지나가고 아동유원에 뛰노는 어린애들은 날이야 좋으나 말거나 바람이 불거나 말거나 서로 바라보며 손을 마주잡고 천진난만하게 뛰어 놀고 있었다.

덕수궁이 개방되자 석조전에서 영국영사관의 관내가 훤하게 보인다고 하여 영사관에서 총독부 외사과에 항의가 있었다. 총독부 외사과에서는 즉시 석조전의 주위에 나무를 심어 보이지 않도록 가리라고 이왕직에 권유하여 즉시 행해졌다.[193]

1933년 10월 5일

만덕산 진흥왕척경비(眞興王拓境碑) 보존 시설 사무 협의

조선총독부 기수 오가와 게이키치小川敬吉는 1933년 10월 5일부터 10일까지 함경남도 이원군에 출장하여 서면 만덕산 소재 신라 진흥왕척경비眞興王拓境碑 보존

---

193 『朝鮮中央日報』 1933년 12월 15일자.

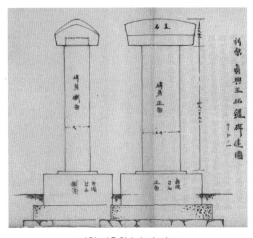

이원 진흥왕순수비 건도

시설 관련 조사와 사무 협의를 마치고 10월 10일 귀임했다.[194]

현황 복명 내용을 보면, 석비의 소재지는 함남 이원군 서면 진현리 만덕산 정상 가까이 경사면에 있으며, 개석은 직하直下 계곡에 추락되고 台石의 소재지는 불명, 비신은 개석과 약 4정 거리에 있다. 비석은 예부터 현위치에 있었던 것으로 생각되며 상부上部로부터 추락 전도顚倒된 것으로 원위치가 명료하다고 기술하고 있다.

현재의 지점은 급경사면으로 현재 비석이 위치한 곳은 경사가 심해서 우기나 해빙기에 토암이 흘러 매몰 혹은 도괴될 우려가 있으므로 이전하여 보존하는 것이 적절하다는 의견을 제시하고 있다. 이전 건립의 후보지로는 현재 지점으로부터 남쪽으로 약 4정의 평탄한 곳이 적당하다고 사료된다고 하고, 비신, 개석의 운반과 아울러 지대석을 새로 만들어 비석을 건립하고, 국비로서 시행하기를 희망한다고 보고했다. 또 비각을 건립하고 비각 내에는 고비 발견의 유래를 기록할 것을 요망하고 있다.

194 『국립중앙박물관 소장 총독부박물관 공문서』, 목록번호 : 96-279.

1933년 10월

덕수궁 석조전에 일본화 진열

덕수궁을 공개하고 석조전을 개수하여 근대 일본미술품을 수집 진열하게된 것은 1933년 10월부터이다.

1933년에는 이왕직에서 1932년 4월부터 적지 않는 경비로 덕수궁을 유원지로 일반시민에게 공개함과 함께 그 안에 미술관을 상설하고 왕실 비장에 관한 고대 명화를 진열하여 공개할 예정이었으나 그 공정工程이 거의 끝나고 개관이 가까운 때에 이르러 조선화朝鮮畵를 일본화日本畵로 바꾸어 진열함을 발표했다. 일본 근대 작품을 소개하여 현대미술의 모범이 되며 반도예원半島藝苑의 향상에 보태려고 한다는 것이다.[195] 당시 조선일보 논설에는 이들의 처사에 대해 다음과 같이 성토하고 있다.

어찌하여 마땅히 공개하여야 할 문화적 재보財寶를 영구히 사장死藏하려 하는가 그 이유를 발견하기 곤란하다.

오늘날 법령으로 조선의 역사적 고적과 유물을 보호하여 조선문화의 보존과 계발을 꾀하는 판에 불국사의 건축과 석굴암의 조각을 일반에게 공개함에 불계不計하고, 이왕가의 고화古畵만은 비장秘藏한 그대로 두려함은 무슨 까닭인가. <중략> 공개公開에 의하여 조선인의 고문화를 내외에 알리게 하

---

195 『朝鮮日報』1933년 9월 17일자.

덕수궁 내 근대일본미술진열관(국립중앙박물관 소장 유리건판 030433)

　는 것이 또한 그 보존한 목적이 있는 바다. 이로 보더라도 이번 덕수궁미술
관에 조선고화를 진열하지 아니함은 실당失當한 일이 아니라 할 수 없다.[196]

　이들은 덕수궁미술관을 개관하기 전에 진열품선정위원회를 만들었는데 그 선
정위원의 면모面貌를 보면, 도쿄제국대학 교수 구로이타 가쓰미黑板勝美, 제실박물
관장 스기 에이자부로杉榮三郎, 전 도쿄미술학교장 와다 에이사구和田英作, 전 제국
미술원장 마사히 나오히코正木直彦, 궁내성어용괘 구도 쇼헤이工藤壯平 등 5명으로
모두 일본인들로만 구성하였다. 이들은 주로 일본 근대작가들의 작품을 광범위하
게 선정하여 전시를 하였는데, 이러한 진열은 한 달에 한 번씩 교체하는 것을 원

196 『朝鮮日報』 1933년 9월 17일자.

칙으로 하여 1938년 5월 현재 37회에 걸쳐 작품을 교체하여 전시하였다.[197] 당시 이곳에서 얼마나 많은 일본미술품을 전시하였는지 정확히 알 수 없으나 1933년 부터 1942년까지 『이왕가덕수궁진열 일본미술품도록』을 제1집부터 제8집까지 발 간하였는데, 제2집부터 제8집까지에 수록된 일본 미술품 수를 보면 다음과 같다.

	일본화	서양화	조각	공예
제2집(1934년)	104	30	20	38
제3집(1936년)	81	38	21	37
제4집(1937년)	66	38	18	35
제5집(1938년)	110	36	15	43
제6집(1940년)	69	34	20	41
제7집(1941년)	69	45	24	46
제8집(1942년)	72	32	12	32
계 (총계 : 1,266점)	571	293	130	272

이는 한국문화의 일본화에 지대한 영향을 끼쳤으며, 한국미술이 왜색 일변도로 나아가는 결정적 역할을 함으로써 한국미술의 정통성에 막대한 저해를 가져왔다.

총독부박물관 운영에 있었어도 일본, 중국의 참고품과 한국유물을 함께 진 열하였는데, 1937년 현재 진열품의 총수는 1만 3천375점으로 총독부박물관의 관람자 수의 상황을 살펴보면 다음과 같다.[198]

---

197 編輯部, 「朝鮮の博物館と陳列館」, 『朝鮮』, 朝鮮總督府, 1938년 6월, p.92-93.
198 朝鮮總督府學務課社會敎育課, 『朝鮮社會敎化要覽』, 1937, p.108.

	일본인	한국인	외국인	계
1932년	37,966명	11,131명	645명	49,742명
1933년	26,099명	14,577명	695명	41,371명
1934년	28,523명	19,342명	1,600명	49,465명
1935년	27,525명	28,004명	1,635명	57,165명
1936년	32,392명	28,829명	1,890명	63,111명
계	152,506명	101,883명	6,465명	260,854명

위에서 보는 바와 같이 총독부박물관을 관람객의 수에 있어서 한국인보다도 일본인 관람자의 수가 훨씬 더 많다. 이는 일제가 얼마나 그들 위주로 박물관을 운영하고 있는지를 보여주는 단적인 예라 할 수 있다.

새로 발견한 나한상(『동아일보』 1933년 10월 20자)

부안 내소사(來蘇寺)에서 나한 발견

전북 부안군 변산안 내소사 뒤에서 흙으로 만든 나한상 10여 개를 한 무덤에서 파내었는데 약 백년 전에 제조한 것으로 미술적 가치가 있다고 한다.[199]

나주 다보사多寶寺에서는 지난 8월에 목조약사여래불

---

199 『東亞日報』 1933년 10월 20일자.

과 지장불을 도난당하였는데, 10월에 지장불만 나주군 나주읍 토계리 후산 산림 중에 은닉한 것을 발견하였다.[200]

고려시대 유물 발견

개성 만월대 부근 사과밭에서 고려시대 장군이 쓰던 무쇠투구가 발견되었다는데 그는 지난 10월 하순 밭 주인 구보타久保田洙雄란 자가 밭을 갈다가 발굴한 것으로 무게는 약 7근이나 된다한다.

같은 날 만월대에서 얼마 떨어지지 않은 전기회사 뒤 심상소학교 교사 신축지에서 공사 중 땅속에서 고려자기 등이 무수히 발견되었는데 발견된 자기와 투구는 개성박물관으로 옮겨 보관하다.[201]

1933년 11월 2일

야마나카(山中)상회의《석등롱 야외전》

일본 오사카의 세계적인 골동상인 야마나카山中상회가 1933년 11월 2일부

---

200 『每日申報』 1933년 10월 31일자.
201 『東亞日報』 1933년 11월 4일자.

터 11월 5일까지 오사카의 야외 야마나카山中석조진열소에서《석등롱 야외전》을 개최하였다. 11월 5일에 경매를 단행하자 간송 전형필은 이곳에 출품된 우리나라 석조 유물을 구입하게 되는데 통일신라 3층석탑은 이때의 기와 집 6채 값인 6천원에 사들였고 고려 3층석탑은 3천7백 원에, 석조사자는 2천5백 원에, 조선 석등 하나는 3천7백 원에 사들였다.[202]

간송 전형필이 1933년 11월
야마나카상회로부터 사온 고려3층석탑
간송미술관 소재

1933년 11월 15일

11월 15일부터 10월 30일까지 공주송산리 제29호분을 발굴하다. 보고서는 미간이다.[203]

---

202 澗松文華55號.
203 有光敎一,『有光敎一著作集』제3권, 1999.

1933년 11월 24일

11월 24일에 삼랑진 용전리의 만어사萬魚寺에서 미륵불당을 신축하려고 공사를 하던 중 땅속에서 높이 5촌 가량의 금불과 넓이 2촌 가량의 석탑 한 개를 발견했다.

『조선중앙일보』 1933년 12월 5일자 기사

1933년 11월 25일

도적맞은 내원암 불상 산중에서 발견

양주군 별내면 청학리 수락산 내원암에 안치하였던 미륵불을 지난 10월 25일에 도난을 당했는데 내원암에서는 그동안 경찰에 신고를 하고 당지 경찰서에서는 범인 수사를 해오던 중 11월 25일 동군 시둔면 낙양리 최 모가 뒷산에서 나무를 하다가 부처를 발견하여 경찰에 신고하여 찾게 되었다.[204]

---

204 『每日申報』 1933년 12월 1일자.

1933년 11월

오사카미술구락부에서 고려자기 한 개가 15만원에 팔리다

이 자기는 오사카大阪 하루미春海골동상점에서 매입했는데, 원래 소유자는 일본 히로시마의 어떤 사람의 소유였다고 한다. 이 자기는 약 330년 전에 일본의 토요토미 히데요시가 조선에서 가져간 것이라고 하는데 천보년(1830년~1843) 오사카의 유명한 부호 상인인 후지야富士屋의 소유였던바 당시 시가로도 1천 냥에 달했다고 한다. 이 자기를 그 후 어느 때에는 이노우에 가오루井上響, 1836~1915) 후작이 1만원에 매수하고자 하였으나 소유자가 불응하였다고 한다.[205]

개성박물관에서 나카다 이치고로(中田市五郞)의 청자를 구입하다

개성부윤 이기방이 부임하자 박물관 확장과 진열품 수집에 박차를 가했다. 1933년 11월에는 나카다 이치고로中田市五郞가 수집하여 비장해오던 고려자기 중에서 가장 중요한 30여 점을 대금 2만 원으로 매입하여 박물관에 진열하였다.

여기에는 이 부윤의 개성박물관에 대한 각별한 애정과 남다른 노력이 있었기에 가능했던 것이다.『매일신보』1933년 10월 19일자 기사에는 다음과 같이 그 과정을 자세하게 보도하고 있다.

---

205 『東亞日報』1933년 11월 9일자.

개성박물관 내용 충실

이의 없이 통과, 개성부회에서

개성부에서는 6년도 예산추가경정을
심의코자 지난 16일 오후 2시부터 부청
루상 회의실에서 통상회의를 개최하였
는데 출석원이 17인이오 결석원 9인 이
부윤 의장석에 나아가 개회를 한 후 의
안 제17호 소화8년도 일반 경제 세입출
예산 추가경정안을 상정하고 심의에
들어갔다. 이 안의 예산 추가는 8천 원

개성박물관에서 매입한 나카다 소장품
(『조선중앙일보』1933년 11월 12일자)

인데 선반 부내 유지 고한홍 군의 당지 보승회 부활에 대하여 기부금 5천 원
과 공설인삼욕장건설비 중 부비 3천원 합 8천원의 용도를 변경하여 부립박
물관 내용 충실을 도모하기 위하여 그 설비비에 충당하겠다는 것이다.

선반 고 군이 개성보승회 복활을 목적으로 5천 원을 부에 기부하여 재단법
인 설립을 운동하였으나 도당국의 의견으로는 적어도 2만 원 이하로는 재
단법인 설립을 허가할 수 없다고 하여 재단법인 설립원은 기각하고 말았
었다. 그리하여 고한홍 군의 기부금 5천 원은 용도를 잃어버리고 있었는데
금반 이 부윤이 고한홍 군의 양해를 얻어 박물관 설비비에 충용하게 되었
으며 전임 부윤이 당지에 공설인삼욕장 건설을 절감하고 그 설비비 2만 원
을 계상하여 1만 7천 원은 삼정물산회사 개성삼업조합 일반인삼 경작자의
기부금으로 충당하고 3천 원은 부비에서 지출하기로 하여 부회의를 통과
한 기정안이었다. 그러나 계획자인 김 부윤이 전임된 후로 삼정회사에서

기부를 거절하고 전매국 개성출장소장 동도씨는 개성의 번영을 위하여 인
삼욕을 설치하는 것이니 기부금을 인삼경작자에 국한하지 말고 일반 부민
에게 모집하는 것을 주장하게 되었으며 이 불경 시에 1만 7천 원이라는 금
액을 일반 부민에게 모집한다는 것은 실로 지극히 곤란한 일이고로 인삼
욕은 후일로 미루고 목전에 급한 박물관 내용 충실에 노력하자는 것이다.
당지 박물관은 일반 부민의 열성으로 건설되었으나 관내에 진열한 물건은
전혀 총독부와 일반 부민의 소유물 등을 빌려서 진열하였으며 순전한 부
소유물로는 겨우 시가 45원의 물품이 진열되어 있을 뿐이다. 그리하여 이
부윤이 부임 이래 박물관 내용 충실에 대하여 많은 연구 노력을 하여 왔
었다. 그런데 당지 나카다中田 씨가 소유하고 있는 고려자기 27점은 진귀
한 물품으로 여하한 박물관 진열이라 할지라도 다대한 가치를 발휘할 만
한 물건인데 더구나 고려구도 당지 박물관에 고가의 진품을 진열하는 것
은 당연한 일이다. 나카다 씨가 가정형편상 전기 27점 고려자기를 방매하
게 되었는데 당지 박물관 내용이 빈약하지 않드라도 당지에 있는 고려의
보물이 타지방으로 이거하는 것을 부당국자로서는 좌시하기 어려운데 하
물며 당지 박물관 내용이 지극히 빈약함이리요.
이 부윤이 전기 전중의 비장품을 매수코자 수회 본부와 도에 진정하여 왔
으나 금년도에는 본부의 예산이 불허하니 개성부에서 여하한 수단으로든
지 그 물품을 매수하면 수년내에 해대금을 총독부에서 지출하겠다는 확언
을 듣게 되었다.
그런데 지금 나카다 씨가 그 물품의 대가를 2만 원이라고 부르고 있으나
부에서는 1만 5,6천이면 매수되리라고 한다. 그리하여 전기와 같이 8천원

은 추가경정하고 부족액 8,9천 원은 부내 유지 4, 5인의 명의를 빌려 은행에서 차금하여 매수하게 되었는데 전기 4, 5인 명의로 차금한 것은 2, 3년 내에 총독부에서 지출하여 상환케 되리라 한다. 이 안 심의에 들어가 별반 이의가 없이 통과되었으며 부회검사위원 4인으로부터 부 사무검열 보고가 있은 후 동 3시경에 폐회하였다.

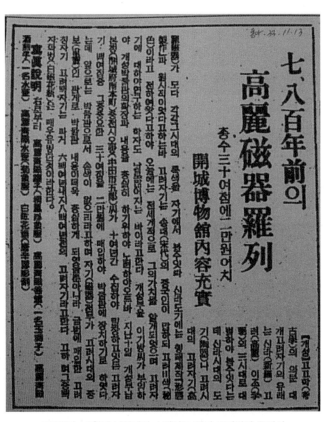

1933년 11월에 나카다가 수장하고 있던 고려자기 중에서
30여 점을 개성박물관에서 2만원에 매입하였다는 기사(동아일보 1933년 11월 13일자)

나카다로부터 매수한 고려자기는 최고급으로서 현재 국립중앙박물관에 국보 또는 보물로 지정되어 진열실을 점하고 있다.

나카다 이치고로中田市五郎는 1894년 청일전쟁을 계기로 군대를 따라 한국에 들어와 개성에서 떡집을 시작으로 포목, 잡화업을 하다가 1918년에는 개성에서 인삼제조 판매하는 고려산업사를 설립한 개성의 유지로 알려져 있다. 이를 바탕으로 초기 개성 일대의 고분에서 나온 가장 우수한 고려자기를 많이 수장하였다. 그는 개성 강화도 일대에서 도굴한 자기들을 수집하기에 가장 편리한 개성에 거주하면서 막대한 자기를 모았다. 그의 수집은 개성에 재주한 이후 곧바로 시작되었다. 여하튼 한국에 재주하는 일본인들 중에서 우수한 고려자기를 가장 많이 수장하고 있었다.

젠쇼 에이스케善生永助의 기록에,

조선에 있어서 민간의 고려자기 수집가로는 여하간 개성의 나카다 이치고로中田市五郎이 1위라고 생각한다. 내지內地에는 구하라광업久原鑛業의 야마오카 세다로山岡千太郎 씨가 가장 많은 고려소高麗燒를 진장珍藏하고 있다고 들었다. 나카다中田 씨는 30여 년 전에 개성에 와서 살고 있으며 발굴품으로 고려소를 수집하는데 가장 편의한 지역에 정주定住하면서 풍부한 자금력으로 일찍부터 수집에 종사하여 타의 추수追隨를 허락하지 않은 이유는 당연한 이치라 생각한다. 동씨의 비장秘藏한 고려소는 청자가 가장 많고 백자白磁, 천목天目, 회고려繪高麗, 삼도수三島手, 범고려소凡高麗燒 특색을 가진 것은 모두 수집하여 그 중에는 청자의 옥사자玉獅子의 향로香爐, 고1척 1촌高一尺一寸의 상감안象嵌眼의 화병, 호형조각鯱形彫刻의 수차水差, 동봉상안桐鳳象眼의 환발丸鉢, 백자의 당초부조각대화병唐草浮彫刻大花瓶 등 일품逸品

중의 일품逸品이다"[206]

라고 한다. 젠쇼 에이스케善生永助가 1920년대 초에 그를 방문했을 때만 해도 최 일품만 100여 점이 넘었다고 한다.[207] 젠쇼 에이스케善生永助가 당시에 본 나카다 소장의 고려청자 중에서 우수한 것을 골라 '中田市五郎의 비장 고려소 목록'라 하여 제시하고 있는데 다음과 같다.

<中田市五郎의 비장 고려소 목록>

白靑磁唐草浮彫刻花瓶(일품 중의 일품이라 하고 있다)

靑磁獅子形香爐(일품 중의 일품이라 하고 있다)

靑磁象嵌菊花文花瓶(일품 중의 일품이라 하고 있다)

靑磁象嵌菊花文水差

靑磁魚形彫刻水差

靑磁象嵌水草水禽文大鼓形水差(일품 중의 일품이라 하고 있다)

靑磁象嵌柳水禽鯉文片口

靑磁銀象嵌石榴文丸鋒

靑磁象嵌桐鳳凰文丸鋒 (일품 중의 일품이라 하고 있다)

靑磁象嵌雲鶴文香盒

206 善生永助,「高麗燒」,『隨筆朝鮮』下卷, 京城執筆社, 1930, p.248.
207 善生永助,「開城に於ける 高麗燒の秘藏家」,『朝鮮』, 朝鮮總督府, 1926년 12월, p.80.
    紫竹金太郎,『朝鮮之今昔』, 精華堂書店, 1914, pp.130-131.

青磁象嵌雲鶴文油壺

三島菊花文丸鉢

青磁菊唐草模樣香盒

青磁象嵌牡丹文丸鉢

青磁唐草浮彫刻丸鉢

三島大皿

天目茶碗

青磁象嵌雲鶴菊文丸鉢

青磁象嵌雲鶴菊文茶碗

青磁象嵌牡丹唐草浮彫刻茶碗

青磁牡丹唐草浮彫刻水差

青磁菊型香爐

三島菊文皿

青磁象嵌柳水禽丸鉢

純白唐草浮彫刻鉢

純白唐草浮彫刻小皿

나카다는 세키노關野가 만월대에서 채집한 와편을 분류하여 연화문 파와와 당초문와를 분류하고 있으며, 나카다 스스로 사목문평와蛇目紋平瓦 외에 연화문 파와와 당초문와를 채집하기도 했다.[208]

208 重田定一,「高麗の舊都」,『歷史地理』제16권 6호, 歷史地理學會, 日本歷史地理學會,

그가 소장하였던 '청자비룡형주전자'는 머리는 용, 몸은 물고기 모양으로 만들어 신비로운 느낌을 주고 있으며, 고기의 꼬리는 주전자의 뚜껑으로 하여 기발한 발상이 돋보이고 있다. 이 자기는 다행히 1933년 개성박물관에서 매입하게 됨으로서 오늘날 국보 제61호로 국립중앙박물관에 진열되어 있다.

나카다(中田) 구장
'청자어룡형주전자'(국보 제61호) 국립중앙박물관

나카다가 소장하였던 '사자향로獅子香爐'는 『도자강좌』 제7권(1938)에 도판으로 소개되기도 하였다.

1933년 12월 3일

12월 3일 경남 남해군 이동면 용소리 산간지대에 큰불이 발생하여 룡소리 산간에 있는 십문사十門寺, 송사松寺, 염불암念佛庵이 전소되었다.[209]

1910년 12월, p.15.
209 『朝鮮中央日報』 1933년 12월 5일자; 『每日申報』 1933년 12월 5일자.

1933년 12월 5일

기념물 보존회 시행에 필요한 3대 규정 발포

1933년 12월 5일부 조선총독부령 제136호로 '조선보물고적명승천연기념물 보존령시행규칙', 1933년 12월 5일부 조선총독부령 제42호 '조선보물고적명승 천연기념물보존령시행수속', 1933년 12월 5일부 조선총독부 훈령訓令 제43호 '조선보물고적명승천연기념물보존회 의사규칙' 등을 발포하고 1933년 12월 12 일부 조선총독부령 제137호로 이것이 시행됨과 동시에 '고적급유물보존규칙' 과 '고적조사위원회규정'은 자동 폐지되기에 이른다.[210]

그 내용은 다음과 같다.

1. 조선보물 명승천연기념물보존령시행규칙(부령)

전기 보존령의 시행에 관한 일반규정으로 전문40조로 이루어졌는데 그 요 점을 들면, 보물, 고적, 명승 또는 천연기념물은 보존령이 정하는 바에 의 하여 조선총독이 조선총독부보물고적명승천연기념물보존회에 자문하여 이를 지정하기로 하였는데 지정이 있는 경우에 그 요항을 조선총독부관보 로 고시한다. 또 조선총독은 보물, 고적, 명승 또는 천연기념물의 보존상

---

210 1933년 12월 21일 附 朝鮮總督府學務局長이 各 道知事에게 보낸 《朝鮮寶物古蹟名勝 天然記念物保存令 等 施行에 關한 件》, 『朝鮮寶物古蹟名勝天然記念物保存 要目』, 朝 鮮總督府, 1934, pp.55~57.

필요로 인정할 때는 일정의 행위를 금지 또는 제한이 있는 경우에는 그 요항을 조선총독부관보로서 고시한다.

지정된 보물 고적 명승 또는 천연기념물의 수출, 이출, 현상을 변경 또는 그 보존에 영향을 미치게할 행위를 하고자 할 때는 조선총독의 허가를 요함은 보존령에 규정하는 바이나 본 규칙에 있어서는 이러한 허가신청수속을 규정하여 있다. 또 패총, 고분, 사지, 요지 기타 유적으로 인정할 것은 특히 지정치 않은 것이라 할지라도 그 발굴 기타 현상의 변경에 대하여는 조선총독의 허가를 요하는바 이의 허가신청수속도 동양식으로 본 규정에 규정되어 있다. 그리고 발굴현상변경 또는 보존에 영향을 미치게 할 행위를 마친 때는 굴출한 필요로 하고 매장물을 발견한 때에는 그 상황까지도 함께 굴출치 않으면 안된다. 보물, 고적, 명승 또는 천연기념물 감실滅失 혹은 훼손하고 또는 그 현상 소유지명 지번 지목, 지적의 변경이 있거나 혹은 그의 소유자 관리자 점유자 혹은 그 씨명 주소에 변경이 있는 시는 이를 조선총독에 신고함을 필요로 한다. 기타 사찰의 소유에 속하는 보물의 관리 국고의 보조 보상 보급 등에 대하여도 규정되어 있다.

2. 조선보물고적명승천연기념물보존령시행수속(훈령)
전문14조로 이루어 주로 전기 보존령 및 시행규칙의 실시에 관한 지방청의 사무취급수속 국유에 속하는 보물 고적 명승 천연기념물에 관한 보존관서의 사무취급수속과 아울러 매장물 및 범죄 관계 등에 의하여 국고에 귀속한 것으로서 학술기예 또는 고고와 자료에 공할 것이라고 인정하는 물건에 관한 사법경찰당국의 사무취급 속 등을 규정하는 것이다.

3. 조선보물고적명승천연기념물보존회의사규칙(훈령)

보존회는 전기 보존회 관제의 정한바에 의하여 조선총독의 자문에 응하여 보물고적명승 또는 천연기념물의 보존에 관한 중요사항을 조사심의 하는바의 기구인데 본규칙은 그 보존회에 있어서의 가군의 조직사무의 분배소집회의 개폐의사의 정리의결의 방법등을 규정한 것으로 전문 9조로 이루어졌다.[211]

같은 해

김해군 녹산면 범방리 3층석탑 도굴

이 탑은 범방리 탑동부락 뒤 언덕의 밭 가운데 있는데, 일찍부터 이곳에 고색창연한 석탑이 있다고 하여 이 부락을 속칭 탑동이라 부르고 있다. 『조선보물고적조사자료』에는 "고팔척팔촌칠분의사층석탑高八尺八寸七分四層石塔"으로 기록되어 있으며 파손이나 도괴의 기록이 없다. 그런데 1933년경에 불법도굴자들이 탑을 도괴하여 1층탑신 중에서 사리장치舍利藏置와 탑기부塔基部에서 불상 1구를 훔쳐 달아났다고 한다. 도괴 된 탑은 그 후 동민들이 복구를 하였으나 상기단上基壇 면석面石과 삼층옥신, 노반 위의 탑두부塔頭部가 결실缺失되었다고 한다.[212]

211 『每日申報』1933년 12월 6일자.
212 金敬源, 「金海郡의 佛蹟」, 『考古美術』 7-8. 1966년 8월,

조선 출판 현황

1933년을 기준으로 조선의 출판현황을 보면, 한국인 경영의 신문은 8종으로 일본인 경영 31종에 비해 4분의 1밖에 되지 않았다. 잡지는 한국인 경영 신문지법에 의한 잡지는 6종에 일본인 경영 12종의 2분의 1밖에 지나지 않았다. 통신은 한국 내에 있는 모든 통신은 9종으로 모두 일본인 경영으로 한국인 경영은 하나도 없었다. 따라서 당시 모든 시사, 교양, 정보 등은 일본인 중심으로 이루어지고 있음을 알 수 있다.[213]

당시 조선의 신문지법이란 허가제도로 되어 있어 총독의 허가 없이는 절대 신문지를 발행할 수 없었다. 당국에서는 압수,[214] 정간, 발행금지 등의 절대 행정 권리를 가졌고 잘못하면 신문지법, 보안법, 제령위위반법, 치안유지법, 명예 훼손죄 등을 물어 사법처분에 걸려들기 일쑤였다. 그래서 신문사 사장들은 징역살이 한 사람들도 여럿이 있었다.

1933년 여름 오노 타다아키小野忠明 외 2명은 대동군 임원면 청호리유적지 발굴하여 석부, 석족, 토기 등을 채집했다.[215]

213 『實生活』 5권 5호, 奬産社, 1934.
214 鄭晋錫의 『日帝下 韓國言論 鬪爭史』에 의하면, 1920년부터 1939년까지 신문기사 압수 처분 건수는 동아 393건, 조선 414건, 중외 257건, 매일 53건으로 나타나 있다.
215 小野忠明, 「朝鮮大同江岸節目紋土器に隨伴する石器」, 『考古學』 제8권 제4호, 東京考古學會, 1937년 4월.

1933년도 도쿄국립박물관 수입 유물

1933년에는 경주 일대에서 출토한 와전을 대량 구입한 건이 보이고 있는데, 출토지를 구체적으로 밝히고 있는 점으로 보아 현지에서 직접 채집한 전문수집가로부터 구입한 것으로 보인다.

1933년에는 구도 소헤이工藤壯平가 도자기 1점 기증했다. 구도는 1910년부터 총독부 사무관, 회계국 영선과장으로 한국에 관계했으며, 1915년 공진회에는 선조대왕의 묵적을 출품 진열하기도 했다.[216] 그의 권위는 대단하여 선전 심사위원을 역임했으며 많은 우리나라 회화 작품에 작평이나 제평을 하기도 했다. 우수한 조선회화작품에 그의 제평이 수기된 것이 다수 있다. 1933년도 수입 유물은 다음과 같다.

---

216 『每日申報』1915년 10월 8일자.
217 帝室博物館, 『帝室博物館年譜(昭和8年 1月~12月)』, 1934.

유물 명	출토지	유물 번호	출처	비고
鬼瓦	경주 사천왕사지	歷史部第11區 4265	『年譜(1933)』[473]	구입
鬼瓦	경주 사천왕사지	歷史部第11區 4266	『年譜(1933)』	구입
鬼瓦	경주 인왕리	歷史部第11區 4267	『年譜(1933)』	구입
鬼瓦	경주 흥복사지	歷史部第11區 4368	『年譜(1933)』	구입
鬼瓦	경주 석불사	歷史部第11區 4269	『年譜(1933)』	구입
鬼瓦	경주 굴불사	歷史部第11區 4270	『年譜(1933)』	구입
鬼瓦	경주 인왕사지	歷史部第11區 4271	『年譜(1933)』	구입
宇瓦	임해전지	歷史部第11區 4272	『年譜(1933)』	구입
宇瓦	임해전지	歷史部第11區 4273	『年譜(1933)』	구입
宇瓦	창림사지	歷史部第11區 4274	『年譜(1933)』	구입
宇瓦	창림사지	歷史部第11區 4275	『年譜(1933)』	구입
宇瓦	흥복사지	歷史部第11區 4276	『年譜(1933)』	구입
宇瓦	황룡사지	歷史部第11區 4277	『年譜(1933)』	구입
宇瓦	분황사지	歷史部第11區 4278	『年譜(1933)』	구입
宇瓦	사천왕사지	歷史部第11區 4279	『年譜(1933)』	구입
宇瓦	천군리사지	歷史部第11區 4280	『年譜(1933)』	구입
宇瓦	천군리사지	歷史部第11區 4281	『年譜(1933)』	구입
宇瓦	남산리	歷史部第11區 4282	『年譜(1933)』	구입
宇瓦	남산리 장창지	歷史部第11區 4283	『年譜(1933)』	구입
鐙瓦 5개	임해전지	歷史部第11區 4284~4288	『年譜(1933)』	구입
鐙瓦 3개	사천왕사지	歷史部第11區 4289~4291	『年譜(1933)』	구입
鐙瓦 7개	남간사지	歷史部第11區 4292~4297	『年譜(1933)』	구입
鐙瓦 2개	남산 출토	歷史部第11區 4298,4299	『年譜(1933)』	구입

유물 명	출토지	유물 번호	출처	비고
鐙瓦	남산리 출토	歷史部第11區 4300	『年譜(1933)』	구입
鐙瓦 2개	보문사지	歷史部第11區 4301, 4302	『年譜(1933)』	구입
鐙瓦 4개	서면 부성산	歷史部第11區 4303~4306	『年譜(1933)』	구입
鐙瓦	고륜사지	歷史部第11區 4307	『年譜(1933)』	구입
鐙瓦	고선사지	歷史部第11區 4308	『年譜(1933)』	구입
鐙瓦 3개	흥륜사지	歷史部第11區 4309~4311	『年譜(1933)』	구입
鐙瓦	창림사지	歷史部第11區 4312	『年譜(1933)』	구입
鐙瓦	동천리	歷史部第11區 4313	『年譜(1933)』	구입
鐙瓦	노서리	歷史部第11區 4314	『年譜(1933)』	구입
鐙瓦	천군리	歷史部第11區 4315	『年譜(1933)』	구입
鐙瓦 2개	언양리	歷史部第11區 4316, 4317	『年譜(1933)』	구입
鐙瓦	황성사지	歷史部第11區 4318	『年譜(1933)』	구입
鐙瓦	황룡사지	歷史部第11區 4319	『年譜(1933)』	구입
鐙瓦	망덕사지	歷史部第11區 4320	『年譜(1933)』	구입
鐙瓦	만정사지	歷史部第11區 4321	『年譜(1933)』	구입
鐙瓦 4개	경주 출토	歷史部第11區 4322~4325	『年譜(1933)』	구입
鐙瓦 2개	부여 출토	歷史部第11區 4326, 4327	『年譜(1933)』	구입
塼	임해전지	歷史部第11區 4328	『年譜(1933)』	구입
塼	사천왕사지	歷史部第11區 4329	『年譜(1933)』	구입
塼 4개	울산 출토	歷史部第11區 4330~4333	『年譜(1933)』	구입
金製耳飾 1쌍		歷史部第11區 4335	『年譜(1933)』	구입
環頭太刀殘缺		歷史部第11區 4336	『年譜(1933)』	구입
漆盤	평남 대동강면 낙랑고분 발굴	歷史部第11區 4337	『年譜(1933)』	구입

유물 명	출토지	유물 번호	출처	비고
金製耳飾 1쌍		歷史部第11區 4338	『年譜(1933)』	구입
繪高麗德利		美術工藝部第2區 內927	『年譜(1933)』	기증. 1933년 5월 10일, 工藤壯平

朝日修好條規

大日本國與

大朝鮮國素敦友誼歷有年所

洽欲重修舊好以同親睦迄以

全權辨理大臣陸軍中將兼...

隆特命副全權辨理大臣議...

華府朝鮮國政府簡列中樞府...

承各遵所添論旨議立條欵懔列于左

/第一欵

朝鮮國自主之邦保有與日本國平等之權嗣後兩

우리 문화재 수난일지

1934년 1월

대원사 금불 사건 1년 만에 진범 체포

1933년 4월 11일에 충북 충주읍 용산리 대원사大圓寺 법당에 안치되었던 금불을 도난당했는데, 이 불상은 원래 충주 남산성 아래 창룡사에 안치되었던 것을 옮겨온 것이다.

도난사건이 발생하고 1년이 지나 경북 김천군 대덕면 봉주사에 잠복하고 있는 범인을 체포했다.[218]

1934년 3월 2일

경기도 강원도 고적조사

1934년 3월 2일부터 17일까지 조선총독부 고원 간다 소죠神田惣藏와 촉탁 노모리 겐野守健은 경기도 여주 신륵사神勒寺와 고달사지高達寺址를 비롯한 강원도 홍천, 강릉의 고적을 조사했다. 복명서에는 경기도 여주, 강원도 홍천, 강릉의 고적도 조사한 것으로 서술되어 있으나 경기도 여주 소재 고적에 대한 내용과 관련 사진만이 기재되어 있다.[219]

---

218 『東亞日報』 1934년 1월 26일자.
219 「경기도 강원도 고적조사」, 『국립중앙박물관 소장 조선총독부박물관 공문서』, 목록번호

| 고달사지 원종대사혜진탑비 귀부 | 원종대사혜진탑비 이수 |

경기도 여주군 상교리의 고달사지에는 "부락 앞 전중畑中에 수개의 초석이 유존하고 귀부 외 이수는 부락의 서단西端 민가의 담장 사이의 작은 초지草地에 유존한다. 원종대사혜진탑비의 이수는 귀부의 후방 13척 4촌의 곳에 있으며, 비신은 현재 옮겨 경성총독부박물관에 있다"고 하며 귀부와 이수의 사진을 남기고 있다.

1916년 9월 말경에 이마니시 류今西龍이 조사할 때는 비가 넘어져 비신이 여러 조각으로 파괴되고 귀부와 이수가 함께 있었는데, 노모리 등이 조사할 때는 비신이 박물관으로 옮겨진 후 귀부와 이수는 아무런 보호 없이 버려진 채로 남아 있었다.

고달사지 석대좌에 대해서는 여주군 북내면 상교리 이기중

고달사지 석대좌(石臺座) 정면

: 96-279.

정내庭內에 있다고 하며, "이 대좌臺座는 3년 전 상교리 이장 이기중이 부락 전면前面의 전중畑中에 매몰된 것을 보고 이를 발굴하여 정내庭內로 이치移置했다. 수법 역시 우수한 양식으로 고려시대 초기의 작으로 여겨진다" 라고 복명하고 있다.

노모리의 조사에서 말하는 석대좌는 고달사지 쌍사자석등의 대좌이다.

이마니시 류今西龍가 1916년에 조사할 때는 고달사 터에 석등이 도괴되어 있던 것을 부락민이 수습하여 보관하였는데, 이 부락에 거주하는 종2품 이 모 씨의 집에 석등롱石燈籠, 격석隔石, 보주寶珠 등의 잔석이 있었던 것으로 기록하고 있다.[220]

이번에 노모리 등의 조사에서 3년 전에 석등대좌가 발견됨으로 해서 거의 완전한 석등이 갖춰지게 된 것이다. 이로써 1938년에 총독부에서는 이기모李起模 씨에게 국가지정물로 석등의 보호를 명했다.

해방 이후 1958년에 국보 제430호로 지정했다. 그러나 국보로 지정하고 조사하니 이 석등이 현지에는 남아 있지 않았다. 국가에서는 허겁지겁 수색에 나섰다. 국보로 지정한 석등은 1년 전에 이미 개인의 손에 넘어가 타지로 떠난 것이다.

후에 국가에서 이를 거두어 1959년에 경복궁으로 이전하였다가 용산국립박물관의 개관과 함께 현재 용산국립박물관에 옮겨 전시하고 있다.

해방 이후 이 석등의 유랑 과정은 『조선일보』 1958년 1월 30일자 기사에 자세히 보도된 바 그 내용은 다음과 같다.

고적보물보호령 첫 발동, 고달사 쌍사자등롱에 대집행代執行

작년 11월 국보보존위원회에서 국보로 지정한 고려시대 고달사高達寺의

---

220 『大正5年度古蹟調査報告』, p.227.

석조 쌍사자등롱雙獅子燈籠의 소유를 위조하여 현 소유자에게 고적명승보물 등 보호령에 의하여 처음으로 강권이 발동된 보물소동이 있다.

즉 치안국 보안과에서는 문교부 당국 요청에 의해서 고달사의 쌍사자등롱을 갖고 있는 현소유자인 동원예식장東苑禮式場(종로4가) 주인 정모鄭某씨를 상대로 고적명승보물보호령 제9조에 의한 대집행 처분을 하기로 29일 결정하였는데 문제의 새 국보인 고달사의 석조쌍사자등롱을 정씨가 입수한 경위는 다음과 같다.

지금으로부터 20년 전(왜정 소화13년) 당시의 조선총독부에서는 경기도 여주에 있는 고달사의 폐허에서 전기 등롱을 발굴하여 감정한 결과 국보로 지정할 가치가 있다고 인정하여 우선 이의 보관을 고달사 폐허 부근에 살던 이기모李起模 씨에게 위촉한 후 해방을 전후한 혼란으로 아무 조치도 없이 그대로 내버려 온 것인데 문교부 국보보존위원회에서는 작년 11월 과거 조선총독부 시대의 문헌을 기초로 해서 이를 새 국보로 지정하는 동시에 이의 행방을 찾게 되었다고 한다. 그전에 문제의 쌍사자등롱은 보관을 맡은 이씨가 세상을 떠나게 되자 그의 아들이 그러한 내력도 모르고 작년 9월 20일 동원예식부 주인인 정씨에게 3만 8천원으로 팔았다는 사실이 밝혀져 당국에서는 이의 소유가 국가에 있음을 명백히 하고 인도를 요구해 왔다고 한다. 그러나 정씨 측에서는 이에 굴하지 않고 있으므로 문교부의 요청을 받은 경찰에서는 우선 이의 소유권 문제는 차후에 결정하더라도 우선 고적명승보물보호령 제9조에 의한 대집행 처분을 29일 결정하였는데 전기 보호령은 대정大正 8년에 결정된 것으로서 보물의 소유자는 당국명령에 의해서 소유하고 있는 보물을 미술관이나 박물관에 일 년 동안 진열시킬 의무가 있다고 규정하고 있는 것이다.

1934년 3월 8일

개성부 개풍군 고적유물 조사

총독부 촉탁 요네다 미요지米田美代治와 가야모토 가메지로榧本龜次郎는 1934년 3월 8일부터 14일까지 개풍군과 개성부 내의 고적 및 유물을 조사하고 돌아와 같은 해 5월에 복명서를 제출했다.[221]

그 일정은 다음과 같다.

1934년 3월 8일. 경성 출발 개성 착, 만월대, 현화사지, 영통사지 등을 촬영하고 개성에서 숙박했다.

3월 9일. 개성 발 현화사지에 도착하여 조사를 하고 현화리에서 숙박했다.

3월 10일. 현화사지 석탑, 비, 찰간 등 조사, 배치도 제작을 마치고 영통사에 도착하여 영통사에서 숙박했다.

3월 11일. 영통사 석탑, 비, 찰간을 조사, 배치도 제작 후 개성부 도착하여 개성에서 숙박했다.

3월 12일. 남대문 루상 범종 조사하고 개성에서 숙박했다.

3월 13일. 선죽교, 흥국사석탑을 조사하고 개성에서 숙박했다.

3월 14일. 만월대 조사 후 개성을 출발하여 경성에 귀임했다.

조사 내용을 정리하면 대략 다음과 같다.

---

221 「개성부 개풍군 고적유물 조사 복명서」,『국립중앙박물관 소장 조선총독부박물관 공문서』, 목록번호 : 96-380.

명칭	소재지	현상	사진
남대문	개성부 북본정	1916년에 개성고적보존회에서 수리	
연복사동종	개성북본정 남대문 내	완존함, 남대문루 내에 방치, 적당한 설비시설을 요함	
만월대	경기도 개성부 만월정	각 전지의 초석이 남아 있으며, 황폐가 심함, 적당한 보존시설을 강구할 필요가 있음	사진 누락

명칭	소재지	현상	사진
현화사지	경기도 개풍군 영남면 현화리	탑의 서방에는 초석이 산란하고 3개의 석조(石槽)가 방치, 석탑의 남에는 부도의 개석으로 여겨지는 것이 파손되어 일부가 개천에 전락되어 있었다. * 가와구치 우키치(川口卯橘)는 1925년 11월 21일에 현화사지를 답사했는데, 현화사는 부락 10여 호의 현화동에 있으며, 수정에 걸쳐 와편과 석담이 산재하고 특히 본당의 유적으로 대석비, 대석탑, 당간지주, 석단, 門址, 석교 등이 남아 있다. 대석탑은 7층으로 총고 목측으로 30척, 기단 고 약 5척 각층 사면에 삼존불, 사천왕, 양 나한, 이 시자를 각출했다고 하고 있다.[222]	
영통사지 5층석탑, 동3층석탑, 서3층석탑	경기도 개풍군 영남면 현화리 영통동	3기 모두 동서상으로 병렬해 있으며 사방에 목책을 둘러 보호하고 있다. 3기 중 동탑은 조금 완전하고, 서탑과 5층탑은 상륜부를 잃었다.	

---

222 川口卯橘, 「史蹟探査旅行記」, 『朝鮮史學』, 朝鮮史學同攷會, 1925년 7월.

명칭	소재지	현상	사진
영통사 대각국사비	경기도 개풍군 영남면 현화리 영통동	목책이 파손되어 방치된 상태, 비면은 박락이 심함, 보존설비가 필요함	
영통사 찰간지주	경기도 개풍군 영남면 현화리 영통동	기단 일부가 파손되고 기단상에 잡초가 자라고 목책을 설비를 요함, 탑비와 함께 보존시설을 요한다.	
폐흥국사 (廢興國寺) 석탑	경기도 만월정 297 김기삼 주택 내	박물관으로 이동이 적당	

명칭	소재지	현상	사진
오룡사법경 대사비	개풍군 영남면 대원면 사기막동	하등의 목책 설비도 없이 방치된 상태, 보존시설을 요함	
폐오룡사지 부도 잔해	개풍군 영남면 대원면 사기막동	사진만 남기고 있다.	

1934년 3월 23일

경상북도 달성 국체명징관 조사

학무국 사회교육과 기수 아리미쓰 교이치有光敎—는 1934년 3월 23일부터 3월 14일까지 고적 제94호 '대구달성' 지정 지역지 내에 경북교육회가 국체명징관國體明徵館 건설로 파괴된 달성의 조사와 경상남도 합천, 진주, 하동을 출장하여 을종

대구 달성(達城) 국체명징관(國體明徵館) 건설로 인한 성벽 파괴 상황

요존림의 해제 가부를 조사했다.[223]

국체명징관이란 일제군국주의 내선일체 교육장이다. 이 같은 건물을 신축하면서 달성의 유적을 함부로 파괴한 것이다.

1934년 3월

총독부박물관에 기증한 모리 고이치(森悟一)의 수집품

『매일신보』 1934년 3월 7일자의 기사에 의하면, 1934년 2월에 모리가 죽자

---

223 「경상북도 달성, 경상남도 합천, 진주, 하동 출장 복명서」,『국립중앙박물관 소장 조선총독부박물관 공문서』, 목록번호 : 96-431.

『매일신보』 1934년 3월 7일자 기사

소화9년 4월 총독부박물관협의원 아유
카이 후사노신(鮎貝房之進)이 작성한
평가서

무슨 이유에서인지 그의 미망인이 3월에 공민왕 필 '천산대렵도天山大獵圖' 외 수점의 서화와 도자기를 조선총독부에 기증하였다.

『매일신보』 1934년 3월 7일자에는 다음과 같은 기사가 있다.

공민왕恭愍王 필 등 일품逸品 다수를 기증

전 저축은행 두취 고 모리 고이치森悟一 씨의 미망인은 고인의 유지를 받어 고인이 생전에 비장하였던 고려 공민왕 필인 '천산대렵도天山大獵圖' 외 7점과 수야탐원狩野探圓 필 '우치천선진宇治川先陣' 외 4점을 총독부에 기증하였으므로 총독부에서는 박물관에 진열하여 영구히 보관키로 되었는데 전기 수야狩野 필의 '우치천선진宇治川先陣'은 6곡병풍으로 시가 3천원이라는 진품이라 하며 서화 외에도 5점의 고기古器가 있어 전부의 시가가 약 6천원 가량이라는바 미망인의 선명한 필치로 1점마다 자세한 설명을 부치어서 금 일 총독부로 보내었다.

국립중앙박물관 소장 '기부 문서철'에는 '모리 고이치森悟—유족 기부' 건에 대한 평가서와 포상褒狀 문서가 보이고 있다.[224] 그런데 여기에는 천산대렵도가 보이지 않는다.

이를 보면 당시 모리 유가족에 의해 기부된 천산대렵도가 총독부박물관에 들어간 것인지는 불분명하다.

그런데 최영희에 의하면,

고려 공민왕의 천산대렵도는 국립중앙박물관과 덕수궁미술관에 각각 1폭씩을 소장하고, <중략> 서울대학교 부속도서관에 소장하고 있는 것은 그리 알려지지 않은 것 같다. 이 화면은 22cm×23.5의 극히 소형 단편을 원형액에 넣은 것인데 도서관에 수장된 기록을 보면 원래 광산光山 김장생 (1548~1631)선생의 후손 집에서 전래하여 오던 것으로 왜정 시 일인 모리 고이치森悟—에게 넘어 갔다가 동인同人에 의하여 1934년에 수납된 것으로 되어 있다.[225]

매일신문 기사에는 총독부박물관에 기증하였다고 한 것이 어떻게 서울대(규장각)로 갔는지 그 경로가 알려져 있지 않다.

현재까지 알려진 공민왕의 '천산대렵도'는 국립중앙박물관에 3폭, 규장각에

---

224 「昭和8~13년도 진열품 기부 문서철」, 『국립중앙박물관 소장 총독부박물관 공문서』, 목록번호 : 97-기부06.
225 崔泳喜, 「서울大學校 圖書館 所藏 傳 恭愍王筆 天山大獵圖」, 『考古美術』 제3권 제8호, 1962.

규장각 소장 전 공민왕 필 천산대렵도
(『법보신문』 2015년 9월 22일자)

국립중앙박물관 소장 천산대렵도
여러 조각으로 잘려나간 것으로 짐작되는
흔적이 확연히 나타나 있다.

1폭이 남아 있다. 여러 폭의 '천산대렵도'에 대해 안휘준 교수는 "낭선군 이우(1637~1693)가 소장하고 있던 횡권橫卷으로 그가 죽은 후에 호사가들이 다투어 베어 갔던 것"[226]이라고 한다. '천산대렵도'는 세 명의 기마인물들이 말을 몰아 달리면서 사슴을 사냥하는 모습을 담고 있다.

국립중앙박물관 소장의 3폭의 '천산대렵도'에 대해 이원복은,

3폭 모두 공개되었는데 각기 다른 사람의 손을 거쳐 동처에 들어 왔으나 이들은 동질의 비단에 동질 필치임이 분명하며 이 중 한 폭은 말안장이 있는 말도 보이나 등장인물 없이 말만 그린 것으로 목마도에 가까운 그림이다. 나머지 두 폭도 사냥의 대상이 되는 동물 부분이 잘려 나갔다. 동물을 향해 활

---

226 安輝濬, 「奎章閣 所藏 繪畵의 內容과 性格」, 『韓國文化』 10집, 1989년 12월.

시위를 당기는 장면과 그냥 치달리는 모습들이다.[227]

두 사람의 기술로 보면 모두가 한 폭으로 이루어 졌던 그림이 이우의 사후에 여러 폭으로 나누어진 것으로 판단이 된다. 몇 등분으로 나누어 졌는지 알 수 없지만 현재 나타난 것으로도 완전한 작품이 되지 못하는 것 같다.

『동아일보』 1924년 10월 6일자 기사에는 임상종도 공민왕의 '호렵도虎獵圖'를 소장하고 있다고 하는데,[228] 이것이 혹 '천산대렵도'를 말하는 것인지도 의문이고, 입수경위와 그 후 어떻게 되었는지 알 수 없다.

이덕무의 『청장관전서』 제54권 '앙엽기盎葉記' 편에도 '천산대렵도'를 보았다는 기록이 있다.

> 내가 일찍이 이서구(1754~1825)의 집에 보관되어 있는 공민왕의 천산대
> 렵도를 보았다. 다해진 나비의 날개 같은데 거기에 다만 경가(사슴의 일
> 종) 두세 마리만 남았을 뿐이다.

라고 기록되어 있는데, 현재 남아 있는 다른 사냥 대상만을 표현한 것임을 알

---

227 이원복, 「한국의 수렵도」, 『고고미술사론』 1집, 충북대학교 고고미술사학과, 1989.
228 임상종은 1910년대 중반부터 고미술품을 수집하여 10여 년간에 그의 재산을 거의 고서화와 바꿨다. 대표적 미술품은 1924년을 기준으로 하면 그의 소장품은 그림 2천 폭, 글씨 3천 폭이나 수장하고 있었는데 이 속에는 공민왕의 '호렵도(虎獵圖)'와 '광개토대왕비탑본(廣開土大王碑搭本)'이 들어 있었다고 한다. 도자기 수백 종과 기타 골동품 수십 종을 수집하였다. 이로써 임상종은 간송 전형필, 선파 유복렬, 소전 손재형과 더불어 한국 고서화 4대수장가로 불리었다.

수 있다. 이것도 역시 한 부분일 것으로 추정된다. 즉 이원복이 기술한 "사냥의 대상이 되는 동물 부분이 잘려 나갔다" 하는 바로 그 부분에 해당하는 것이 아닌가 생각된다. 언젠가는 출현할 날이 있지 않을까 기대한다.

총독관저로 옮겨진 석조석가여래상이 기사화 되다

『매일신보』 1934년 3월 29일자에는 다음과 같은 기사가 있다.

석가여래상의 미남석불. 총독부관저 큰나무 아래서 오래전 자취를 감추었던 경주의 보물을 발견

석가여래상으로 경주 남산에 있던 미남석불이 지금으로부터 여러 해 전에 그만 자취를 감추고 말았다. 그 얼마 후에야 미남석불이 어디로 도피한 줄로 안 총독부박물관에서는 그동안 자취를 찾어오다가 지난 27일에야 왜성대 총독관저에 안치되어 있다는 말을 듣고 槻木(槻本을 가르키는 것이 아닌지?) 촉탁이 급히 달려가보니 경관힐소警官詰所 뒤 언덕 큰나무 아래 천연스럽게 좌정은하고 있으나 비바람에 시달리고 있는 것을 발견했다.

이 미남석불은 시가로 따진다면 적어도 5만원 이상은 할 것이나 <중략> 좌신의 높이는 3척6촌 슬폭이 2척9촌이오 연좌대에 있는 천녀를 아로새긴 엄청난 것으로 신라의 유물로서 석불과 함께 다시 얻을 수 없는 귀중한 참고자료이다.

『매일신보』1934년 3월 29일자

이에 대하여 총독부박물관 사무소에서는 "어떻게 되어 이 미남석불이 총독부 관저에 안치되어 있는지는 알 수 없으나 아마 제1회 재등총독시대에 어떤 우연한 일로 관저로 올라 온듯합니다. 그리고 이것은 현재 박물관홀에 진열되어 있는 약사여래와 경주의 같은 골짜기에 안치되어 있던 것인데 지금 풍우에 시달리고 있다는 것은 너무도 애석하여 견딜 수가 없습니다" 하고 말한다. 박물관에서는 어떻게 박물관으로 가져왔으면 하고 있으나 그러난 이미 총독관저의 물건이 되어 있는 이상 마음대로 할 수 없는 형편이므로 총독의 허가를 얻어 박물관에 진열하도록 희망하고 있는 중이다.

신문기사는 마치 보물을 발견한 듯이 호들갑을 떨고 있는데, 전국의 고분과 유물을 수도 없이 반복하여 조사를 했으면서도 이 석불이 총독관저에 있었다는 사실을 몰랐다는 것은 아무래도 이해가 가지 않는다.

『조선고적도보』 도판1920 '경주석조석가여래상'

이 불상은 『조선고적도보』 도판 1920 '경주석조석가여래상'으로 게재되어 있으며 그 해설편에는, "경주 모처에 있던 것으로 지금은 옮겨져 총독부관저에 있다"고 하고 있다. "양식, 수법 역시 가작이라 칭하기에 족하다"고 하고 있다. 이같이 고적도보에도 나타나 있는데 새로 발견한 것 같이 표현한 것은 과장이다.

그런데 문제는 이 불상의 원 소재지와 반출 경로가 나타나 있지 않다. 『조선고적도보』에는 단지 '경주 모처' 라고만 했지 구체적으로 나타나 있지 않아, 이 속에 상당한 흑막이 있는 듯한 느낌을 주고 있다.

어떻든 신문기사가 계기가 되어 이 석불이 관심의 대상이 되었으며, 불완전한 이 불상의 대좌에 눈이 가게 되었다. 불완전한 대좌가 경주박물관에 남아 있다는 소문이 나돌게 되었음인지 총독부박물관에서는 조사원을 경주에 파견하여 석좌를 수색하기에 나섰다. 당시 복명서[229]는 다음과 같다.

복명서

총독관저에 있는 석불의 대좌가 경주박물관정에 있다고 하는 이야기가 있

---

229 黃壽永 編, 『日帝期文化財被害資料』(韓國美術史學會刊, 1973)에서 발췌.

어 이것의 조사 및 가져오기 위하여 경주에 출장을 명받고 8월 3일 출발 8월 6일 귀임 따라서 좌의 조사상황을 복명함.

1939년 8월 7일

기수 오가와 케이키치小川敬吉

학무국장 전

1. 경주박물관정에 소재하는 석좌는 총독관저에 있는 석불의 대좌라고 전하여 졌으나 결과는 크기가 일치하지 않아 어떤 오전일 것이다.

2. 관저에 있는 석불은 대정2년경 사내총독이 경주를 순시하였을 시 본 석불을 보고 재삼 들여다보고 숙시熟視한 일이 있다. 당시 경주의 금융조합 이사 고히라小平 씨는 총독의 마음에 든 석불로 생각하여 곧 이것을 경성 관저로 운반한 것이라고 한다.

3. 고히라小平 씨는 지금 경주에 살지 않으며 동 씨에게 전문하였다고 하는 사람의 말에 의하면 본 석불은 원래 경주군 내동면 도지리의 유덕사지有德寺址에서 옮긴 것이라고 한다. 고로 불좌석의 탐사探査를 위하여 동사지에 대하여 조사하였으나 불좌석은 보이지 않으며 다만 전답 중에 폐탑, 주초 등이 산란함을 볼 뿐임.

4. 그리고 우 석불에 적당한 불좌를 구하려 타 사지를 조사하였으나 적당한 불좌를 얻지 못함.

5. 요컨대 불좌가 경주박물관에 소재한다는 것은 오전誤傳으로써 소재하는 불좌는 타의 것이다. 우 복명함.

이 복명서의 내용을 보면 이 불상을 총독관저로 보낸 자는 당시 금융조합 이사 고히라小平라는 자이며 석불의 원 소재지는 유덕사지라는 것이다.

당시 데라우치 총독의 경주 순시는 1912년 11월에 있었는데, 경주 순시의 목적 중 하나가 경주 석굴암을 살펴보고 이건 또는 수리의 결단을 내리는 일이었다. 데라우치의 경주 순시 일정을 보면 11월 7일 아침에 대구에 도착하여 경북 유지들의 환영을 받고, 7시 반에 자동차로 경주를 향했다. 경주군청으로 향하던 도중에 태종무열왕릉비를 살피고 봉덕사신종을 직접 타종하기도 했다. 군청에 들러 주요 인사들을 만나 훈시를 하고 재판소, 경찰서, 농산물진열소 등을 순시했다.

11월 8일에는 불국사를 관람하고 석굴암에 올라 석상들을 자세히 살피고 사승에게 50원을 기부하고 보존에 주의를 하라고 말하고, 불국사로 돌아와 휴식을 취했다. 당시 불국사에서 석굴암을 오르는 길이 험했기 때문에 다른 교통수단이 없는 상황에서 대단위의 일행이 왕복하는 소요 시간이 많이 소비되었을 것으로 보인다. 데라우치 총독 일행이 경주를 떠난 것은 11월 9일 오후 1시이다.[230] 데라우치가 11월 7일 오후부터 11월 9일 오전까지 경주에서 머물면서 경주 고적을 살피는 것은 물론이고 경주의 관공소나 유지들을 많이 만났을 것이다. 이 과정에서 데라우치가 이 석불을 보고 관심을 가졌다고 하면 데라우치가 원지에 있던 것을 직접 본 것이 아니라 이미 원지를 이탈하여 시내의 어느 정원에 있던 것을 보았을 것이다. 이를 본 고히라小平라는 자가 아부하기 위해 총독관저로 보낸 것으로 보인다.

그런데 문제는 오가와 게이키치小川敬吉가 경주에 내려가 조사를 할 당시는 이

---

230 데라우치 총독의 경주 방문 기사(『매일신보』 1912년 11월 10일, 13일, 14일자).

미 고히라는 경주를 떠나고 없는 상태에서 고히라로부터 출토지와 반출경로를 전해들은 사람으로부터 전문한 것이다. 당시 일본인들은 많은 석조물들을 원지로부터 옮겨 자기 집 정원을 꾸미곤 하였는데 법망을 피하기 위해 원지를 은폐하는 경우가 대부분이었다. 따라서 "원래 경주군 내동면 도지리의 유덕사지有德寺址에서 옮긴 것"이라는 것은 확실하다고 장담할 수가 없다. 특히 오가와가 유덕사지를 조사했으나 불좌석을 찾을 수 없었다는 것이 더욱 의심케 한다.

유덕사에 대한 삼국유사의 기록은 "신라 태대각간太大角干 최유덕崔有德이 사재를 사시捨施하고 유덕사라 이름 하였다. 그의 원손遠孫 삼한공신三韓功臣 최언위가 유덕의 진영을 이곳에 걸어 모시고 또 비도 세웠다고 한다"라고 기술하고 있다. 1971년에 간행한 『경주시지』에는 "지금은 그 절과 비의 소재가 불명하며 그 흥폐興廢연대도 미상未詳함"이라고 하고 있어 유덕사지의 정확한 소재도 사실 확실치 않다.

이후 2006년에 발간한 『경주시사Ⅲ』에서는, 유덕사는 원래 이거사라 부르다가 유덕사로 고쳤다. 신라 최유덕이 창건한 절이라 하며, 이 절의 3층석탑 옥개석 1매는 경주역에 있는 3층석탑 부재로 쓰였고 사지에는 탑재와 불상 1구가 남아 있었다고 한다.

『조선보물고적조사자료』에는 "우덕사지祐德寺址라 칭하고 3중의 석탑이 도괴되어 도지리부락의 후방 전 중에 있다"라는 기록이 보인다. 조사자료에는 '우덕사지祐德寺址'라 기록하고 있지만 이와 일치하는 곳은 도지리에 있는 有德寺址(도지리 5-2)로, 현재 불상은 남아 있지 않으나 도괴된 3층탑이 남아 있다.[231]

---

231 현재 탑재가 있는 부근은 모두 경작지화 되어 있으며 아무런 보호시설이 없다. 겉으로

도괴된 유덕사지석탑(2012년 모습)

그러나 현재 석불상이 놓여 졌을 만한 대좌는 발견되지 않고 있다.

오가와의 조사보고는 당시 경주에서 소문을 듣고 기록한데 불과하다.

오가와의 보고서에서 이 불상을 반출한 경주의 금융조합 이사 고히라小平라는 자는 그 내력을 정확히 알 수 없으나, 경주에 재주한 일본인 중에 고히라 료조小平亮三라는 자가 있어 이 자를 지목한 것이 아닌가 한다.

고히라 료조小平亮三가 언제부터 경주에 재주를 했는지 알 수 없으나 『조선고적도보』 제3권~제5권을 보면 개인으로는 고히라 료조小平亮三가 엄청난 양의 경주 유물을 소장했으며 특히 경주 고와는 독보적으로 가장 많은 양을 소장하고 있는 것

드러난 탑재를 보면 하기단은 원위치에 그대로 있고 옥개석 2개, 몸돌 2개, 상기단면석 2개 등이 보이고 있으며 일부는 매몰되어 있을 것으로 추정된다. 하기단 폭 392cm, 상기단면석 폭 132cm, 높이 118cm로 대형석탑에 속한다.

으로 나타나 있다. 그런데 1934년에 하마다濱田와 우메하라梅原가 공저共著한『신라 고와의 연구』의 예언例言을 보면, 도판에 실은 소장자들의 호의를 표하면서 협조한 사람들의 명단을 일일이 거론하고 있다. 그런데 고적도보에 가장 많은 양이 수록된 고히라 료조小平亮三의 언급이 없다. 이는 고히라가 이미 경주를 떠났거나 가지고 있던 모든 유물을 처분했다고 볼 수 있다. 오가와의 복명서에도 이미 경주를 떠난 자로 기술하고 있기 때문에 고히라小平와 고히라 료조小平亮三는 동일인물로 보인다.

여러 가지 의문점을 남기고 있지만 통일신라기의 우수한 이 석불의 원위치는 물론이고 하대석[232]을 찾아 완전한 석불로서의 면모를 갖출 날이 하루빨리 오기를 고대한다.

1934년 4월

4월에 야마다 만키치로山田萬吉郎가 전남 함평군 나산면 이문리요지, 학교면 월송리요지, 학교면 백호리 요지를 개인적 발굴하여 각종 도자기편을 채집했다.[233]

---

232 申榮勳 선생은 「靑瓦臺 石造釋迦如來坐像」(『考古美術』 제2권 제12호, 1961년 12월)에서, "별치한 간석사면에는 석굴암의 것과 같은 모양의 안상이 있어서 흥미롭다. 안상내에는 부조하였던 바 그 甲冑 등은 護床石에서 보는 바와 같다.
하대석은 지금 결하고 있으나 최남주씨가 전하는 바에 의하면 경주 모처에 유존하고 있다 하니 완비되는 날이면 신라통일기 작품으로는 가장 완전한 것에 속하는 진중한 것으로 생각된다" 라고 하고 있다.

233 山田萬吉郎, 「三島刷毛目の變遷」, 『陶磁』 제10권 제6호, 東洋陶磁研究所, 1938년 12월.
국립중앙박물관, 『유리원판목록집 Ⅲ』, 1999, 원판번호 157-5, 185-1~11, 186-1~16.

왕흥(王興)명 고와 발견

부여보통학교 노도양 씨가 부여군 규암면 신리에서 '王興' 이라 명한 고와를 발견하여 부여진열관에 진열하게 되었다. 노도양 씨는 "이번 발견은 본부촉탁 오사카大阪 씨의 지도에 의한 것입니다. 왕흥사지는 지명 삼국사기 등 기사로 동 지인 줄은 추정하였으나 물적 고고학적 증거가 없어서 그 발견을 고심 중 이번 그 새겨져 있는 와 등으로 확실히 왕흥사임을 알았습니다"라 하다.[234]

안압지 도굴

1933년 이래 고물 도난사건이 빈번하므로 경주경찰서에서는 특별경계를 하고 있던 중 4월 13일 안압지 부근에서 하시모토橋本 모라는 사람이 고와를 발굴하여 자기 집인 인왕리에 은닉하고 있던 것을 경주경찰서원이 검거했다.

1934년 4월 14일자 경주분관에서 조선총독에게 보고한 '임해전지 부근의 고적지 발굴 교란의 건'의 내용은 다음과 같다.

최근 석빙고의 근방에 거주하는 내지인이 임해전 부근의 토지를 발굴하여 부석敷石, 와瓦 등을 채취한 것을 4월 12일 석夕에 문지聞知하여 곧 경찰서에 통보하고 13일 조조早朝 사이토齊藤 고적연구회연구원, 오카야마岡山 형

---

234 『每日申報』 1934년 4월 3일자.

사와 함께 동지에 급행하여 그 발굴상태를 조사한바 발굴자는 인왕리(석빙고입구)에 거주하는 하시모토橋本忽이라는 자로서 그 발굴상의 제건諸件에 관해서는 목하 경찰서에 유치하여 취조 중이지만 지금 이에 발굴상태 발굴유물에 대하여 위선 보고합니다.

『동아일보』 1934년 4월 19일자 기사

발굴은 화강암제석촌花岡岩製石村 약 백 수십 개 전塼 백 팔십팔 개로서 발굴시일은 4월 4,5일경으로 생각되며 그 지점은 경주군 경주읍 인왕리 510의 2(도면첨부)의 지적에 해당되고 현재 경작지로 되다. 즉 이곳은 우로 월성을 바라보면서 불국사에 이르는 울산가도와 안압지 분황사에 이르는 도로와의 삼우로의 동서측이 되는 일대의 전지畑地이다.[235]

경주 안압지 부근 밭에서 농부가 기와 1개를 발견하고 신고를 하여 부근을 발굴하였던바 180매에 달하는 기와를 발견하여 경찰서에 보관하다.[236]

---

235 黃壽永 編,『日帝期 文化財 被害資料』, 1973.
236 『每日申報』1934년 4월 22일자.

4월 초순경 경기도 수원읍 남창리에 사는 목수 미야자키 구마지로宮崎熊次郎와 일정한 주소가 없는 일본인 사이토 히데토齋藤秀人는 수원 화녕전華寧殿 안에 들어가 대들보 위에다가 장익해 두었던 정조대왕 행궁 시에 남긴 비단에 쓴 상동문上棟文과 쇠젓가락을 훔쳐가지고 은밀히 팔려다가 경찰에 발각되다.[237]

1934년 5월 2일

조선보물고적명승천연기념물 지정

1933년 12월 11일 제령 '조선보물고적명승천연기념물보존령'과 동보존회관제가 발표되어 보존회위원 34명을 선정하여 그간 조사에 착수했던바 이번에 전부 완료되어 5월 1일부터 2일간 총독부 제1회의실에서 제1회 보존회위원회를 개최하였다. 그간 조사한 천여 점의 유물 고적 중 보물 210점, 고적 21점, 천연기념물 21점 합계 252점을 지정했다.[238]

제1차로 지정한 것은 다음과 같다.

---

237 『每日申報』1934년 5월 2일자.
238 『每日申報』1934년 4월 29일자;『東亞日報』1934년 5월 4일자.

보물	목조 건조물	대동문 부벽루(이상 평양) 관음대웅전(경기), 무위사(전남), 남대문, 동대문, 종로 6 정목 성문, (이상 경성), 남대문(개성), 보통문(平安), 부석사무량수전, 부석사조사당, 봉정사극악전, 동대웅전(이상 경북), 성불사극악전, 동 웅진전(이상 황해) 청평사극악전, 장안사 사성전(이상 강원), 석왕사 웅진전, 동 호지문(이상 함남)
	조각	성주 호미리 석불립상(광탄면), 충주읍 철불좌상, 괴산 신풍리 마애불좌상(괴산군 연풍면), 괴산 미륵당리 석불립상(상모면) 안국사지석불립상(충남 서산군 진미면), 부여 남석불좌상, 익산 고도리 석불립상(금마면), 황복사지석불립상(전남 남원읍), 룡담사지 석불립상(남원군 주천면), 실상사 철제여래좌상(전북 남원군 산내면), 대흥사 북미근암 마애여래(전남 해남군 삼산면) 도갑사 석제여래좌상(전남 영암군 서면), 경주 서곡리 마애석불상, 경주 교리 석불립상, 굴불사지석각불상(경주군 천북면), 경주 두대리 마애불(동 내보면), 영주 교리 석불립상, 굴불사지 석각불상(경주군 천북면), 경주 두대리 마애불(동 내남면), 영주 영주리석불(경북), 동 석교리 석불(경북), 안동니천동 석불(경북 안동), 안기동 석불(동상), 상주중촌리 석각불(경주 함읍면), 상주 복능리 석불(경북), 창녕 송현동 석불(경남), 함안 대산리 석불(경남 함안읍), 신복사지석불(강원 강릉군 성덕면), 한송사 석불(강원 강릉읍), 룡천읍 석불(평북 동상면), 동상 석수 1쌍(同上), 상주 증촌리석좌상(경북 함창면)
	공예품	경성 보신각종, 개성 연복사종, 강화동종, 경주 성덕왕 신종, 탑산사동종, 평양동종
	전적 및 문서	해인사대장경판

보물	석조물	원각사십층탑 동 비(이상 경성), 북한산 신라 진흥왕 순수비, 중초사 동우지계, 삼전도 청태종공덕비, 창성사 조탑비, 고달사 혜진탑, 동지 부도, 同 석불좌, 서봉사 오국탑비, 로통사 대각국사비, 同 오층탑, 同 동서삼층탑, 현화사비, 同 칠층탑, 개성첨성대, 同 선죽교, 강화하오층탑, 경주 춘궁리 삼층탑, 동 오층탑, 중초사 삼층탑, 려주 하리 삼층탑, 同 창리 삼층탑(이상 경기) 사자빈신사석탑, 괴산 미근당 오층탑, 충천 탑정리 칠층탑, 정토사 자등탑비 억정사 대지국사비, 정산 서정리 구층탑, 부여평제탑, 당 류인현기공비, 보광사중비, 보원사 보승탑급 비, 동 오층탑, 同 당우지주, 同 석조, 안국사지 석탑 성주사 백월보광탑, 同 중앙삼층탑, 오층탑, 同 서삼층탑 봉선홍경사갈, 대흥사당우지주, 법주사 쌍사둥, 同 사천왕둥(이상 충남북) 미륵사지 석탑, 익산 왕궁리 오층탑, 만복사 오층탑, 同 석좌, 동당우지주, 실상사 보월탑 및 비, 동 부도, 석등, 同 삼층탑, 同 등각대사탑 및 비, 同 백장암석등, 同 삼층탑, 금산사 석련대, 同 탑비, 同 금산사 로주, 금산사 오층탑, 同 석종, 同 륙각탑, 당우지주, 同 심원암 삼층탑(이상 전북) 나주 북문외 삼층탑, 나주 동문외 행동우 개선사, 석등, 광주서오층탑, 중흥산성 삼층탑(이상 전남) 숙수사 당우지주, 개심사 오층탑, 상주화달리 삼층탑, 문경 내화리 삼층탑, 고령 지산동 지주, 청도 봉기동 삼층탑, 안동 신세동 칠층탑, 안동 동부동 오층탑, 안동 조탑동 오층탑, 동옥동 삼층탑, 봉화 서동리 이층탑, 新羅 태종무렬왕릉비, 경주 서악리 구질, 同 첨성태, 용장사석탑, 同 아미타불상, 고선사 삼층탑, 망덕사 당우지주, 정혜사 십삼층탑, 경주 남산리 삼층탑, 나원리 오층탑, 황남리 효자손비, 삼랑사 동간지주, 효현리 삼층탑, 보문리 석조, 동간지주, 구황리 삼층탑, 서악리 삼층탑, 경주 석빙고, 창녕비, 불국사 다보탑, 同 삼층석탑, 동 금동아미타여래좌상, 사리탑, 同 청운교 백운교, 同 련화교, 칠보교, 同 금동로사나불좌상, 금화사 석탑, 송광사 대반涅반경, 백률사 금동약사여래립상, 부석사 대웅전전 석등, 은해사 거조암, 령산전, 석굴암 석굴(이상 경북) 화암사 삼층사사석탑 동각황전 전 석등, 광주읍동 오층탑(이상 전남) 고달사 원종대사혜진탑비의 구철 이수(경성) 창녕 진흥왕 척경비, 술정리 동삼층탑, 전약사 원경왕사비, 월광사지 삼층탑, 단곡사지 동삼층탑, 통도사 국장생석표(이상 경남) 상원사 동종, 이천원석등, 춘천 요선당리 칠층탑, 同 전평리 동간지주, 세천 희망리 동간지주, 同 리 삼층탑, 신복사 삼층탑, 강릉 대창리 동간지주, 수문리 동간지주, 굴산사 동간지주, 동 사 부도, 거돈사 공국사승묘탑비(이상 江原) 심원사 보광전, 해주타라니 석당, 同 백세청풍비, 광조사 보월승공탑비(이상 황해) 성천 처인리 三層塔, 同 자복사 오층탑, 평양 칠층탑, 점선현비, 평양성벽 석각(이上 평남) 룡천 서문외 석동, 룡천타라니탑(이상 평북) 황초령 신라진흥왕수비, 이원 同(이상 함남)
	고적	수원성곽, 개성 만월대(이상 경기) 부여 부소산성, 성흥산성(이상 충남) 경주 포석, 황룡사지, 사천왕사지, 망덕사지(이상 경북) 금해 회현리구총, 부산진 자성대, 울산학성(이상 경남) 황주읍 유물포함층(이상 황해) 북청 녀진문자석각(함남) 강서 삼묘리 고분, 룡강 안성리 쌍영총, 룡강 안성리 대총, 강서 간성리 련화총, 룡강 매산리 수렵총, 룡강 신덕리 성총, 同 화신총, 순천 북창리 천주신총, 평양 기자정, 낙랑토성지(이상 평남)

천연기념물	광릉「딱딱구리」의 서식지(포천군 소흘면), 진천 진방학 도래군서지(이월면, 만승면, 덕산면, 음성면, 대소면), 진천로가 다수 영소하는 공손수(리월면, 재원리), 합천 백조의 도래군서지(룡주면 청덕면), 창녕 백조 도래 군서지(리방면 유어면 대합면), 진천「층층나무」의 생육지(초평면 룡정리), 경성의 백송(통의동35 동척사댁내), 경성의 백송(내자동201경무국 경무과분실 구내), 경성의 백송(원정4의 87), 경성의 백송 (욱정1의 36) 경성의 백송(재동35 여자고등보통학교 기숙사구내), 경성의 백송(수송동 44) 밀양의 백송(밀양읍 룡평리), 삼숙률(익산군 팔봉면 석왕전리) 만주 흑송(맹산군 맹산면 당포리), 측백군락(달성군 해안면 도동) 기수적송(고양군 연희면 노고산리) 공손수(양주군 주안면 백각리)

　이래 그 후 수차 증가하여 1939년 11월에는 지정된 총 건수가 보물 377건, 고적 128건, 천연기념물 121건, 고적 및 명승 2건 합계 628건이었으며,[239] 1943년 12월 30일에는 보물 제 419호까지 지정하였다.[240]

　그런데 그 명칭을 살펴보면, 일본 '국보보존법國寶保存法'(1927년 3월 28일, 法律 제17호)은 제1조에 "건조물建造物, 보물寶物 기타의 물건物件으로 특히 역사의 증징證徵 또는 미술의 모범模範"이 되는 것을 "국보國寶로 지정指定"하고 있다. 그런데 '조선보물고적명승천연기념물보존령'(1933년 8월 9일, 제령制令 제6호)을 보면, 제1조에 "건조물建造物, 전적典籍, 서적書蹟, 회화繪畵, 조각彫刻, 공예품工藝品 기타 물건物件에서 특히 역사적 증징證徵 또는 미술의 모범模範"이 되는 것으로 그 준하는 범위가 같은 내용이지만 "보물寶物로 지정指定"이라고 하고 있어 일본에 비해 한국의 유물을 한 단계 격하格下시키고 있다. 즉 '조선보물고적명승천연기념물보존령'이 공포公布되기 4개월 전에 만들어진 일본 '중요미술품보존에 관한 법률'(1933년 4월 1일, 법률제413호)의 제1조에 규정하고 있는 "역

239　朝鮮總督府, 『增補朝鮮總督府30年史 1』, 1940, p.912.
240　朝鮮總督府告示 第1511號(1943년 12월 30일)(『朝鮮總督府官報 佛敎關聯資料集』, 대한불교조계종총무원, 2001).

사상 또는 미술상 특히 중요한 가치가 있다고 인정되는 물건(국보에서 제외)"에 그 격을 맞추고 있음을 알 수 있다.

해방 전 오구라 다케노스케小倉武之助 소장의 경남 창녕, 대구, 고령 등지에서 출토한 유물 중에는 일본의 국보 또는 중요미술품으로 지정된 것이 상당수가 있다. 그럼에도 불구하고 유독 한국 내에 있는 유물에 대해서는 국보의 명칭을 사용하지 않은 데에는 한국 문화를 저열화 시키려는 의도가 숨어 있었던 것이다.

그리고 '조선보물고적명승천연기념물보존회직원' 명단(회원)을 보면, 34명 중 한국인은 총독부사무관 이대우, 중추원참의 유정수, 중추원참의 최남선, 중추원참의 이능화, 중추원참의 김용진 등 5명만 포함되어 있어 구색 맞추기에 불과 했다. 그리고 일본인 중에서 후지시마 가이지로藤島亥治郎, 하라다 요시토原田淑人, 하마다 고우사쿠濱田耕作, 아마누마 준이치天沼俊一, 우메하라 스에지梅原末治, 구로이타 가쓰미黑板勝美, 이토 주타伊東忠太 등은 일본 '국보보존법'과 '중요미술품보존에 관한 법률'의 직원(회원)이기도 하였기 때문에 명칭에 대한 충분한 검토가 있었을 것이라는 것은 자명한 일이다. 그럼에도 불구하고 유독 한국의 것은 일본의 '중요미술품' 수준에 맞추어 '보물'에 그치게 한 것은 그들의 의도가 처음부터 질적 차별성을 무시하고 오직 보호대상으로서만 등록하는 수준에 그치게 하여 한층 일본문화에 비해 한국문화를 비하시키고자 하였던 것이다.

이는 한국문화재에 대해서 유독 평가 이하로 절하시켜 우리 문화가 그들 보다 열등하다는 의식을 갖게 하여 일본과 조선이 지배국과 피지배국의 관계를 갖는 것이 자연스러운 것으로 인식시켜 식민지 합리화를 위장하기 위한 간교한 문화정책에서 나온 결과이다.

1934년 5월 4일

임신서기석(壬申誓記石) 발견

임신서기석壬申誓記石은 1934년 5월 경주 북쪽의 현곡면 금장리 석장사터 부근의 언덕에서 발견되어 현재 경주박물관에 소장되어 있다.

스에마츠 야스카즈末松保和는 1935년 12월 18일에 경주박물관을 방문했을 때 오사카 긴타로大坂金太郎가 소장하고 있는 임신서기석에 특별한 흥미를 가졌다고 한다. 이에 그는 1936년에『(경성제대)사학회지』에 이에 관한 내용을 발표하였다. 여기에서 그는 단지 "오사카 씨가 이 석石을 입수하게 된 것은 작년 5월 4일의 일로서, 그 발견지는 경주 북교北郊 견곡면 금장리의 언덕 위이다"[241]라고 하고 있다. 그리고『신라사의 제문제』에서는 "1934년 5월 4일. 경상북도 경주군 견곡면 금장리에서 발견, 오사카 긴타로 씨 손에 들어감"이라고 하고 발견자에 대해서는 명확하게 밝히지 않고, 오사카를 단지 소장자로 기술하고 있다.[242]

임신서기석

241 末松保和,「경주출토の壬申誓記石について」,『(京城帝大)史學會報』제10호, 1936년 12월.
242 末松保和,『新羅史の諸問題』, 東洋文庫, 1954, p.494.

오사카는 1967년에 「신라화랑의 서기석」을 발표하였는데 여기에 다음과 같이 발견 경위를 기술하고 있다.

1935년 5월 4일, 하루의 한가함을 이용하여 양지良志의 경영이었다는 석장사에 가보았다. 물론 문양와와 문자와 탐구가 주목적이다. 절터는 경주의 서북 약 2킬로미터 서천西川의 좌안左岸 즉 견곡면 금장리 석장동에 있고, 사역寺域은 의외로 협소하나 멀리 떨어져 있는, 왕성터가 보이는 좋은 장소였다. 그러나 애석한 것은 여기는 수년 전 토지의 부호의 묘지로 되고, 몽땅 정리되어 기와는 1편도 보이지 않았다. 실망에 젖은 나는, 절터의 북쪽에로 이어져 있는 작은 언덕 위에 올라, 초원에 주저앉아 주먹밥을 먹기 시작했다. 늘어트린 발끝에 약간 둥근 돌이 머리를 내밀고 있었다. 잘 쳐다보니 산의 돌 같지는 않았다. 혹시 석기가 아닌가 생각되어, 옆에 놓아두었던 픽켈(등산 용구)로 그 돌을 찔러보니, 덮혀 있는 토사가 벗겨지면서 석면에 문자 같은 것이 보였다. 점심 도시락도 대충하고, 파보았더니, 길이 약 30cm, 달걀형의 강 들판의 자연석으로, 표면이 매끄러운 면을 이용해서, 전면에 문자를 새겨 놓았다. 뒷면에는 없었다. 문자는 한자이지만 한문은 아니다. 파낸 구멍 안에는 별도의 반출물이 없다. 표면은 동쪽을 향해 묻혀 있는 것으로, 최초는 깊이 묻었을 것인데, 풍우로 상부의 토사가 유실되어 자연히 머리를 들어낸 것처럼, 여하튼 재미있는 것이 발견된 것이다. 돌아와서 깨끗이 씻어 조사해보려고 생각하고, 마푸대에 넣어갈까 생각했

末松保和,『新羅の政治と社會 下(末松保和朝鮮史著作集2)』, 吉川弘文館, 1995. p.128.

는데, 시간 여유가 없어 하는 김에 이곳에서 약 2km 떨어진 남사리의 고려가마터에 돌아보기로 했다.[243]

그런데 여기서 곧바로 박물관으로 가져갔으면 아무 문제가 없었겠는데, 서기석을 후에 가져가기로 하고 그 자리에 두었다. 그리고 2km 떨어진 남사리의 가마터를 조사하다가 갑자기 비가 와서 남사리의 도기편은 입수를 했으나 서기석은 가져가는 것을 잊었다고 한다. 길이 약 31cm 폭 12cm 정도의 작은 돌을 노출시켜 놓고, 그대로 두고 떠났다는 것은 평소 그의 태도와는 다른 것으로 이해가 가지 않는다. 이 일을 오사카는 소화10년(1935)으로 기억하고 있다.

오사카는 며칠이 지난 7일에 와서야 혹 사람들 눈에 띄어 누가 주워 갈지도 모른다는 생각에 다시 서기석을 찾으려고 나섰다고 한다. 종래 이 지방의 관례로는 이런 것을 발견하면 구리하라栗原골동상점이나 박물관으로 가지고 오곤 했었다. 그래서 만일을 위해 박물관과 구리하라골동점에 연락을 하고 가려고, 구리하라골동점에 들렀더니 엊그제 자신이 발굴해낸 서기석이 무질서하게 방치되어 있었다고 한다. 구리하라에게 물어보니 "오늘 아침에 견곡면의 장 모 씨가 가져온 것으로, 어린애의 나쁜 장난으로 한 짓으로 생각했으나 자주 점포에 들리는 사람이라 1원이라는 것을 70전으로 깎아 샀다"는 것이다. 오사카는 전날의 사정을 이야기 하고 70전을 지불하고 돌아와 즉시 탁본을 했다고 한다.[244]

이 같이 오사카는 1967년에 발표한 내용에서 서기석 발견 경위에 대해 구체

---

243 大坂金太郎,「新羅花郎の誓記石」,『朝鮮學報』第43輯, 1967년 5월, p.122.
244 大坂金太郎,「新羅花郎の誓記石」,『朝鮮學報』第43輯, 1967년 5월, p.124.

적으로 기술하고 있지만,[245] 스에마츠未松는 1936년에 『(경성제대)사학회보』에 발표할 때와 1954년에 간행한 『신라사의 제문제』에서도 발견자로는 오사카를 지목하지 않고 있다.

해방 후 이병도는 1959년에 발표한 「임신서기석에 대하여」(『한국고대사 연구』, 1976)에서, "해방 10년 전인 1935년 5월 경주군 견곡면 금장리 석장사지 뒤 언덕에서 발견된 '임신서기석'은 그 후 경주박물관에 보관되어 이미 세간에 알려진지 오래고 필자도 전후 수차에 걸쳐 실물을 관람한 일이 있다"라고 하고 있다. 이는 그간에 발견자에 대해서는 전혀 언급되지 않았던 것으로 짐작된다.

또한 사이토齋藤는 오사카의 발견을 완전히 부정하고 입수 경위도 오사카의 기술과는 전혀 다르게 진술하고 있다. 사이토는 『고도 경주와 신라문화』에서,

> 1934년 5월 4일이었다. 내가 근무하고 있는데 한 소년이 동관의 사무실에 있는 고적보존회의 오사카 긴타로를 찾아왔다. 그리고 작은 돌을 넘겨주었다. 씨大坂는 오랫동안 경주에서 교육 사업에 관계하고, 많은 제자가 있었다. 그런 관계로 오래된 물품을 발견하면 박물관에 가지고 와서 지도를 받곤 하였다. 이 어린 제자도 그런 것이다. 이같이 가지고 온 돌에는 문자가 새겨져 있었다. 들으니, 경주 교외의 견곡면 금장리의 언덕 위에서 발

---

245 이 같은 大坂의 구체적인 기술 때문인지, 黃壽永은 『金石遺文』에서 "1934년 경주 견곡 면 금장리 丘上에서 大坂金太郎 씨에 의하여 발견"이라고 하고 있다. 또 朴連洙는 「壬申誓記石에 대한 考察」(『육사논문집』 제23집, 1982)에서 『조선학보』에 실린 내용을 따라 大坂의 발견으로 기술하고 있다.

견했다고 한다.[246]

고 하며, 오사카의 기술을 부정하고 있다. 사이토는 『조선학보』에 발표한 오사카의 글을 검토했을 가능성이 높다. 사이토는 오늘날에 와서야 당시의 본 사실을 그대로 진술하고 있는 것이다.

임신서기석 탁본은 1935년 12월 18일에 경주박물관을 방문한 스에마츠末松保和가 얻어가 연구 자료로 삼았다. 당시 이런 입수경위를 알고 있기에 스에마츠는 발견자를 명시하지 않았던 것이다.

해방 후에 이것은 오사카가 발견 및 기증자로 등록되었다.

오사카는 1945년 9월에 경주를 떠나면서 이 서기석을 사유물로 하여 경주고적보존회에 기탁하여 면모로 싸고 오동나무 상자에 넣어 경주고적보존회 서기 이달문에게 주었다고 한다. 그 후 1964년 여름에 경도대학 아리미츠 교이치有光敎一가 중간 역활을 하여, 박일훈 경주박물관장과 연락이 되어 서기석의 유무有無를 조회하였다. 이에 박일훈 관장으로부터 다음과 같이 회답이 왔다고 한다.

내가 박물관원에 임명되었을 때는, 이미 보존회 서기 이달문 씨는 그만두고 후임도 없어, 동회(경주고적보존회)는 유명무실의 상태를 이루고 있어, 서기석은 동회에서 기탁품이라는 것을 몰랐다. 1946년 군정청의 명령도 있어, 당시 박물관 수장품을 새로이 등록하도록 되어, 본관 응접실 찬장의 구석에 놓아두었던 서기석도 박물관 장품으로 보고 대장에 「1935년 5월 4

246 齋藤忠, 『古都慶州と新羅文化』, 第一書房, 2007, p.97-98.

일 견곡면 금장리 출토, 발견자 대판금태랑」이라 주석을 달아 등록해서 귀중히 보존하고 있으니 이해가 있기를 바란다.

그리고 박일훈 관장의 회답에 대해, '註의 發見者 大坂金太郎'의 아래에, 「1964년 7월 24일 寄贈」의 13자를 추가해서 기록한다는 조건으로 대장등록을 쾌히 승낙의 뜻을 전했다고 한다.[247]

오사카는 해방이 되어 한국을 떠나면서 이것을 가져갈 수 없었으며, 당연히 당시 미군정법에 의해 사유물이 아니라 국가귀속재산으로 등록된 것이다. 또한 대한민국 정부수립 후 '귀속재산처리법' 제5조에 의해 국유로 등록한 것이다. 그럼에도 불구하고 이것을 사유물로 하여 1964년에 '기증'이란 용어를 채택하였다는 것은, 국가의 유물을 개인에게 돌려주고 다시 기증의 형식을 취한 것으로 상식에서 벗어나는 일이라 할 수 있다.

이런 친분 때문인지 후일 박일훈 관장이 경주 신라의 상징이라 할 수 있는 '신라 인면와'를 다나카 도시노부田中敏信로부터 기증받을 때 오사카는 가교 역할을 하기도 했다.

임신서기석 발견과 관련하여 1959년에 허웅許熊이란 사람이 『중대신문』에 게재한 「화랑도의 유물 -임신서기석에 대하여-」란 글이 주목되고 있다.

허웅은 1959년 하기휴가를 이용하여 화랑도의 자취를 살펴보고자 경주에 갔다. 이때 최남주의 댁에 묶으면서 임신서기석과 화랑도에 대한 가르침을 받고 감명을 받아 귀경 후에 글을 발표하였는데 그 내용 중에 다음과 같은 구절이 있다.

---

247 大坂金太郎,「新羅花郎の誓記石」,『朝鮮學報』第43輯, 1967년 5월, pp.127-128.

이 돌은 지금부터 24년 전(25년 전의 오기) 어떤 언덕 위에서 경주군 금장
리 석장사의 한 부근에서 공사 중에 출토되어 바로 최남주 씨의 손에 제
일 먼저 들어왔던 것이다. 이 돌은 곧 학계의 주목을 끌었으니 당시 경주
박물관장인 오사카 긴타로 씨, 서울의 민간학자 아유카이 후사노신鮎貝房
之進, 도쿄대학 구로이타 가쓰미黑板勝美 박사, 경도대학 교수이며 세계적인
고고학자 하마다濱田耕作, 경성대학 교수 스에마츠 야스카즈末松保和 씨들이
이에 관한 연구를 하였다.[248]

이 이야기는 물론 최남주로부터 들은 것을 기술한 것으로 보인다.

1934년 5월 5일

백련사(白蓮寺) 화재

5월 5일 밤 11시경에 은평면 홍제외리(현 서울 서대문구 홍은동) 백련사에서
화재가 발생하여 절간 2동을 소실했다. 발화의 원인은 절간에 부속한 집에 구
들방을 말리려고 불을 지피면서 화재가 발생했다.[249]

---

248 許熊, 「花郞徒의 遺物 -壬申誓記石에 대하여-」, 『中大新聞』1959년 9월 21일자.
249 『東亞日報』1934년 5월 8일자.

1934년 5월 7일

진단학회 발회식 거행

한국문화와 인근문화의 연구를 목적으로 하는 진단학회震檀學會 발기총회가 서울「플라타누」다과점에서 개최되다.

동 학회는 문화사업의 공로자를 찬조회원으로, 문화연구 학자를 통상회원으로 하여 학술잡지를 발간키로 하였으며 잡지발행 비용은 한성도서주식회사에서 전담키로 되다. 이날 선출된 발기인 및 상무위원은 다음과 같다.

(가나다순) 고유섭, 김두헌, 김상기, 김윤경, 김태준, 김효경, 문일평, 박문규, 백악준, 손진태, 송석하, 신석호, 이병기, 이병도, 이상백, 이선근, 이윤재, 이은상, 이재욱, 이희승, 우호익, 조윤제, 최현배, 홍순혁.

상무위원 이윤재, 손진태, 이병도, 이희승, 김태준, 조윤제[250]

1934년 5월 16일

경상남북도, 전라북도 전(殿) 및 사찰 건조물 조사

총독부 기수 오가와 게이키치小川敬吉는 1934년 5월 16일부터 30일까지 경상

---

250 『東亞日報』 1934년 5월 9일자.

남북도와 전라북도의 전殿 및 사찰 건조물의 파손 상황을 조사했다. 복명서에
는 숭혜전崇惠殿을 비롯하여 한천사寒天寺, 남장사南長寺, 용추사龍湫寺, 신안사身
安寺 등 사찰 부속 건조물의 연혁, 파손 상황, 수리 여부 등이 기재되어 있으며,
각 건조물의 배치도와 세부 사진이 첨부되어 있다. 건조물의 가치는 갑, 을, 정,
병의 4종으로 구별하여 기재하고 있다.[251]

1934년 5월 19일

《불탄기념 조선불교전적전람회》

1934년 5월 19일부터 20일까지 2일간 경성제국대학 법문학부 회의실에서
《불탄기념 조선불교전적전람회》가 개최되었다.

전람 전적은 제1문 조선찬술부, 제2문 조선번각부, 제3문 조선어역부, 제4문
조선위경부로 분류하여 전시했는데, 총 점수 117건으로 경성제국대학 소장(규
장각 포함)을 제외한 개인 소장품을 보면 다음과 같다.[252]

251 「경상남북도, 전라북도 전(殿) 및 사찰 건조물 조사 복명서」, 『국립중앙박물관 소장 총
　　독부박물관 공문서』, 목록번호 : 96-431.
252 「《佛誕記念 朝鮮佛敎典籍展覽會》」, 『靑丘學叢』 제17호, 1934년 8월.

품목	찬술자	간행년대	출품자	비고
圓頓成佛論	高麗 知訥 著	朝鮮 宣祖37年	江田俊雄	경남 能仁庵 刊
圓頓成佛論	高麗 知訥 著	仁祖4년	高橋亨	전라도 天冠寺 간
禪門寶藏錄	고려 保庵 撰	중종26년	江田俊雄	
禪宗永嘉集	조선 得通 編	선조5년	高橋亨	
禪家龜鑑	休靜 저	선조38년	江田俊雄	경상도 圓寂寺 간
圓宗文類	고려 義天 編		崔南善	高麗版
禪源集都序着柄別行錄		영조12년	江田俊雄	경상도 長水寺 간
含利靈應記	金守溫 저	세종31년	權相老	
法華靈驗傳		중종29년	稲葉岩吉	전라도 文殊寺 간
佛祖傳心西天宗派旨要 (寫本)	指空 撰		高橋亨	
金剛經五家解	得通 編	숙종5~7년	高橋亨	경상도 雲興寺 간
般若心經略疎連珠記會編	明眼 편	숙종36년	李能和	경상도 雙磎寺 간
白雲和尙語錄	고려 景閑 著	고려 辛禑3년	鄭晄震	
懶翁和尙歌頌語錄	고려 慧勤 저	고려 恭愍王12년	鮎貝房之進	
涵虛堂集	休靜 저	세종21년	高橋亨	
懶庵雜著	普雨 저	선조6년	高橋亨	
碧松堂集	智嚴 저	숙종19년	高橋亨	울산 雲興寺 刊
四溟集	惟政 저	광해군4년	高橋亨	
靑梅集	印悟 저	인조9년	高橋亨	
逍遙集	太能 저	정조19년	高橋亨	
天鏡集	梅源, 志安 저	영조27년	高橋亨	안변 釋王寺 간
黙庵集		정조25년	高橋亨	
栢庵集	性聰 저		高橋亨	

품목	찬술자	간행년대	출품자	비고
諸般文		숙종20년	江田俊雄	전북 金山寺 간
釋門喪義抄	釋覺性 편	효종8년	高橋亨	澄光寺 간
集註金剛般若經			崔南善	
地裝菩薩本願經		고려 충혜왕원년	崔南善	계룡산 東學寺 간
首楞嚴經要解	남송 戒環 解	태종8년	鮎貝房之進	
金剛經		세종7년	江田俊雄	전라도 花岩寺 간
華嚴經解	남송 戒環 解	선조5년	江田俊雄	전라도 無爲寺 간
華嚴經疎	송 淨源	현종2년	江田俊雄	경상도 靈覺寺 간
大寶積經(紙黃銀泥)			江田俊雄	
慈覺禪師語錄	송 祖大		崔南善	
天台四敎儀集解	송 從義	고려 충숙왕원년	稻葉岩吉	
碧巖集	송 園悟 찬	고려 충숙왕4년	崔南善	
禪林寶訓		고려 고종4년	稻葉岩吉	충주 靑龍禪寺 간
人天眼目	남송 智昭	태조4년	崔南善	檜巖寺 간
釋迦如來行蹟頌	원 無寄	인조21년	稻葉岩吉	수정산 龍腹寺 간
佛祖通載	원 念常		李能和	
釋迦如來成道記註	송 道誠	고종8년	李能和	지리산 燕谷寺 간
龍龕手鏡(影印)		1929년	李能和	
阿彌陀經		영조29년	江田俊雄	팔공산 東華寺 간
地藏經諺解		영조41년	江田俊雄	경기도 종남산 藥師殿 간
蒙山和尙法語諺解	信眉		權相老	
月印釋譜		선조원년	金映遂	경상도 喜方寺 간
六祖法寶壇經	당 慧能		崔南善	

품목	찬술자	간행년대	출품자	비고
禪家龜鑑諺解	休靜 저, 善修諺解校正		崔南善	전라도 간
眞宗寶鑑		1923년	赤松智城	충청도 간
千手千眼觀自在菩薩 大慈大悲心陀羅尼		성종7년	江田俊雄	
現行四方經		명종15년	稻葉岩吉	황해도 黃州 간
天地人陽經註		도광13년	赤松智城	
大歲經		효종8년	江田俊雄	
佛經要集		1926년	赤松智城	

1934년 5월 25일

야마나카(山中)상회의 《지나조선고미술전》

1934년 5월 25일부터 29일까지 야마나카山中상회에서 《지나조선고미술전》을 도쿄일본미술협회에서 개최하였다. 이때 진열한 것은 중국의 고동기, 도자기 등 928점을 비롯하여 한국의 고려자기, 조선자기, 금석, 석조물 등 266점이 진열되었는데 한국미술품 목록을 보면 다음과 같다.[253]

---

253 『支那朝鮮古美術展觀』, 1934.

종류	품명	수량	비고
금속물	新羅 銅菩薩入像	1 점	목록번호 1
	新羅 銅菩薩像	1 점	목록번호 2
	新羅 銅塔 기타	6 점	목록번호 2~5
	高麗時代 山水人物文鏡을 비롯한 金屬物	12 점	목록번호 6~15
도자기	高麗磁器	59 점	목록번호 16~74
	朝鮮磁器	103 점	목록번호 75~178
석조물	石塔	6 기	목록번호 1~6
	石燈籠	78 기	목록번호 7~84
계		266 점	

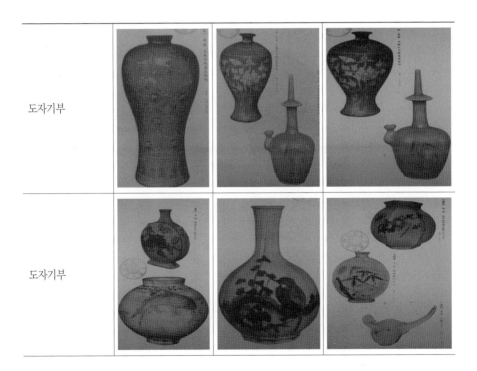

도자기부

도자기부

도자기부			
석조물부			
석조물부			

　일본 측에서는 야마나카 사다이치로를 평가하여 "아국의 미술을 해외에 소개하고 야마토大和민족의 문화적 진출에 발굴의 성적을 세운 걸물傑物"이라고 하며, "아국(일본)미술계의 선각자로서 해외에 진출하여 미술품으로 국리민복

國利民福과 국위를 선양"한 것이라고 하고 있다.[254]

야마나카상회는 일본에서 개최한 전람회도록은 일부 남겼으나, 동양의 고미술품을 서구로 판매한 도록 등을 볼 수 없어 어떤 한국미술품이 넘어 갔는지 그 양을 측정할 수 없다.

야마나카상회는 1890년대 이후 고미술품 거래처를 미국, 영국 등지로 확장하였다. 1918년 야마나카 사다지로山中定次郎가 사장으로 취임하면서 야마나카山中상회는 발전을 거듭하여 교토에 본점을 두고 지점을 일본 각지는 물론이고 뉴욕, 런던, 북경에까지 두어 세계적인 골동 거상으로 발전하였다.

야마나카 사다지로山中定次郎는 1865년 생으로, 1878년 13세의 나이로 오사카의 고미술상 야마나카 기치베에山中吉兵衛의 점원으로 들어가 일찍부터 고미술 거래에 눈을 떴다. 워낙 고미술에 대한 안목이 높아 1889년 사다지로의 나이 24세 때 기치베에는 사다지로를 양자로 삼게 되었다. 이때부터 사다지로는 기치베에의 가족이 되어 고미술상 운영에 함께 하였다.

야마나카 사다지로는 1894년에 미국으로 건너가 미국에 지점을 개설하였다. 이것이 해외지점 1호점이다. 당시는 주로 중국고미술품, 일본공예품, 분재, 잡화 등을 판매하였다. 1900년에는 영국에 지점을 개설하고 합자회사 야마나카상회로 조직을 개편했다. 1905년에는 프랑스 파리에 대리점을 개설함으로써 국제적인 고미술상으로 발전하였다. 1917년에는 중국 북경에 출장소를 개설하고, 사장 야마나카 기치베에가 죽자 1918년에 야마나카 사다지로가 사장에 취임했다.[255]

---

254 故山中定次郎翁編纂會,『山中定次郎傳』序文, 1939.
255 故山中定次郎翁編纂會,『山中定次郎傳』, 1939.

1928년에 후지타 료사쿠藤田亮策가 구미 각국의 박물관 등을 돌아보고 기록한 내용 중에 야마나카상회와 관련한 다음의 내용이 있다.

조선의 유물이 가장 많이 이출移出되고 또 가장 진중히 여기는 것은 미국이다. 어느 박물관이든지 조선의 공예미술품을 진열하지 않은 곳이 없었다. <중략> 기타 대소박물관 이외에 개인의 수집품 중에 볼 만한 것이 적지 않다. 양에 있어서는 오히려 박물관 보다 우월한 것이 있다. 그러나 내가 미국을 방문한 때는 마침 하기피서계절이었으므로 개인의 소장품을 관람할 기회가 없었던 것이 유감이다. 그러나 보스톤미술관의 도미타富田씨와 야마나카山中상회 제씨의 담화談話로 조선고기, 고물 즉 청동기, 초상화 등이 다수 이입되어 개인이 소지하였다는 말을 들었다. 명치40년 전후에 가장 많이 발굴된 고려시대의 유물은 대부분의 블란서와 같이 개인의 수중에 비장된 것이 많은 모양이다.

경성의 도미타富田씨가 다년 고심 수집한 고려, 이조의 제품諸品, 특히 이조의 의장衣裝, 기구器具 등은 목공, 칠공, 금공에 호개好個의 참고품이라, 다시 수집하기 어려운 귀중품인데 대부분을 보스톤 야마나카상회에 매각하여 금일에는 동상회계상창고同商會階上倉庫에 비장되었다.[256]

후지타의 기록을 보면 야마나카상회는 세계 각지를 다니면서 직접 수집하여 판매를 하기도 했지만,[257] 지점에서는 다른 무역상들로부터 대량으로 사들여

---

256 藤田亮策, 「歐米博物館과 朝鮮(上)」, 『朝鮮』 165호, 朝鮮總督府, 1929년 2월.
257 국립중앙도서관 고전운영실에는 다음과 같은 도록이 있다.

판매를 하였다. 도미타상회는 경성에 미술품진열관을 마련하여 판매 및 매입을 하였는데, 상당수를 일본과 그 외 각지에 판매를 하던 상점이다.

1934년 5월

함북 경원군 안농면 승량동 자량당字良堂에 조선 태조의 궁술연마장이 발견되어 이곳을를 보존키 위하여 용당고적보존회龍堂古蹟保存會가 창립되다.[258]

1934년 6월 8일

경주 황남리 제109호 고분 발굴

조선고적연구회 경주연구소에서 1934년도 사업으로 남산의 불교관계 유적 유물 등의 조사를 시작으로 신라문화 자료를 수집하기 위해 멀쩡하게 보존되어 있는 황남리 제109호분과 황오리 제14호분을 발굴했다.

『世界民衆古藝術品展覽會』, 1930; 『世界古代裂日本民藝品展覽會』, 1933; 『時代屛風百雙展』, 1941; 『東洋古代美術展觀圖錄』, 1939; 『世界古美術卽賣大展觀』, 1937; 『時代錦繡展覽會圖』, 1936; 『時代屛風展覽會』, 1936; 『時代民藝品石燈籠展覽會』, 1935; 『時代錦繡大展覽會』, 1935; 『展覽會圖錄』, 1934; 『支那朝鮮古美術展觀』, 1934; 『古陶美術展觀』, 1933; 『(東西)古美術展觀』, 1932; 『支那古美術展覽會』, 1935.

258 『東亞日報』 1934년 5월 19일자.

황남리 제109호분

황남리 109호분은 1934
년 6월 8일부터 7월 6일까
지 후지타 료사쿠藤田亮策,
사이토 타다시齋藤忠, 고토
슌이치後藤守一, 최순봉이
발굴 조사하여 관모잔결,

대금구, 철제환두대도 등 금속류 110여 점, 토기류 140여 점을 출토시켰다.[259]

사이토는 처음 발굴에 참여하는 것으로, 1932년 도쿄제국대학 문학부 국사
학과를 졸업하고 교토제국대학 문학부 고고학교실의 하마다 고우사쿠濱田耕作
의 밑에서 부수副手로 2년간 근무를 하다가 1934년 5월에 조선고적연구회 연구
원으로 경주분관에 부임, 실제 관장의 일을 했다.

발굴 후의 위령제(7월 7일)

---

259 齋藤忠,「慶州 皇南里 第109號墳, 皇吾里 第14號墳 發掘調査報告」,『昭和9年度 古蹟調
   査報告』第1冊, 朝鮮總督府, 1937.

1934년 6월 22일

《조선, 중국명작 고서화 전람회》

6월 22일부터 6월 30일까지 동아일보사 주최로 동아일보사 3층에서 《조선, 중국명작 고서화 전람회》를 개최했다.

출품자는 모두 조선인으로 진열된 총 점수는 271점이다.

『동아일보』
1934년 6월 23일자 광고

1934년 6월

신라 인면와(人面瓦) 소개되다

희귀한 고와의 소지자로는 당시 경주군 공의로 야마구치山口의원에 근무한 다나카 도시노부田中敏信이라는 의사가 소장하였던 인면와人面瓦가 있다. 타 신라유적에서도 동형 또는 유사한 와는 하나도 출현된 적이 없는 국내에서 유일한 미소 짓는 인면와人面瓦이다.

다나카 도시노부田中敏信는 1933년 오사카

『조선』 229호

의대를 수석으로 졸업하고 1933년 5월에 한국에 건너와 7월에 경주에서 경주군 공의로 근무하였다.[260] 1933년부터 경주에 재주하면서 경주일대에서 출토되는 신라고와를 많이 수집하였다.

신라인면와는 경주 구리하라栗原고물점에서 1934년 초에 입수한 것으로 출토지는 경주읍 사정리 흥륜사지로 알려져 있다. 오사카 킨타로大坂金太郎는 이를 1934년 6월에『조선』229호에「신라의 가면와」란 제하로 소개를 하였는데, 이것이 최초의 소개라 할 수 있다. 이어 1934년 9월에 교토제국대학 문학부에서 발행한『신라고와의 연구』에 실리면서 유명 신라고와가 되었다.[261]

다나카 도시노부田中敏信는 1944년 그가 수집한 모든 것을 가지고 일본으로 돌아가 일본의 북구주에 살았다. 북구주사립역사박물관이 개관되자 다나카는 소장하였던 와전을 기증 보관하였다. 해외문화재조사단에 의해 밝혀진 북구주시립고고박물관에는 다나카가 기증한 수막새와 암막새, 귀면기와, 전돌 등 한국와전 80여 점을 확인하였다.[262] 다나카는 다른 것은 북구주시립고고박물관에 기증하고 인면와 만은 귀중히 비장하고 있었다. 이 인면와는 후일 한국으로 반환 받게 된다.

여기에는 박일훈 전 경주박물관장의 각별한 노력이 있었기에 가능했다. 박일훈 관장은 1972년 2월 15일 나라평성경발굴연구소奈良平城京發掘硏究所의 보존과학연구의 시찰을 위해 일본으로 건너가게 되었는데, 일본에 있는 동안에 오

---

260 東洋文化協會,『慶北大鑑』, 1936.
261 大坂金太郎,「新羅の人面瓦に就いて」,『朝鮮學報 第65輯』, 1972;「新羅의 假面瓦」,『朝鮮』, 朝鮮總督府, 1934년 6월; 濱田耕作, 梅原末治,『新羅古瓦の硏究』, 京都帝國大學文學部, 1934.
262 國立文化財硏究所,『(海外所在 文化財 調査書6)日本所在 文化財圖錄』, 1995.

사카 긴타로를 방문하게 되었다. 오사카는 일제 때 경주박물관장을 역임했을 뿐 아니라 박일훈 관장이 경주보통학교 시절 교장이었던 은사이기도 했다.

오사카 옹을 만나 그간의 회포와 신라문화에 관한 이야기를 나누던 중 박 관장은 문득 인면문 와당이 생각나 이 와를 소장하고 한국을 떠났던 다나카의 존부를 물었더니, 다나카는 북구주에서 병원을 운영하고 있다고 했다. 박 관장은 오사카에게 이 와당을 경주박물관에 기증하도록 주선해 줄 것을 부탁했다. "그것은 단 한 개뿐인 귀중한 학술자료인데 개인이 갖고 있다는 것은 바로 사장死藏이 아니냐, 그러니 경주박물관에 기증한다면 바로 인면문와당이 제자리로 돌아가는 것이며 신라문화 연구에 얼마나 뜻 깊은 일이 되겠는가. 더욱이나 경주박물관의 개관기념으로 진열도 되며, 또 한 가지는 나 개인적인 사정이지만 명년이면 정년퇴직이니 최후의 업적으로 남기겠다"고 간곡히 부탁하였다. 오사카는 박관장의 간청에 일단 기증을 요청하는 편지를 보내겠다고 약속을 하였다.

박관장이 한국에 돌아온 3월초에 오사카로부터 편지가 날아왔다. 다나카 씨가 인면와를 기증할 의사를 표했다는 것이다. 그 후 몇 개월에 걸친 박관장과 오사카의 노력의 결실로 1972년 9월 14일 다나가가 인면문와당을 직접 경주박물관으로 가지고 와서 수여식을 가지게 되었다.[263]

이렇게 반환된 인면와는 오늘날 신라고와의 귀중한 자료가 되고 있을 뿐만 아니라 신라문화의 상징적 모델이 되고 있다.

---

263 朴日薰, 「文化財와 나」『文化財 7號』, 國立中央博物館. p.108.

도쿄대학『문학부고고학연구실 수집품 고고도편』에 나타난 한국 유물

도쿄대학 문학부 고고학연구실에서는 1934년 6월에『고고도편』제8집을 발간했다. 이 속에는 모로가 히데오諸鹿央雄가 경주 일대에서 출토한 와편을 실고 있는데, 도편 발간의 서언에서 하라다 요시토原田淑人는 모로가 히데오諸鹿央雄의 기증에 대해, "경주출토 고와편, 우리들은 이 귀중한 연구자료를 학계에 공개하고 아울러 기증한 사람들의 후의에 영원히 기념"하기 위한 것이라고 하고 있다.[264]

다음과 같은 한국 유물이 실려 있다.

품명	출토지	소장처 및 소장자	출처	비고
瓦璫殘片 2개	경주 인왕리폐사지	考古學研究室	圖版20	기증. 諸鹿央雄
瓦璫殘片 2개	경주 사천왕사지	考古學研究室	圖版21	기증. 諸鹿央雄
瓦璫殘片 2개	경주 사천왕사지	考古學研究室	圖版22	기증. 諸鹿央雄

264 東京帝國大學,『文學部考古學研究室蒐集品 考古圖編』第8輯, 美術工藝會, 1934년 6월.

품명	출토지	소장처 및 소장자	출처	비고
瓦璫殘片 2개	경주 임해전지	考古學研究室	圖版23	 기증. 諸鹿央雄
瓦璫殘片 2개	경주 천군리폐사지, 보문리사지	考古學研究室	圖版24	 기증. 諸鹿央雄

품명	출토지	소장처 및 소장자	출처	비고
瓦璫殘片 3개	경주 보리사, 임해전, 흥륜사지	考古學研究室	圖版25	 기증. 諸鹿央雄
宇瓦殘片 2개	경주 임해전지	考古學研究室	圖版26	 기증. 諸鹿央雄
宇瓦殘片 3개	경주 사천왕사지, 보문리폐사지	考古學研究室	圖版27	 기증. 諸鹿央雄

품명	출토지	소장처 및 소장자	출처	비고
宇瓦殘片 4개	경주 인왕리폐사지, 천군리폐사지	考古學研究室	圖版28	기증·諸鹿央雄
甄殘片 5개	경주	考古學研究室	圖版29~30	 기증·諸鹿央雄

경주 수렵문전(狩獵文塼) 발견

1934년 6월 중순 경주보통학교 생도 최성구가 발견하여 학교로 가져왔는데 후에 경주고적보존회의 오사카 긴타로大坂金太郎가 보통학교의 교장 치바千葉狀之助에게 부탁하여 경주분관에 진열하게 되었다.

이 전의 출토지는 경주군 경주읍 사정리. 경주역의 동남방 약 5백m 떨어진 전지畑地에 해당한다. 이 주변 일대는 평지로 이루어져 기와파편이 산재하고

수렵문전

초석이 남아 있어 사원지로 추정되고 있다.[265]

평양 용강군에 있는 보림사寶林寺에서는 불상 두체를 도난당하다.[266]

1934년 7월 23일

안동의 영호루(暎湖樓)가 유실되다

안동의 유명한 영호루가 1934년 7월에 쏟아진 폭우로 인하여 낙동강이 범람하면서 영호루를 덮쳐 누각이 무너지면서 강물에 휩쓸려가고 말았다. 날짜는 1934년 7월 23일로, 그전에도 낙동강이 범람하면 주민들은 영호루에 올라가 몸을 피난 전례가 있어, 23일 오후 5시경에 낙동강물이 범람하자 안동 옥동주민 백여 명이 몸을 피하기 위해 영호루상에 올라갔는데 누각이 무너지면서 주민들은 누각건물과 함께 떠내려갔다. 표류 중이던 주민들은 예천군 지보면 지보리 앞 작은 섬에 착륙하여 이튿날 아침에 지보리 주민들에 의해 구출되었으나 누각건물은 그대로 파괴되어 쓸려가고 말았다.[267]

265 齋藤忠,「慶州にて最近發見せれた狩獵文塼」,『考古學雜誌』제24권 제11호, 1934년 11월, pp.78-79;『博物館陳列品圖鑑』제11집, 1937;「雜錄」,『考古學雜誌』제24권 제11호, 1934년 11월.
266 『每日申報』1934년 6월 30일자.
267 『每日申報』1934년 7월 31일자.

유실되기 전의 영호루(『매일신보』 1913년 3월 19일자)

이에 따라 공민왕이 쓴 현판은 물론이고 영호루에 걸려있던 많은 명문명사名文名詞의 현판까지 운명을 같이 했다. 탁류에 쓸려간 이들 중에서 김기수金琦秀의 영호기暎湖記 현판, 이원李原 작사作詞 현판, 이석정李石亭 작사 현판은 1934년 8월경에 선산과 고령 부근의 낙동강연안에서 발견되었다.[268]

공민왕이 쓴 현판을 비롯한 일부의 현판도 그 후에 낙동강연안에서 발견되기도 했다.

안동의 대수재가 난 후 안동지방을 찾은 유광렬의 순례기에는 다음과 같이 기술하고 있다.

안동읍에 가까워 오자 월 전 대 수해를 입은 흔적이 황량하게 안전에 전개된다. 낙동강을 잡아 메었던 철교는 중간이 끊어져 나가서 엉성하게 잔해가 남아 있고 토사가 뒤덮인 전답이 막막히 계속되었다. 강을 건너서자 강

268 『每日申報』 1934년 8월 3일자.

우변으로 조금 높은 언덕에 누누累累한 초석이 남아 있으니 이것이 안동 제일의 고적으로 천여년 역사를 가졌던 영호루의 유지이다. <중략> 고루가 이번에 떠내려 간 것이다. 이번 수재에 수십 명이 익사하고 552호가 유실되고 파괴된 전답이 허다한 것을 생각하면 실로 전율할 만한 대참재이며 그 중에 고루의 유실도 안동의 큰 손실 중의 하나이다.

이때의 홍수로 인해 안동의 피해는 막대할 뿐만 아니라 영호루도 목조건물은 모두 잃고 초석만 남았던 것이다. 탁류에 떠내려갔다가 찾은 현판들은 안동군청에 보관해 오다가, 1970년에 옛 영호루 자리에 누각을 다시 건립하여 걸게 되었다.

영호루가 처음 언제 건립되었는지는 알 수 없다. 영호루는 고려 공민왕과의 인연으로 그 이름을 높이게 되었다. 공민왕10년(1361) 10월에 홍건적이 침입하여 개경이 함락되고, 공민왕이 피난하여 안동에 머물게 되었을 때 영호루에 나아가 뱃놀이를 하고 연회를 한 것이 인연이 되었다.[269] 당시 공민왕은 난을 피해 오랜 여중에 영호루 승경에 많은 위안이 되었을 것이다. 홍건적이 물러가고 개경으로 다시 환도한 공민왕은 안동을 승격시켜 대도호부大都護府로 하고 조세를 감면 하였다. 그리고 5년이 지나 1366년 겨울에 친히 '暎湖樓'라는 석 자를 큰 글씨로 쓰고 판전교시사判典校寺事 권사복權思復을 불러들여 면전에서 주었다.[270]

269 『高麗史』世家 第39卷 恭愍王10년(1361) 12월 조에,
 "乙未日, 왕이 暎湖樓에 갔다가 배를 타고 놀았으며, 이어 호숫가에서 활을 쏘았다. 안렴사가 왕을 위하여 연회를 베푸니 많은 사람들이 둘러서서 보았다."

270 李穡의 「讚序」에, "병오년(1366) 겨울에 임금이 書筵에서 暎湖樓라는 석 자를 큰 글씨로 써서 정순대부상호군 신 홍경에게 명하여 왕지를 전달하고, 봉익대부 판전교시사 臣 사복을 불러 면전에서 글씨를 주었다. 그 때의 안동대도호부의 판관 조봉랑 신 자전은 안

서악사에서 본 영호루(국립박물관소장 유리건판, 1914년 鳥居龍藏 일행 제3회 사료조사 때 촬영)

이런 사액賜額을 받은 안동민들은 고루에 사액을 그대로 붙일 수 없다하여 후에 다시 중수를 하고 목은 이색이 찬서讚序를 지은 것으로서 누가 더욱 유명하게 되었다.

백문보白文寶의 「금방기金牓記」[271]에, "이 누를 지은 것이 이미 오래다. 금빛으로 새긴 현액의 자획은 하늘을 떠받치는 기둥 같은데, 누의 크기는 그 현액과 걸맞지 않았다. 지정至正 무신년에 고을의 수령 신자전申子展 군이 옛 제도를 고치니, 새가 날개를 펼친 듯한 자세와 꿩이 높이 나는 듯한 아름다운 채색으로, 바로 호수면에 걸터앉게 되었다" 라고 하는 것을 보면 누를 더 크게 하고 화려

전들과 더불어 의논하기를 '누의 제도가 朴陋하여서 임금이 하사할 현액을 빛나게 할 수 없으므로 두려워 한다' 하고 이에 기일을 정하여 더 넓히고 더욱 물에 가깝게 하니, 그 규묘가 더욱 크고 시원하였다."(『國譯 新增東國輿地勝覽』, 民族文化推進會, 1970)

271 『國譯 新增東國輿地勝覽』, 民族文化推進會, 1970.

한 채색을 했던 것으로 보인다. 김종직金宗直의 「영호루기暎湖樓記」[272]에, "영호루는 영가永嘉의 이름난 누이다. 그 강과 산의 뛰어나고 큰 모양은 비록 진주의 촉석루矗石樓, 밀양의 영남루嶺南樓에 양보해야 할지도 모른다. 그러나 같이 낙동강의 언덕에 버티고 선 것으로서 성산에 있는 것을 관수루觀水樓라 하고, 일선(선산)에 있는 것을 월파정月波亭이라 하는데, 그것들은 이 누와 더불어 갑을을 다툴 수는 없다"라고 한다.

이 후 안동 지역의 낙동강이 여러 번 범람하면서 영호루도 함께 피해를 수차 입기도 했지만,[273] 그 때마다 공민왕이 쓴 영호루의 현액은 용케도 찾아내어 오늘날까지 전해지게 되었다.

---

272 『國譯 新增東國輿地勝覽』, 民族文化推進會, 1970.

273 『明宗實錄』6卷, 2년(1547) 7월 5일(甲寅)
경상도 감사 임호신이 도내 수해 상황을 보고하다
안동 영호루(暎湖樓)의 액자(額字) 현판(懸板)이 경내(境內)의 강 어귀에 떠 있는 것을 건져내었고, 용궁(龍宮)의 객사(客舍)·관청(官廳)·형옥(刑獄)·마구(馬廐)가 물에 잠기고 인가 20여 채가 떠내려갔으며, 함안(咸安)에서는 민가 1백 48채가 물에 잠겼고, 영산(靈山)에서는 민가 2백 3채가 침몰되고, 창원(昌原)에서는 인가 1백 40채가 물에 잠겼고 1백 80여 채가 떠내려갔습니다.
『宣祖實錄』189卷, 38년(1605) 7월 23일(乙未).
강원도·경상도의 수재 상황을 열거하다
경상도 安東府는 이달 20일 강물이 크게 범람해서 끝없이 아득한 물바다를 이루더니 府城에 밀려 들어와 남문의 객사와 대청·관사가 모두 침몰되었다. 동남쪽 근교에 거주하는 관인(官人)과 백성들의 가옥이 모두 산산이 부서져 떠내려 갔는데, 가재 도구를 전혀 건져내지 못하여 비로 쓴 듯이 되었고 삼면의 자성(子城)도 붕괴되었다. 暎湖樓는 흔적도 없이 떠내려갔고,

1934년 7월 30일

조선사편수회 제8회 위원회

1934년 7월 30일 조선사편수회朝鮮史編修會 제8회 위원회가 개최되자 최남선崔南善과 일본인 당국자當局者들과의 사이에 다음과 같은 문답問答들이 전개되었다.

최남선 : 단군檀君과 기자箕子는 조선사의 지극히 중요한 부분임에도 불구하고 본회의 조선사는 제일편의 본문에 넣지 않고 주서注書에만 약간 기재記載하고 있다. 잔무殘務를 정리할 때에 정편正編 또는 보편補編으로써 단군과 기자에 관한 사실을 편찬해 주기 바란다.

이나바稻葉 간사 : 단군檀君, 기자箕子는 제1회 위원회에서도 논의가 있었으므로 우리도 결코 조흘粗忽히 하고 있지 않다. 그러나 본회가 채용採用한 편년체編年體 사서史書의 형식하形式下에서는 이것을 기입記入할 장소가 없다. 즉 하왕何王 하년何年 하월何月 하일何日에 이것을 기입記入할 것인가. 우리는 고심苦心과 곤란困難을 겪은 다음, 마침내 수록收錄하지 못하였다.

최남선 : 나는 제1회 위원회의 일은 모른다. 단군, 기자는 그 사료史料에만 집착하지 말고, 그 사상적 신앙적으로 발전한 것을 모두 다 별편別篇으로 하여 편찬함이 가할까 한다.

구로이타 가쓰미黑板勝美 고문 : 단군, 기자는 역사적 인물이 아니고 신화적인 것이므로, 사상적 신앙적으로 발전된 것이니, 이것을 사상적 신앙적인 방면에서 별도別途로 연구해야 할 성질의 것이다. 그러므로 편년사編年

史의 체제내體制內에서 이것을 취급하기는 곤란하다. ……단군, 기자에 관한 것을 별편別篇으로 엮게 되면 결국 사상방면에서 중요한 전개를 보인 유교와 불교방면의 것도 또한 별편別編으로 하지 않으면 아니 된다. 그렇지 않아도 본회의 사업이 심히 지연되어 있는 오늘날 최위원의 양해를 구하는 바이다.[274]

이처럼 단군조선을 하나의 신화적인 것으로 취급하여 조선사에서 제거하고자 한 것이다. 일제의 학자들은 단군, 기자조선을 하나의 설화說話로 취급하되 단군은 승인하지 않고 평양에 전하는 기자궁箕子宮, 기자정전箕子井田, 기자묘箕子墓 등을 들어 설화로서도 기자조선箕子朝鮮만을 인정하여 굳이 기자의 자손이 조선을 지배했다는 것을 강조하고 개국시조로 넣으려 했다.[275] 뿐만 아니라 이마니시 류今西龍는 「단군고檀君考」에서 단군숭배사상이 마치 일본의 도움으로 인해 만들어진 풍토처럼 기만하고 있다.

메이지27년明治27年(1894) 조선은 일본의 원조하援助下에 청국淸國으로부터 독립하고 동30년同30年(1897) 국호國號를 대한大韓으로 하고 왕을 황제로 바꾸고 광무光武의 연호年號를 세웠다. 이 미증유未曾有의 변혁變革이 오면서 조선인 간間에는 지나인支那人(중국인)인 기자箕子를 개국시조開國始祖로서 존숭尊崇해오던 것이 급격히 쇠퇴하고 그에 반反해 단군檀君을 조선국민의

---

274 『朝鮮史編修會事業概要』, 朝鮮總督府朝鮮史編修會, 1938년 6월, pp.66-67.
275 三浦周行, 『日本史の硏究』, 東京岩波書店, 1922, pp. 249-250.

시조始祖로 숭배崇拜하는 풍風이 일어나게 되었다.[276]

라고 하여 5천년의 민족사를 비하卑下시키고 있다.

1934년 7월

원효암 유물 도난

경남 함안군 군북면 사촌리의 원효암에 도둑이 침입하여 칠성각에 걸어놓은
산왕화상山王畵像, 신중화상神衆畵像, 석가화상釋迦畵像 합 3매를 절취해가다.[277]

1934년 8월

8월 경주 내남면 탑리 전 금강사지로부터 석탑기단을 경주박물관으로 옮기다.[278]

276 今西龍 遺著,『朝鮮古史の硏究』, 國書刊行會, 1970, p.118.
277 『東亞日報』1934년 7월 20일자.
278 『博物館陳列品圖鑒』제10집, 1937.

옮긴 석탑기단

1934년 9월 3일

조선고적도보 원고 자료 수집 및 사찰 목조 건축물 조사

총독부 기수 오가와 게이키치小川敬吉가 1934년 9월 3일부터 14일까지 『조선고적도보』 원고 자료 수집 및 사찰 목조 건축물 조사를 위해 황해도와 평안남북도 등에 출장하고 돌아와 같은 달 20일에 복명서를 제출했다. 개성박물관 소장 아미타여래상의 반입 경위 그리고 황해도 황주 성불사成佛寺, 평안남도 용강 용천사湧泉寺를 비롯한 사찰 내 건축물과 불상의 연혁과 현상이 기재되어 있다. 각 고적의 사진이 첨부되어 있다.

조사 내용을 정리하면 다음과 같다.[279]

---

279 「조선고적도보 원고 자료 수집 및 사찰 목조 건축물 조사 복명서」, 『국립중앙박물관 소장 조선총독부박물관 공문서』, 목록번호 : 96-431.

유물 명	조사 내용	사진
개성박물관의 청동아미타여래좌상 1구	조선초경의 제작으로 추정되는 것으로, 원래 충북 진천군 두타산의 중복 무명사지에 매몰된 것을 1931년 9월 9일 산이 붕괴되어 노출되어 발견되어 매장물 신고로 본부로 들어온 것	
황주군 정방산 成佛寺 장 청동아미타삼존상	어느 때 성불사로 옮겨져 1934년 여름에 성불사 극락전을 실측할 때 대들보 위에서 발견	
성불사 장 목조석가여래상	본상은 원래 정방산 안국사에 안치되었던 것으로 동사가 폐사가 된 후 성불사로 옮겨 응진전의 본존으로 안치	
용강군 湧泉寺 藏 금동관음보살좌상	본상은 底板에 '宣德元年丙午'의 음각명이 있는 것으로 장래 보물로 지정해야 가할 것으로 생각됨. 애석하게도 본상은 현재 소재불명이다. 원래 용강군 新德寺에 봉안되었던 것으로 1923년 11월 동 사가 폐지되면서 동군 용천사에 이안할 것을 폐사지에 남겨두어 1931년 5월에 소재를 잃었다.	

1934년 9월 7일

태봉 도굴

충남 대전 가수원리佳水院里 태봉胎峰을 3명의 도굴꾼이 1934년 9월 7일 오후 8시경부터 이튿날 오후 2시경까지 도굴을 하여 석함이 반이나 노출되기에 이르렀을 때 부락민의 밀고로 가수원경무관이 도굴꾼들을 체포하게 되었다.

『동아일보』1934년 9월 16일자에는 다음과 같은 기사가 있다.

원형 화강암의 대 석관을 발굴

보물이 있다고 도적이 파내어 대전군 태봉산에서

대전군 기성면 가수원리에서는 고대 왕족의 태분이 발견되어서 매일 구경꾼들이 답지하고 지방 주민 청년들은 수직을 하는 일방 대표자를 내어 총독부에 고적 발견계를 제출하고 전문가의 감정을 기다리고 있는 중이라 한다. 그곳은 호남선 가수원역 부근 들 가운데 우뚝 솟은 약 5천 평 가량 되는 조그마한 산인데 옛날부터 왕족의 태분이 있다하여 이름을 태봉산이라 하고 전하여 오기를 이 태분 속에는 보물이 들어 있고 또 이곳에 다른 사람이 묘를 쓰면 부근 촌락이 전멸된다는 전설이 있고 풍치상으로도 이름이 있는 곳이므로 보안림에 편입되어 부근 주민이 서로 경계하여 지키어 오던바 지난 9일 이 전설에 보물이 욕심이 나서 고모 외 3명이 공모하고 전기 산에 있는 태분을 파다가 주민에게 발견되어 전기 범인 3명을 대전서에 유치 취조 중인데 이 태분은 아직 전부를 발굴하지 안했으므로 밑으로 얼마

가 있는지 알 수 없으나 지금 노출된
것만은 원형화강암으로 된 석곽이 직
경 1미터 두께 1척 6촌이라 한다.

태봉(胎封) 석함(石函)

9월 15일 충청남도 학무과장으로부
터 대전군 기성면 가수원리에서 태봉이
발견되었다는 보고를 받고 조선총독부 촉탁 노
모리 겐野守健이 9월 17일부터 19일까지 충청남
도 대전군 소재 태봉胎峰을 조사하게 되었다.

촉탁 노모리가 현장을 시찰 할 시에 현지 지표
아래 약 3척 되는 곳에 석함의 상부가 노출되어
있었는데, 상부의 일부 및 개蓋와 신身의 접합부
가 훼손된 곳이 있었다. 태봉의 구조를 보면, 먼
저 구릉의 최고봉상에 광壙을 뚫고 지표 아래 7
척, 6촌6분의 광저壙底에 화강암으로 만든 직경 3
척7촌2분 총고 4척6촌6분의 원형개부석함圓形蓋

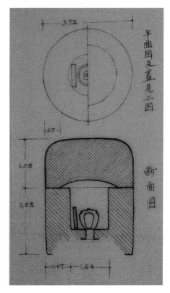

태봉(胎封) 석함(石函) 견취도

附石函을 두었다. 그 내부에 약 2촌의 금박 2편 및
철화鐵貨 1개를 보관하고, 다시 개부백자호에 납하고 그 위에 견포로 싸고 그 옆
에 대리석의 태지胎誌를 장했다. 태지 표면에는 '皇明萬曆二十八年六月寅時生 王
子阿只氏胎', 이면에는 '皇明萬曆三十六年十月初七日藏'이 기록되어 있었다.[280]

280 「충청남도 대전군 태봉(胎峰) 조사 복명서」, 『국립중앙박물관 소장 조선총독부박물관

1934년 9월 8일

평양 대동강면 낙랑고분 조사

1933년도 이래 일본학술진흥회의 원조금으로 낙랑군시대의 유적을 조사하여

장진리 제45호분

1934년도의 조사는 전년도와 동일하게 평남 대동군 대동강면 내의 장진리, 정백리, 석암리에 있는 고분 4기를 조사하게 되었다.

이 발굴은 1934년 9월 8일에 개시하여 11월 5일에 완료를 하는데 그 내용은 대략 다음 표와 같다.[281]

고분 번호	곽 구조	발굴 기간	조사자	출토 유물
장진리 제45호분	전곽	9월 8일 ~ 11월 3일	小場恒吉, 高橋男	도기류 1점, 청동제품 42점, 은제품 2점, 철제품 8점, 칠기 1점, 기타 3점
장진리 제30호분	목곽	9월 8일 ~ 11월 5일	小泉顯夫, 田窪眞吾	漆盤, 双獸文耳杯, 漆器 기타 총 24점
정백리 제19호분	목곽	9월 20일 ~ 11월 3일	小場恒吉, 澤俊一	도기 8점, 청동제품 3점, 옥류 8점, 은제품 42점, 칠기 40여 점, 목기 7점, 기타6점
석암리 제212호분	목곽	9월 25일 ~ 11월 4일	小泉顯夫, 田窪眞吾	칠기 22점, 土器 23점, 무기 및 마구 7점, 그 외 100여점

공문서』, 목록번호 : 96-138.

281 朝鮮古蹟研究會, 『昭和9年度 樂浪古墳 古蹟調査槪報』, 1937; 「朝鮮古蹟研究會, 「昭和9年度事業の槪況」, 『靑丘學叢』 제18호, 1934년 11월.

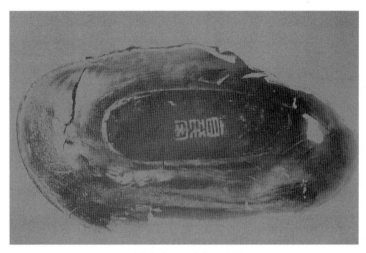

정백리 제19호분 출토 유물

1934년 9월 13일

경기도 고양군 신도면 효자리의 염완복 외 2명은 동네 부근에 있는 묘지의 묘석 4개를 절취하여 13일 상공장려관 부근에서 팔고 있는 것을 순시 중의 경찰이 발견하여 체포하다.[282]

---

282 『每日申報』1934년 9월 15일자.

1934년 9월 20일

경주 황오리 14호분 조사

경주 황오리 14호분은 9월 20일부터 11월 4일까지 후지타 료사쿠藤田亮策, 사이토 타다시齋藤忠, 고토 슌이치後藤守一, 최순봉이 발굴하여 은제관모잔결, 이식, 은제과대, 은제환두대도 등 금속류 200여 점, 토기류 160여 점, 옥류 다수가 출토되었다.[283]

당시 『매일신보』 1934년 10월 31일자에는 다음과 같은 기사를 남기고 있다.

총독부박물관 경주분관에서 본군 황오리 제14호고분(부부총)을 발굴하던 바 제1곽으로부터 순금제이식과 곡옥, 철도 1개, 순금제경식, 제2곽에서는 순금제이식 1대, 순은제소도, 순금제수식, 철창 3본을 발굴하였다.

황오리 제14호분 유물 가운데 등자를 비롯한 일부 유물만 경주박물관에 소장되어 있을 뿐 대부분 유물은 소재가 확인되지 않고 있다. 특히 보고서의 유물 출토 상태를 보면 수백 점의 토기가 출토되었지만 복원된 사진이 없는 것으로 보아 모두 수습되었는지 조차도 알 수 없다.[284]

283 齋藤忠, 「慶州 皇南里 第109號墳, 皇吾里 第14號墳 發掘調査報告」, 『昭和9年度 古蹟調査報告』 第1冊, 朝鮮總督府, 1937.

284 이한상, 「식민지시기 신라고분 조사 현황」, 『신라의 발견』, 동국대학교출판부, 2008, pp.309-310.

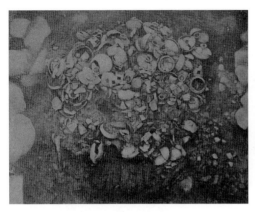

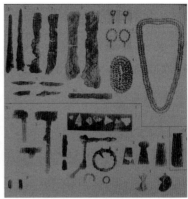

황오리 14호분 유물 매장 상태 · 황오리 14호분 출토 유물

1934년 9월

경성 종로 2정목 101번지의 한청빌딩 신축공사장에서 고려자기 3점과 엽전 1천여 개가 발굴되다.[285]

1934년 9월 17일

9월 17일 대구의 모 씨가 가지고 있는 불상 1구를 압수했는데, 이것은 부산에서 골동품을 전문으로 한 도둑이 절취한 것으로 대구의 모 씨에게 5백 원에

---

285 『東亞日報』 1934년 9월 18일자.

警察署에들어온
五千圓짜리佛像
〔大邱〕시가五千원이나되는
불상(佛像)이 경찰서에 들어온
이약이ㅡ대구서에서는
서로부터의수배로 부산
이씨가 가지고잇는데 이부
모씨가 하얏는데 이것은 얼마전부
산에서 골동품을 전문으로 취급
러다니는 도적의 장품으로 모씨
가 五백원에판것이 판명되어서
드디어 부산서로 보내는것이라
한다 그런데 전긔불상이 얼마나
된시대가 분명치못한 정교품이
파한다

『조선중앙일보』 1934년 9월 21일자 기사

피해 현상 견취도

매도한 것이라 한다. [286]

1934년 10월 1일

지정번호 제15호 고달사지 부도 도굴 상황 발견

1934년 11월 9일 경기도지사가 조선 총독에게 보낸 '보물피해에 관한 건'[287] 에 의하면, 경기도 여주군 북내면 상교리 411번지의 지정번호 제15호 고달사지부 도가 도굴 당한 것을 10월 1일에서야 발 견했다한다.

피해상황은 주위의 장군석을 지렛대 로 하여 부도를 들친 흔적이 있었는데, 이 같은 피해는 수개월이 지난 10월 1일 에야 발견했다고 한다.

---

286 『朝鮮中央日報』 1934년 9월 21일자.
287 『국립중앙박물관 소장 총독부박물관 공문서』, 목록번호 : 96-152.

스에마츠 구마히코(末松熊彦) 수집품 경매

스에마츠 구마히코末松熊彦는 이왕가박물관의 설립 때부터 오랫동안 박물관에 관여하면서 박물관진열품을 수집했다. 이 과정에서 개인적으로 우수한 고려자기를 많이 수장하고 있었다. 스에마츠가 죽고 난 후 그의 수집품은 전부 경성미술구락부에서 매입하여 9월 29일부터 9월 30일까지《고말송웅언씨유애품매립》을 열고 1934년 10월 1일에 경매에 입찰을 하였는데, 이 속에는 단연 고려자기가 많았다고 사사키佐佐木는 전하고 있다. '고려청자연화양각문향로'의 경우에는 2천3백50원에 경락되었으며 총고 2만 3천여원의 예상 외의 고가를 올렸다고 한다.[288]

스에마츠 쿠마히코末松熊彦는 1904년 인천미두취인소의 지배인으로 한국에 건너왔다가 1908년에 궁내부 촉탁으로 발탁되어 재직을 하였다. 1909년『직원록』에 의하면 궁내부어원사무국이 신설되자 사무관으로 있으면서 박물관부의 부장을 겸직하였다. 그는 이왕직에 20년을 근속하면서 이왕직박물관의 유물 수집에 주동적 역할을 하였다. 박물관 진열품을 수집하는 과정에서 한국의 많은 고미술품을 접했을 뿐 아니라 감식에 밝았다.

1931년 일본에서《조선명화전람회》가 개최되었을 때는 한시각 필 '포대도布袋圖', 추사 필 '산수도', 남계우 필 '화조도' 등을 출품하기도 하였다.

---

288 東洋陶磁研究所,『陶磁』6-4(1934년 11월), 展覽 入札 편.

1934년 10월 7일

《조선고도자즉매회》

《조선고도자즉매회》가 10월 7일부터 11일까지 일본 서은좌일동화랑西銀座一動畵廊에 열렸다.[289]

1934년 10월 13일

《부산향추가장매립회》

1934년 10월 13일부터 14일까지 도쿄구락부에서 부산의 가시이 겐타로香椎源太郎의 수장품으로《부산향추가장매립회》를 가졌다.[290]

가시이가 이번에 그가 아끼는 애장품을 경매장에 내놓게 된 것은 상당한 이유가 있었다.

거슬러 올라가면, 부산 부근에는 김해, 양산, 울산, 동래 등지에 가야유적을 비롯한 많은 사적이 남아 있으며 이곳에서 많은 유물이 도굴되어 민간인들의

---

289 『陶磁』 제6권 제4호, 東洋陶磁研究所, 1934년 11월.

290 『陶磁』 제6권 제4호, 東洋陶磁研究所, 1934년 11월; 東京美術俱樂部, 『釜山香椎家藏入札』, 1934.

수중에 들어갔다. 이를 보아온 부산고고회에서는 출토품을 수집 보관하기 위하여 1933년에 '부산고고박물관'을 건설하기로 하였다.[291] 당시 부산의 가시이 겐타로香椎源太郞을 비롯한 민간인 수장가들이 학계의 연구를 위해 수장품 일부를 진열품으로 내놓으려고 하였다. 1933년 9월 9일에 박물관 건설을 위한 1차 회의를 하였다.[292] 그 결과 도쿄대 구로이타 가쓰미黒板勝美의 조언을 받고, 구 영국영사관 자리를 매수하여 그 자리에 박물관을 짓되 그 건설비는 가시이의 소장품 일부를 매각하여 충당키로 하였다.

가시이가 도쿄에서 그의 수장품을 경매하기 전에 『매일신보』에서 도쿄에서 전하는 내용을 기본으로 1934년 10월 10일자에 실은 기사는 그 경매의 목적을 담고 있는데, 다음과 같다.

문화박물관을 부산에 건설키로, 구영국영사관기지를 매수

(동경전화연합) 조선 재주의 내선식자內鮮識者 간에 일찍부터 내선문화의 적 跡을 방석髣蓆케 하는 문헌, 고미술공예품 등을 전람할 수 있는 박물관 건설의 필요가 제창되었던 바 금회 남선 실업계의 원로로 고미술품의 수집가 가시이 겐타로香椎源太郞 옹이 도쿄제국대학 문학부 교수 구로이타 가쓰미黒板勝美 박사의 후원을 득하여 다년 숙망의 박물관 건설을 진행키로 되었다. 그 장소는 부산부 경승의 지 구 영국영사관의 부지 4천 평을 매수하여 이를 부산부에 기부하여 여기다 건설할 예정으로 건설비는 가시이 옹이 애

291 『매일신보』, 1933년 8월 23일자.
292 『釜山日報』 1933년 9월 11일자.

『매일신보』 1934년 10월 10일자 기사

장품 백 수십 점을 매각하여 충당키로 되었다.

가시이가 이번 자신의 애장품을 경매장에 내놓게 된 것은 부산에 박물관을 설립하기 위함이라는 것을 널리 공포함인 것이다.

이후에도 이 일은 상당히 진척되었으나 시국이 급박하게 돌아가면서 해방 때까지 실현은 보지 못하였다.

가시이 겐타로香椎源太郎는 1894년에 한국을 시찰한 후 러일전쟁을 계기로 한국에 건너와 츠루하라鶴原 총감부장관을 설득하여 이토 히로부미를 만나 거제도 가덕도 등의 어장권을 얻어 수산업을 시작하였다. 이왕가 소유의 어구 중에 20여 개소의 어구를 대하 받아 수산업을 하여 수산왕이라는 별칭까지 붙었다. 1923년『개벽』지에 게재된「조선문화의 기본조사」에, "경남의 조선인 상업계도 일인을 중심 삼아 운전된다. 그들은 마치 망과 망 같고 의복의 령과 같다. 예를 들면 부산 거주의 가시이 겐타로香椎源太郎, 오오이케 쵸스케大池忠助와 같은 사람은 모두 백만의 장자로서 그들의 소유한 경제력은 경남 일원에 팽배한 것뿐이 아니다"라 할 정도로 경남 일대를 좌지우지하는 거부이다. 그는 부산상공회의소 대표, 총독부산업조사회회원, 조선수산협회장을 역임하였다.

그는 막강한 재력을 이용하여 많은 고미술품을 수집하였다. 1934년에는 동경미술구락부에서 상당히 많은 량의 서화골동을 경매에 붙여 팔기도 했다.[293] 그 외 많은 것은 가지고 있다가 해방이 되자 미쳐 일본으로 반출하지 못하고 도자기 서화 등 1,628점을 당국에서 접수하여 미군 트럭으로 경주박물관에 실려 갔으며, 일부는 미군에게 넘어 갔는데 이때 이영섭이 구입한 것만도 6·25때 소실되기는 하였지만, 서화1,000여 폭 이었다고 한다.

경상북도 안동군 길안면 용담사龍潭寺 사유 건물 우의당禹儀堂을 폐기처분廢棄處分하다.[294]

293　東京美術俱樂部, 『釜山香椎家藏入札』, 1934.
294　『朝鮮總督府官報』 1934년 10월 13일자.

1934년 10월 27일

진주 서장대 중수

서장대 상량식 모습
(『매일신보』 1934년 11월 1일자)

　진주의 서장대는 오랜 세월을 거치면서 너무 퇴락하여 수리를 가할 필요가 있어 1929년에 명소고적보존회를 조직하고 보존에 힘써 오던 중 진주읍의 유지 서상필 씨가 자기의 사재를 털어 대의 중건에 착수 10월 27일 서장대의 상량식을 가지다.[295]

1934년 10월 29일

장흥군 보림사(寶林寺) 석탑 내에서 유물 발견

　전남 장흥군 유치면 보림사 대적광전 앞뜰에 남북으로 마주 서있는 삼층석탑은 양식과 크기가 동일한 신라 일반형 석탑으로 양 탑이 상륜부를 모두 완전하게 갖추고 있다. 그런데 1933년 겨울 불전 앞에 있는 양 탑의 사리장엄구를 약탈할 목적으로 도굴꾼들이 파괴하여 다음해 1934년에 먼저 도괴되었던 보조

---

295 『每日申報』 1929년 9월 28일자; 『每日申報』 1934년 11월 1일자.

수리 전 모습

선사창성탑과 함께 재건하였다.[296]

　1934년 11월 20일부 전라남도장흥경찰서장이 조선총독에게 보낸 '매장물 발견 屆出에 관한 건'[297]에 의하면, 보림사 석탑을 본부에서 수리를 하기 위해 전남 광주읍 대정정 117번지 토목건축업자 야마사키山崎隆功에게 맡겨 1934년 10월 25일부터 공사에 착수했다. 공사 중 공사감독관 이케다池田宗龜가 10월 27,8일 양일에 걸쳐 대적광전 앞 남북으로 마주하고 있는 석탑의 2층탑신 내에서

296　天沼俊一,「朝鮮全南寶林寺の古石燈」,『史跡と美術』, 1934년 7월; 葛城末治,『朝鮮金石攷』, 1935, 大阪屋號書店.
　　『광복이전 박물관자료목록집』에 의하면,
　　'장흥 보림사 수리 경비 보조신청에 관한 건'으로 1937년 5월 30일~6월 16일까지 4건의 목록이 보이고 있으며, 보림사 주지가 조선총독에게 보낸 '대웅전, 3층석탑, 석등 修善願 신청(1941년 6월 13일)'과 전남도지사가 조선총독부 학무국장에게 보낸 '지정보물 수리와 기술원 파견 신청에 관한 건(1941년 6월 23일)'의 목록이 보이고 있다. 이것이 문서를 철한 일자를 기록한 것인지, 시행 일자를 의미하는지 명확하지 않다.
297　『국립중앙박물관 소장 조선총독부박물관 공문서』, 목록번호 : 96-432.

상당한 유물을 발견하여 1934년 11월 5일 신고를 하였다.

당시 석탑 내에서 발견한 유물은 북탑에서 탑지塔誌, 진유합자眞鍮盒子, 옥주玉珠, 목편木片 등이 발견되었고, 남탑에서는 탑지塔誌 진유합자眞鍮盒子, 백자명白磁皿 등이 발견되었다.[298] 남탑지南塔誌에는 함통11년咸通十一年의 조탑명造塔銘과 성화14년成化十四年에 중수한 사실과 숭정57년崇禎五十七의 중수명重修銘이 있고, 별도 청동사리합靑銅舍利盒에는 가정14년嘉靖十四年의 중수명이 점침각點針刻되어 있었다. 북탑지北塔誌에서는 함통11년咸通十一年의 조탑명造塔銘과 성화14년成化十四年의 중수명이 있었다. 따라서 이 두 탑은 870년(경문왕10년)선왕인 헌안왕의 극락왕생을 위하여 세웠으며, 김수종이 칙명을 받들어 이를 건조建造하였음을 기록하고 있다. 또 탑을 세운 이후 891년에 내궁소장內宮所藏의 사리 7과를 왕명에 의해 봉안하였다. 조선시대에는 두 탑이 기울어져 1478년에 중수하였으며, 1535년 1684년에도 중수한 사실이 나타나 있다.[299]

일제 강점기에 사리장치 일체는 장흥경찰서에 보관하고 있었는데 해방 이후 장흥군청으로 이관하였다가 6·25동란 이후 문화재 사무가 교육청으로 넘어가면서 이들 유물 보관도 교육청으로 이관되었다. 그 후 다시 문화재 업무가 다시 군청으로 넘어 가면서 사리구도 군청 문화공보실 이안 보관하였다가 이들 유물은 현재 국립광주박물관에 보관되어 있다.

---

298 杉山信三, 『朝鮮の石塔』, 1944.
299 藤田亮策, 「朝鮮金石瑣談」, 『靑丘學叢』第19號, 1934, pp.162~168; 『傳統寺刹 叢書 6』, 寺刹文化硏究院 , 1996.

보림사는 전라남도 장흥군 유치면 봉덕리에 소재하는 신라시대의 유서 깊은 사찰로, 선종이 도입된 이후 가장 먼저 성립된 가지산문迦智山門의 중심사찰이다. 가지산사는 원표대덕元表大德이 창건하여 주석하던 곳으로 일찍이 법력으로 정사에 공을 세웠으므로 경덕왕18년(759)에 왕명으로 장생표주長生標柱를 세워 그 구역을 확정해준 곳이다. 그 후 보조선사가 가지산사로 이주한 다음해인 860년에 선사의 제자인 김언경은 문하의 빈객이되어 사재를 털어서 철 2,500근으로 비노사나불을 조성하였다. 이에 왕은 교지를 내려 금 160分을 공출하게 하여 이를 돕게 하니 경문왕 원년(861)에 선우禪宇를 넓히는 불사가 이루어졌다.[300]

가지산문의 조사는 도의선사道義禪師로 중국에서 37년 간 수행 정진하고 821년 신라로 돌아오지만 당시 화엄종이 주류를 이루고 있어 신라에서는 선불교禪佛敎의 이념을 쉽게 받아들여지지 않았다. 때가 무르익지 않음을 느낀 도의선사는 설악산 진전사陳田寺로 들어가 제자를 키우며 지내다 입적하였다. 염거화상廉居和尙(?~844)은 그의 제자로 역시 공식적인 선문禪門을 열지 못하고 보조선사 체징體澄에게 법을 전하였다.[301]

보조선사창성탑비

300 『海東金石苑』.
301 普照禪師彰聖塔碑文에,
    "처음에 道儀大師가 西堂에게 信任을 받은 후 우리나라에 돌아와 그 禪의 이치를 설하였다. 당시 사람들은 경전의 가르침과 관법을 익혀 정신을 보존하는 법을 숭상하고 있

보조 체징(804~880)이 보림사에 주석하면서 화엄종사찰에서 선종사찰로 변모시키면서 최초의 선문인 가지산문이 열리게 되었다. 따라서 보조선사는 가지산문의 제3조로서 실질적으로는 보림사의 개창조가 되는 셈이다.

체징이 신라 헌강왕6년(880) 3월 9일에 이곳에서 입적하니 왕이 시호를 보조普照, 탑을 창성으로 호號하고 보림의 액額을 사賜하였다. 비의 건립년시는 비문에 "중화사년세차갑진中和四年歲次甲辰……건建"이라 하여 신라 헌강왕10년(884)에 건립한 것을 밝히고 있다. 비의 찬문은 김영金穎, 서는 김원金蓮, 김언경金彦卿 2인이 썼다. 초행初行 제7행 '禪'자까지의 해서楷書는 김원이 서했고, '師'자 이하의 행서行書는 김언경의 글씨다.[302] 이렇게 2인에 의해 서書하여진 것은 김원이 중도에 병몰病沒하게 되어 김언경이 그 이하를 쓴 것으로 추정되고 있다.[303]

『신증동국여지승람』 제37권 '장흥도호부' 편에, "가지산에 있다. 신라 사마김영이 지은 보조선사의 탑비명이 있다"라고 기록이 나와 있으며, 1790년경에 편찬된 것으로 추정되는『장흥부지長興府誌』에 "보림사재부북사십리가지산寶林寺在府北四十里迦智山"이라고 하는 것으로 보아 이때까지는 탄탄히 법등을 이어온 것으로 추정된다. 그러나 거의 같은 시대인 1779년에 편찬된『범우고』에는 "금폐今廢"로 기록되어 있어 18세기 후반에는 이미 폐사가 되었다는 이야기인데 범우

어, 無爲任運의 宗은 아직 이르지 아니하여 허망하게 여기고 尊崇하지 않음이 달마가 梁의 武帝에게 받아들이지 못한 것과 같았다. 그런 까닭으로 때가 이르지 않음을 알고 산림에 은거하여 법을 廉居禪師에게 부촉하였다. 염거선사는 雪山 億聖寺에 머물러 조사의 마음을 전하고 스승의 가르침을 여니 우리선사가 가서 섬겼다."

302 李侯, 『大東金石書』에, "朝靖郎金穎文 昆湄縣令金蓮書 從頭第七行禪字以下第字兵部侍郎金彦卿書."

303 葛城末治, 『朝鮮金石攷』.

고의 기록을 완전히 다 믿지 않는다고 할지라
도 거의 폐사에 가까웠음을 짐작할 수 있다.

일제 강점기 초에 금석문조사를 위해 이곳
을 방문한 가츠라기 스에지葛城末治의 기록에
따르면 당시는 해남 대흥사大興寺의 말사末寺
로서 사는 현저히 퇴폐頹廢하여 승이 겨우 2인
에 불과했으며 고법당古法堂은 허물어지기 일
보직전이었다고 한다. 그는 이곳에 유존한 3층
석탑, 석등, 철조비로사나불[304]을 살피고 "극히

보조선사창성탑 훼손 부분

우수한 작으로 당시 불교의 융성隆盛을 무언으로 말해주고 있다"고 하면서 이러한
귀중한 유물들이 제대로 보호를 받지 못하고 있음에 대해 무척 안타까워했다.

1928년 8월에 후지시마 가이지로藤島亥治郎가 이곳을 방문하였는데, 이곳에
서 신라시대의 석탑 2기, 석등 1기, 보조선사부도 및 동비 등을 살피고 동서 양
탑이 거의 완전하게 남아 있음을 기록하고 있다.[305]

보조선사의 유골을 안치한 부도탑은 높이 4.1미터의 거대한 규모로 입비의 연
대와 비슷한 연대에 건조建造되었을 것으로 추정된다. 「1935년도 조선총독부 보물

---

304 葛城이 調査할 당시에는 古法堂에 모셔져 있었는데 元來 도금을 한 것이나 금색 斑點이
곳곳에 남아 있었으며 象의 右耳는 缺損되어 木片으로 補했다. 象의 左腕後部에, '.....大
中十二年戊寅七月十七日武州長沙副官金遂宗'이라 하여 憲安王2년(858)에 鑄成되었음
을 밝히고 있는데, 寄進者에 대해서 葛城은 普照禪師碑文의 내용에 普照의 弟子 金彦卿
이 淸俸과 私財를 털어 鐵造毘盧舍那佛을 鑄造 寄進한 사실을 들어 金遂宗과 金彦卿은
同一人으로 遂宗은 唐諱를 避해 後에 彦卿으로 改名한 것으로 推定하고 있다.
305 藤島亥治郎, 「朝鮮建築史 其二」, 『建築雜誌』第44輯 第535號, 昭和5년 7월, p.257.

고적명승천연기념물보존회총회 지정예정물건」[306]에, "이 탑은 1931년경에 파괴되어 훼손된 부분이 많다. 1934년에 수축했다"라고 되어 있어 도굴꾼이 장치물을 도취하기 위해 파괴한 것이다. 보조선사창성탑은 1936년 5월 23일 조선총독부 고시 제318호로 보물로 지정되었다가 해방 이후 현재 보물 제157호로 지정되어 있다. 보조선사탑 앞에 있는 비는 높이 3.46m로 보물 제158호로 지정되어 있다.

6·25 때는 공비들이 자신들의 소굴로 사용하다가 도주하면서 방화하여 759년(경덕왕18년)에 왕명으로 특별히 절에 세웠던 장생표長生標를 비롯한 대웅전(대적광전당시 국보 제204호) 등 대부분의 건물들도 불에 타버렸다. 대적광전은 6·25 중에 소실되자 전후에 작은 규모로 새로 지었다가 1990년대 후반에 다시 헐고 옛 규모에 맞게 새로 복원하였다.

대웅전에 있는 철조비로사나불좌상은 대웅전이 불탈 때 왼쪽 어깨부분이 일부 손상을 입었다.

1934년 10월 31일

경주 남산신성비 발견

1934년 10월 31일에 경주 '남산신성비'[307]가 발견되었다. 최남주는 1973년 5

---

306 『靑丘學叢』 第24號, 1936년 5월, p.182.
307 '남산신성비'는 현재까지 10개가 발견되었다. 발견 순서에 따라 제1비~제10비까지 번호

월 4일자 『조선일보』에 기고한 글에,

> 1934년 10월 31일 나는 당시 경주박물관장 오사카 긴타로大坂金太郎 씨와 남산 기슭의 무명의 사지를 찾으러 떠났었다. <중략> 이러던 중 우리 두 사람은 그 와당의 출토지의 조사에 나서 내가 주목했던 남산 식혜곡의 무명사지가 사제사四祭寺임을 확인하고 귀로에 비석 같이 생긴 한 돌다리를 발견했다.
>
> 지인인 헌강왕릉 수호인 김헌용 씨에게 물어보니 그 돌다리에는 문자가 있지 않고 자기 집 앞의 돌다리에 문자 같은 것이 있으니 가서 확인 하자고 하였다. 그 길로 달려가 돌다리를 파고 맨 가운데 돌을 뒤집어보니 틀림없는 비석이었다. 나는 신중을 기하기 위해 부근의 노인들에게 이 비석의 유래를 물어보았으나 아무도 유래를 아는 이가 없었다. 당시 26세였던 김헌용 씨에 의하면 김 씨는 그 전년 1933년에 70세로 세상을 떠난 그의 조부로부터 이 돌에 문자가 새겨져 있다는 이야기를 들었으나 혹시 자기 집을 지을 때 구들장 돌로 모아둔 것이 아닌가 여기고 있었다. <중략> 비석을 곧장 인부의 등에 지어 박물관으로 가져왔다.

고 하고 있다. 남산신성비에 대해 최남주는 오사카 긴타로大坂金太郎와 함께 발

를 붙이고 있다. 제1비를 제외한 나머지는 모두 1956년 이후에 발견된 것이다. 비의 첫머리는 공통적으로 "신해년(591) 2월 16일 남산 신성을 절차에 따라 축조함에 3년 내에 허물어지는 일이 있으면 죄를 달게 받을 것임을 서약한다"는 내용을 담고 있다. 삼국사기와 삼국유사의 기록과 일치하고 신라금석문 중에는 진흥왕순수비 다음 가는 것이다.

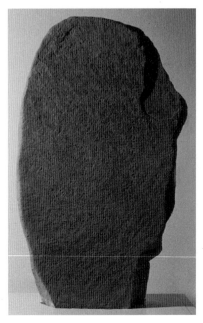

남산신성비 제1비(경주박물관 소장)

견했음을 밝히고 있다.

오사카는 잡지 『조선』 제235호(1934년 12월호)에 비석의 탁본 사진과 함께 "발견의 시일과 발견자, 1934년 10월 31일, 발견자는 필자와 경주고적보존회 촉탁 최남주 씨와 함께"[308]라고 분명히 기술하고 있다. 그 발견 경위에 대해서도 최남주와 거의 동일하게 기술하고 있다.

그런데 후지타 료사쿠藤田亮策는 1935년 3월에 『청구학총』에 발표한 「조선금석쇄담朝鮮金石瑣談」에서, "이 비는 1934년 10월 31일 경주의 육촌 옹 오사카 긴타로

大坂金太郎 씨에 의해 발견"이라고 하며, "오사카大坂 자신은 잡지 『조선』 제235호(1934년 12월호)에 상세히 보고하고 있다"고 기술하였다. 그러면서도 최남주의 이름은 언급하지 않고 있다.[309]

『경주남산의 불적』에서도 남산신성비 명문을 게재하고 1934년 10월에 오사카 긴타로大坂金太郎가 돌다리로 사용하던 남산 신성비를 발견한 것으로만 기술하고 최남주의 이름은 누락시키고 있다.[310] 한국인의 공적은 기술하기를 꺼린 것이다.

308 大坂金太郎, 「慶州に於て新に發見へられたる南山新城碑」, 『朝鮮』 제 235호, 朝鮮總督府, 1934년 12월, p.113-114.
309 藤田亮策, 「朝鮮金石瑣談(一)」, 『靑丘學叢』 제19호, 靑丘學會, 1935년 3월. pp.158~162.
310 小場恒吉, 『慶州南山の佛蹟』, 朝鮮總督府, 1940, p.11.

그러나 해방 이후 스에마츠 야스카즈末松保和는 『신라사의 제문제』의 「근시발견의 신라금석문」에서, "남산신성비. 1934년 10월 31일, 오사카 긴타로大坂金太郎·최남주 양씨 발견"이라고 밝히고 있다.[311]

11월 31일 저녁에 경남 남해 화방사花芳寺에 불이 나 새로 개축하였던 백년암이 전부 소실되었다.[312]

1934년 10월

경주 황남리 제4호분 조사

19월에 사이토 타다시齋藤忠에 의해 황남리 제4호분이 발굴되어 순금제대관식조식純金製大官式弔飾 1개를 비롯하여 순금제화롱무식純金製華籠無飾 1개와 은제소도銀製小刀 1와 철창鐵槍 2개 그 외 철제품과 신라토기 등 다수가 출토되다.

『동아일보』 1934년 10월 25일자에는 다음과 같은 기사가 있다.

311 末松保和, 『新羅史の諸問題』, 東洋文庫, 1954, p.494.
　　末松保和, 『新羅の政治と社會 下(末松保和朝鮮史著作集2)』, 吉川弘文館, 1995, p.158.
312 『東亞日報』 1934년 11월 5일자.

신라의 문화를 웅변하는 비익고분比翼古墳을 발굴

순금제대관식조식, 은제소도 등

무인부부의 고분으로 판명

신라문화를 자랑하던 바의 고분을 이외에도 발굴하게되어 신라문화 연구상 중대한 신자료를 제공하게 되었다.

경주박물관에 있는 사이토齋藤 씨가 발굴하고 있는 경주읍 황남리 제4호분의 발굴은 19일에 대체로 끝나게 되었는데 전기 고분은 의외로 비익고분比翼古墳인 것이 명백하게 되었다.

제4호분 제1곽의 출토품의 매장 주인공은 무인武人으로 판측되어 있는 바 그 후 계속된 제2곽의 발굴은 19일 오후 최저부에 달하여 순금제대관식조식純金製大官式弔飾 1개를 비롯하여 순금제화롱무식純金製華籠無飾 1개와 은제소도銀製小刀 1개와 철창鐵槍 2개 그 외 철제품과 신라소토기 등 다수의 출토품이 있었는데 제2곽 매장주는 부인의 것으로 판측되는데 이 고분은 신라 오조五朝의 무인 부처를 매장한 비익고분이다.

종래 신라고분은 1기에서 13곽을 발굴한 일도 있었으나 그는 차차로 곽을 만들어 더 많게하여 잇게 되어 가지고 그를 후년에 한 개로 된 것으로 판측되는데 금회의 고분은 제2곽이 모두 부장품 곽을 닮게 하여 만들어 잇는 것으로 보면 최초부터 계획적으로 만든 비익분인데 이 고분의 존재가 금회의 발굴로 명백하게 된 것은 근래 드문 일이라 한다.

1934년 11월 3일

제1회《조선공예전람회》

    1920년대까지는 고미술품 수집은 일본인들의 독무대였다. 그러다가 1930년 대에 들어서면 한국인 수집가들이 늘어나고, 특히 간송 전형필 같은 선각자는 해외 반출을 막기 위해 전 재산을 털어 일본 수집가들과 투쟁하기도 했다. 반면에 자신의 사리사욕만 채우려는 자들도 있었으니 그 대표적인 자가 문명상회 이희섭이었다. 당시 이희섭은 경성미술구락부의 주주이면서 세화인으로 참여하여 중계 역활을 하기도 하고,[313] 경성미술구락부를 통하여 많은 고미술품을 매입하기도 했다. 이희섭은 원래 서울 아현동에서 유기점을 하던 부친 밑에서 행상으로 출발하였다고 한다. 그가 어떤 동기로 고미술품에 손을 대었는지는 알 수 없으나 그의 수집 목적은 경제적 이득에 있었던 것으로 보인다.

    그가 설립한 문명상회는 서울에 본점을 두고 개성, 도쿄, 오사카에 지점을 두

문명상회 도쿄지점

---

313 경성미술구락부의 '1941년 말 현재의 주주 및 지주 수'를 보면 이희섭은 '李屋禧燮'이란 이름으로 주주의 명단에 30주를 가지고 있는 것으로 나타나 있다.

어 운영하였다. 서울에 몇 명의 사무원을 두고 거액의 자금을 들여 낙랑에서 조선시대에 이르는 고미술품을 1급품만 골라서 대량으로 매입한 다음 모두 일본으로 반출하였다. 도쿄와 오사카 지점에서 수시 판매하는 것은 물론이거니와, 1934년부터 1941년 사이에는 조선총독부의 후원을 얻어 7회에 걸쳐 도쿄와 오사카에서《조선공예전람회》를 열어 우리나라 문화재를 대량으로 전시 판매하였다.

제1회《조선공예전람회》는 1934년 11월 3일부터 11월 11일까지 열렸다. 제1회 도록을 보면, 당시 일본의 고미술계에서 가장 권위 있다고 하는 '국민미술협회'의 주최로 이루어졌다.

당시 『매일신보』 1934년 11월 1일자에는 다음과 같은 기사가 실려 있다.

국민미술협회에 조선공예품 전람, 2천5백 점의 다수
국민미술협회에서는 래 11월 3일부터 5일까지 초대하기로 하고 11일부터는 우에노上野공원 일본미술협회에서 조선공예전람회를 개최하고 낙랑 대방의 발굴품, 이조말기 유품 등 총 2천5백 점의 다수의 조선공예품을 전람 공개하기로 되었다.

사단법인 국민미술협회 관리 하에 전람회의원을 위촉하여 도록을 편집하였는데, 편집 및 역원으로는 고문에 마사키 나오히코正木直彦, 위원장에 오카와大河内正敏, 이하 위원 12명으로 이루어 졌다. 도록의 책머리에는 마사키正木直彦의 "이희섭 군은 경성에서 문명상회를 경영하는 반도인으로 수년 동안 본인이 직접 계림팔도의 산간변수山間邊陲에 고공예를 섭렵涉獵하고 또는 고도古都의 구가를 탐방하고, 마침내 수천 점의 고공예품을 수집하기에 이르렀다"는 머리글을 싣고 있다. 처음 계획은 물품 하나하나에 어느 정도 해설을 첨부하려 했으나, 9월 하순에 대폭우로 인하여 조선에서 하물이 연착되는 관계로 시간이 부족하여 대략 연대순으로 배열했다고 한다.[314]

　도록은 대표적인 343점을 도판으로 싣고, 그 후는 목록만을 게제하고 있다. 도판으로 실린 것으로 중요한 것은 낙랑고분에서 출토된 것으로 '도금박산향로'와 평양재주의 나카무라中村의 구장으로 알려진 '동증銅甑'과 조선고적도보 제8책의 3472호로 모리 마사오森眞男의 소장으로 알려진 '고려청자투각구형개향로高麗青瓷透刻龜型蓋香爐'가 특히 눈에 띈다. 불상의 경우에는 무려 28점이나 출품되었다.[315]

　나카니시 카이치中西嘉市는 당시 평양에서 가장 유명한 골동상으로 평양 일대의 고분에서 나온 도굴품들을 모아 일본으로 반출하는데 앞장섰다. 그가 소장하였던 박산향로 1점은 낙랑고분에서 나온 것으로 당시에도 귀한 것으로 이름이 높았던 것인데 문명상회를 통해 일본으로 반출하였다. 핫타八田는 "낙랑 출토품 중 박산향로는 현재 겨우 2점으로 그 하나는 총독부박물관 소장이고 다른 하나는 평양부 골동상　나카니시 카이치中西嘉市 씨의 소장이다"[316]라 하고

314 國民美術協會, 『朝鮮工藝品展覽會圖錄』'序文', 1934.
315 高句麗觀世音菩薩立像(목록번호30, 平壤出土), 高句麗鍍金佛立像(목록번호31, 32), 高句麗石佛(목록번호35), 高句麗泥佛(목록번호34), 新羅銅佛立像(목록번호36, 37), 新羅鍍金佛立像(목록번호38), 新羅銅佛坐像(목록번호39, 41), 新羅銅佛立像(목록번호40, 42, 43, 44), 三國時代觀音菩薩立像(목록번호45), 三國時代如意輪觀音菩薩銅像(목록번호46), 高麗金銅佛像(목록번호63, 64), 高麗鍍金坐佛(목록번호65), 新羅立佛(목록번호512), 新羅座佛(목록번호513), 高麗青銅坐佛(목록번호546), 高麗金銅坐佛(목록번호547, 548, 549, 550), 高麗金銅立佛(목록번호551), 朝鮮坐佛(목록번호888).
316 八田己之助, 『樂浪と傳說の平壤』, 平壤研究會, 1934.

있다. 총독부박물관 소장의 박산향로는 1916년 세키노 일행이 석암리 제9호분에서 발굴한 것이고, 나카니시의 것은 대난굴시대에 도굴품으로 나온 것이다.

그 외 고려자기와 고려묘지명표, 석탑 8기가 실려 있다.

제1회 공예전람회 주요 목록

품명	목록번호	수량	비고
낙랑출토 박산로	1		칼라 사진으로 게재하고 있는데, 1916년 대동강면 석암리 제9호분에서 출토된 향로와 아주 흡사한 것이다.
낙랑출토 硝子玉	2	20종	
고려청자투각구개향로	3		『조선고적도보』8권 3472, 森辰男 구장

품명	목록번호	수량	비고
雲鶴鳳凰牧丹文辰砂大瓶	5		
樂浪銅甑	6		 中村 구장
낙랑출토 銅弩機	14		도쿄박물관 소장의 것과 동일형
고구려 觀世音菩薩立像	30		 평양 발굴
高麗銅鼓	53		在銘

품명	목록번호	수량	비고
신라불상	36~38		
신라불상	39~41		
신라불상	42~44		

품명	목록번호	수량	비고
삼국시대 관음보살상	45		
삼국시대 如意輪觀音菩薩象	46		
高麗梵鐘	61		

품명	목록번호	수량	비고
高麗梵鐘	62		"숭정기원후사 술년구월 일 (崇禎記元後四戌年九月 日) 중종개주(中鐘改鑄) 대구 김종득(大丘 金鐘得) 도편사(都片寺)" 란 명문이 있다. 쓰보타 료헤이(坪田良平)의 『조선종』에는 재일 소재미상 종(e)로 소개하고 있다. 1934년 11월 개최된 《조선공예전람회》에 출품된 종으로 도록에 제62호로 게재된 바 있다. 주성연대는 14세기로 짐작되며 아마도 일본의 애호가가 소장한 것으로 추정되고 있으나 인명은 알 수 없다고 한다.
고려청자목단문음각수주	80		
新羅砂張	47, 48		

품명	목록번호	수량	비고
新羅手付坩 및 新羅坩	49, 50		
高麗佛像	63~65		
고려청자인물형수적	88		
彫삼도초화문병	132		
회고려병	171		
청화백자십장생대호	209		
청화(染付)백자용문대호	211		
조선루각인물도병풍	293		

품명	목록번호	수량	비고
석탑	326,327		
석탑	324, 325	4기	
석조물			
도판은 343까지 싣고, 목록은 시대별로 분류했다.			
낙랑	1~463		
고구려	464~511		
신라	512~545		
고려	546~887		

품명	목록번호	수량	비고
불상, 향로	546~576		
고려백자	577~592		
청자	593~720		
天目	721~760		
삼도	761~797		
세모목	798~863		
회고려	864~887		
조선 888~			
범종 등	888~895		
백자	896~973		
천목	974~1180		
雜釉	1109~1137		
잡	1158~1184		
염부(청화)	1185~1372		
철사	1373~1412		
분원진사	1413~1493		
분원철사	1494~1587		
회령	1588~1606		
칠공	1602~1760		
목공	1761~1896		
죽공 기타	1897~1920		
석조물	1921~1959		
초자옥 및 기타	1960~2500		

《조선공예전람회》도록

일본에서 개최한 《조선공예전람회》 도록은 7책이 남아 있다. 이것은 1934년 부터 1941년까지 7회에 걸쳐 개최한 《조선공예전람회》에서 전시 판매하기 위 해서 만든 도록으로, 문명상회의 이희섭이 수집한 한국의 고미술품 중 1급품만 골라서 도판을 만들고 목록을 제작한 것이다. 당시 조선총독을 위시하여 정무 총감, 조선군사령관, 일본 정계를 주름잡던 거물들이 도록에 글을 실어 부추기 이고 경하하였다. 즉 한국 고미술품이 일본 땅으로 넘어가는 것을 축하하고 있 었던 것이다. 오늘날 실물을 볼 수 없는 상황에서 우리나라 유물의 이동을 파 악하는데 있어서 이 도록의 가치는 대단하다고 할 수 있다.

1934년 10월 7일

《조선고도자즉매회》

《조선고도자즉매회》가 일본 3개의 화랑이 공동 주최로 10월 7일부터 11일까

지 열렸다.[317]

1934년 10월 27일

《조선어학도서전람회》 개최

조선어학회가 「한글날」 기념행사로 주최하는 《조선어학도서전람회》가 구 보성전문학교 교사에서 10월 27일, 28일 양일에 개최되다. 조선어학도서전람회에는 훈민정음원본, 용비어천가(세종조간 원본), 삼운통고(자서의 최고한 것으로 단 한 책), 금강경기삼가해(450년 전의 동활자판), 진언집(안심본판), 목각예수교성경(50년 전 봉천에서 인쇄) 등 1천여 점의 진품이 전시되었다.[318]

『조선중앙일보』 1934년 10월 23일자에는 다음과 같은 기사가 있다.

한글문화의 조감도
한글도서전람회, 조선어학회 주최로 개최된다.
우리들의 자랑이오 또한 세계에 자랑할 만한 「한글」을 세종대왕께서 창정하신지 488년의 돌을 맞이하는 돌아오는 10월 28일을 기념하기 위하여 시

---

317 「展覽 入札」, 『陶磁』 제6권 제4호, 東洋陶磁研究所, 1934.
318 『東亞日報』 1934년 10월 23일자.

내 수표정 조선어학회에서는 이 뜻깊은 기념일을 맞이하여 여러 가지로 그 기념에 대한 것을 준비해오던 바인데 이번에는 전회원이 각 방면으로부터 수집해온 귀중한 문헌을 공개하는 조선어학도서전람회를 10월 27일부터 28일까지 2일간 수송동 전 보성전문학교 자리에서 개최하리라 한다. 그런데 무엇보다도 보기드문 진귀한 출품을 보면 세종대왕께서 창제하신 훈민정음원본과 세종조에 간행한 용ㅇ비어천가의 원판과 그리고 자서字書의 최고본으로 오직 한 권만 남은 삼운통고三韻通考와 아울러 450여 년 전에 동활자로 박힌 금강경가해金剛經家解 등 고서만 2백여 점이 진열되었으며 그 외에도 한글운동에 관한 서적, 사진, 도해 등 1천2백여 점의 출품으로 실로 조선한글운동에 조선 초유의 대 전람회인 만큼 조산문화의 조감도라 할 수 있다.

1934년 11월 19일

《조선고도자전람회》

《조선고도자전람회》가 11월 19일과 20일 양일에 걸쳐 일본 히로시마 청정당淸淨堂골동점에서 열렸다.[319]

---

319 『陶磁』 제6권 제5호, 東洋陶磁研究所, 1934년 12월.

1934년 11월 27일

사찰 절도단 검거

금년 1월 이후로 마산, 장원, 함안, 통영 등지로 출몰하며 사찰 유물을 절취한 절도단 3인을 11월 27일 마산경찰서에서 검거했다.

이들은 마산의 전 모 외 3인으로 본년 1월부터 마산 성호동 건봉사乾鳳寺포교소에 침입하여 불상 1체를 절취하고, 창원군 내서면 광산사匡山寺, 통영군 광도면 안정사安靜寺, 창원군 진북면 포교소, 함안군 칠북면 장춘사長春寺 군북 광효아光曉庵, 부내 월영동포교소 등 불상 6체 신불상화神佛像畵 15매 합계 8백여 원을 절도하여 마산에서 전부 매각하였다.[320]

1934년 11월 29일

한일합방기념탑 제막

1934년에 일본 메이지신궁 공지에 한일합방을 기념하기 위한 '일한합방기념탑'의 건립이 있었는데, 이때 건립한 탑이 다보탑을 그대로 모방하였다.

탑은 1934년 3월에 기념탑 설계안이 작성되고 5월에 기초공사가 이루어져 11월

---

320 『朝鮮中央日報』 1934년 12월 9일자; 『每日申報』 1934년 12월 6일자.

에 완공되었다. 탑 내에는 석실을 만들고 한일합방 공로자들의 명단을 작성하여 넣었다. 그 속에는 매국노 이용구, 송병준을 포함한 354명의 명단이 들어 있다.[321]

『매일신보』 1934년 12월 1일자에는 다음과 같은 기사가 있다.

일한합방기념탑(『일한합방기념사진첩』)

일한합방기념탑 동경에서 제막식. 메이지대제明治大帝의 어굉업御宏業인 일한합방을 기념하기 위해 두전만옹頭田滿翁, 우치다 료헤이內田良平 씨 등이 발기인으로 사이토 마코토齋藤實, 미쓰이三井, 이와사키岩崎, 스미모토住友의 각 원조를 받아 건립된 일한합방기념탑의 제막식은 29일 오전 10시부터 메이지신궁 오모데산도表參道 신궁교반神宮橋畔에서 거행되었다. 주빈석에는 합방 공로자와 유족 이토 히로부미伊藤博文 공의 사자嗣子, 조선 일진회장 이용구 씨의 사자嗣子 이현구를 위시하여 히로다廣田 외상, 코다마兒玉 척상, 아다치 겐죠安達謙藏 씨 외 조야의 명사 다수 열석으로 <중략> 기념탑은 조선 불국사 다보탑을 모방한 것으로 탑 내의 석실에는 명치대제의 천고불마千古不磨 어굉업御宏業에 대하여 여러 가지 기념품과 일한합방 공로자 이등박문 공 이하 수백 명의 씨명이 조각되었다.

---

321 鈴木一郎, 『日韓合邦記念塔 寫眞帖』, 1934,

일제가 '일한합방기념탑'의 모델을 다보탑으로 선정한데에는 물론 다보탑의 미술적 가치나 세계에 유례가 없는 형태의 희귀함도 작용했을 것이다. 그러나 무엇보다도 한국을 대표하는 다보탑을 본 따 만들어 건립함으로서 한국민족을 일본에 완전 흡수한다는 상징적 의미로서의 선택이 아니었는지?

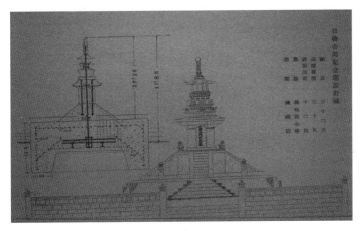

설계도

1934년 11월

와세다(早稻田)대학에 불상 기증

평북 정주 서면 서호동에 있는 이정근李貞根의 집에서 조선 전래의 높이 2촌 가량되는 불상이 있는데 11월 중순에 이것을 휴대하고 상경하여 박물관장 후지타藤田의 소개로 도쿄제대 구로이타黑板 박사의 감정을 청했는데 고려시대의 귀중한 고물로 감정되었으므로 이 씨는 모교의 와세다早稻田대학으로 가지고

가서 참고로 바치었다.[322]

1934년 12월 3일

흥국사지 석탑의 이전허가원을 제출하다

흥국사지석탑은 경기도 개성 만월정 297번지 김기삼 씨 주택 내에 있는데, 요네다 미요지米田美代治와 가야모토 가메지로榧本龜次郎가 1934년 3월에 조사를 하고 복명할 때 박물관으로 옮기는 것을 건의 했다. 이 탑은 특히 강감찬이 1018년(현종9년)에 나라의 안녕을 위해 세운 탑이라는 명문이 있어 이마니시 류今西龍의 조사 때도 주목되었던 탑이다.

이 같이 귀중한 탑이 민가의 저택 내에 있는 관계상 아동들이 장난으로 훼손함으로 이를 박물관 정원으로 이전하여 보존하기 위해 12월 3일에 고유섭 개성 박물관장이 이전허가원을 본부로 제출하였다.[323]

---

322 『東亞日報』1934년 11월 28일자.
323 『東亞日報』1934년 12월 5일자.

1934년 12월 26일

김해 유적 발굴

김해읍의 유적 발견은 우연한 일로 발단이 되었다. 1934년 12월 26일 경상북도 시학視學 이카와 규타로及川久太郎가 당지 학교교원단체를 위해 김해읍 회현리에서 현지 강연을 하고 난 후 가까이에서 그의 눈에 들어온 것이 있었는데 옹관甕棺의 구록부口緣部가 지중에 노출된 것이 눈에 띄었다.

바로 경성의 후지타 료사쿠藤田亮策에게 전보를 보내게 되어 가야모토 가메지로榧本龜次郎가 현지로 내려와 조사를 하게 되었다.

가야모토는 12월 27일 늦게 경성을 출발하여 28일 아침에 김해에 도착하고, 29일에 이카와의 안내를 받아 인부 6, 7명을 인솔하여 발굴에 착수 했다.

이카와가 발견한 옹관에서 동검, 동모 기타 동제품을 발견하고, 그 주위에서 석관 5개, 옹관 3개, 점토곽 1개, 관옥 1개(옹관에서 발견), 마석족 2개(대형석관에서 발견), 소감(대형석관에서 발견) 등을 발견했다. 그리고 패층으로부터 골제철제도자병骨製鐵製刀子柄, 석부, 관옥 2개, 토기편, 기타를 발견했다.

발견된 옹관은 가야모토가 나머지 발견 유물과 함께 본부박물관으로 옮기고, 석관, 주거지, 점토곽 등은 목책을 세우고 철망을 둘러 출입을 금지시켰다.

1935년 1월 13일 까지 유물을 수습하고 조사를 마쳤으나 구체적 보고서가 보아지 않는다.[324]

---

324 高田十郎,「朝鮮古蹟調査ききがき」,『史迹と美術』第8輯 3號, 1937년 3월, p.33;「경상남도 김해군 김해읍 발견 석관(石棺) 외」,『국립중앙박물관 소장 조선총독부박물관 공

같은 해

오마가리 미타로大曲美太郎는 경남 동래군 낙동강안 대포大浦패총을 개인적으로 발굴 조사했다.[325]

오쿠다이라 타케히코(奧平武彦)가 화금청자를 입수하다

오쿠다이라 타케히코奧平武彦는 박병래와도 골동관계로 인하여 친분이 있었다고 한다. 한번은 박병래가 평소와 같이 골동상점에 갔더니, 마침 오쿠다이라가 물건을 흥정하다 말고 입을 벌리지 말라는 시늉으로 "쉬쉬" 하길래, 알고 보니 대단한 물건을 사가지고 나가는 것이라고 한다. 그가 사간 것은 금박을 넣은 고려청자사발이었다. 즉 금화청자金畵靑磁인 것이다.[326]

금화청자金畵靑磁 또는 화금청자畵金靑磁라는 것은 청자에 금을 칠한 것으로, 이에 관한 기록은『고려사』에도 보이지만 그 실물이 처음 출현한 것은 1933년 봄에 개성 만월대 가까이에서 일본인 오카무라 시게로岡村茂郎란 자가 발견한 것이다. 그가 한 동안 소장하고 있다가 1933년 8월에 개성박물관에 기증해옴에 따라 박물관에 진열하게 되었다. 이것은 청자 중에서도 가장 희귀한 것이다.

　문서』, 목록번호 : 97-발견01.

325　早乙女雅博,「新羅の考古學調査 100年の研究」,『朝鮮史研究會論文集』39, 朝鮮史研究會, 2001년 10월, p.77.

326　朴秉來,『陶磁餘滴』, 中央日報社, 1974.

이 같이 귀중한 금화청자가 한동안 발견되지 않다가, 금화청자의 귀함을 누구보다도 잘 알고 있는 오쿠다이라의 앞에 금화청자사발 하나가 나타났으니 감격하지 않을 수 없었던 것이다. 이를 흥정하던 차 박병래가 들어오니 도자기를 잘 아는 박병래가 혹여 금화청자의 귀함을 발설이라도 하는 날에는 흥정이 무산이 되는 일이었다. 박병래에게 발설하지

오쿠다이라 소장 금화청자
(『도자』 6권 6호, 口繪 제2 所載)

못하게 하고 흥정을 마친 오쿠다이라는 금화청자사발을 품에 안고 가버렸다.

1934년에 화금청자를 입수한 오쿠다이라는 1934년 12월에 『도자』 6권 6호에 「고려의 화금자기」란 제목으로 처음으로 세상에 공개했다. 오쿠다이라는 개성박물관 소장의 금채원후도과문편호金彩猿猴桃果文扁壺와 오쿠다이라 자신의 소장 금채매월쌍봉문발金彩梅月双鳳文鉢에 대해 상세하게 소개하였다.

개성박불관의 금채원후도과문편호金彩猿猴桃果文扁壺는 일부 결실되었으나 수려한 상감문양 위에 다시 찬란한 금채를 칠한 절품이다. 오쿠다이라 소장의 금채매월쌍봉문발은 1934년 강화도로부터 출토된 것으로 전한다. 입주변에 음각의 당초문을 두르고 아래쪽에 금채로 쌍봉문을 한 것이다. 금은 많이 떨어져 나가고 그 흔적이 남아 있다. 외면에는 금채로 매화와 달의 문양을 했다. 비록 화금 자체는 많이 남아 있지 않으나 완전한 것이다.[327]

327 奧平武彦,「高麗の畵金磁器」,『陶磁』 6-6, 1934년 12월; 小山富士夫,「高麗の古陶磁」,

고야마 후지오小山富士夫에 의하면, 개성박물관과 오쿠다이라 소장의 금화청
자 외에도 "1936년 부산재주의 폐전헌남廢田憲男이 금채운학문청자병金彩雲鶴文
青磁瓶을 입수했다고 전한다. 금일에 알려진 것은 이 같이 3점뿐이다. 그리고 경
성의 아마이케 시게타로天池茂太郎의 말에 우연히 화금청자를 목격했다고 하나
필자는 자세하게 듣지 못했다" 라고 하고 있다.[328] 이만큼 귀한 것이다.

오쿠다이라 타케히코奧平武彦는 1926년에 경성대학 조교수로 임명되어 법문
학부에서 외교사를 강의하였다. 저서로는『조선개국 교섭시말』이 있으며, 그의
전공이 외교사이지만 취미가 다양하여 도자기, 불상, 서화, 서책 등 다양하게
수집을 하였다.

고야마 후지오小山富士夫가 오쿠다이라의 연구실을 방문했을 때의 모습을 보면,
연구실에는 천정에 닿을 정도로 벽면전체에 책들을 쌓아 놓은 연구실, 최근에 입수
한 분원分院의 고기록, 각종의 화각장畵角張을 연구실에 두었다. 개성 출토의 용천요
의 '하빈유범'명청자발河濱遺範銘青磁鉢을 비롯한 각종 도자기를 배관했다고 한다.[329]

1932년 10월에는 경성대에서 개최한《조선고지도전관》에『여지도』1책, 조
선 각도도, 중국도, 천하도, 일본국도 등 12매로 묶은『조선지도첩』1책, 조선
각도도 10매로 묶은『조선지도첩』등을 출품하기도 하였다.[330]

　　『陶磁講座』年代未詳, pp.33-34;『陶磁』제8권 제3호, 東洋陶磁研究所, 1936년 6월.
328　小山富士夫,「高麗の古陶磁」,『陶磁講座』年代未詳,
329　小山富士夫,「朝鮮の旅」,『陶磁』제11권 2호, 1939년 7월.
330　靑丘學會,「朝鮮古地圖展觀」,『靑丘學叢』제10호, 靑丘學會, 1932년 11월.

특히 도자기 부분에는 상당한 연구가 있어[331] 높은 안목을 가지고 있었다. 심지어는 자료적 가치가 높은 도자기 파편까지 수집하여 대학 연구실에 상당수를 진열하기도 하였다.[332] 1934년에 간행한『도자』6권 4호에는 오쿠다이라의 소장품으로 조선 초기의 고분에서 출토된 것으로 추정되는 '청화백자산수인물문병'과 '청화백자마상배'가 도판으로 소개되어 있다.

오쿠다이라는 해방 훨씬 전에 일본으로 귀국하였기 때문에 그가 소장하였던 많은 한국 고미술품과 서적들은 대부분 일본으로 반출되었다. 금화청자완 역시 함께 반출되어 일본 어디엔가 비장되어 있을 것이다.

1934년도 도쿄국립박물관 유물 수입 목록을 보면 다음과 같은 것이 있다.

유물 명	출토지	유물 번호	출처	비고
文石	강원도	歷史部第11區 4358, 圖版22	『年譜(1934)』[333]	구입
文石	강원도	歷史部第11區 4359	『年譜(1934)』	구입
陶製壺	조선 발굴	歷史部第11區 4360	『年譜(1934)』	구입

---

331 그는『陶磁』에「朝鮮靑華白磁考」(『陶磁』6-4),「朝鮮出土の支那陶磁器 雜見」(『陶磁』9-2),「高麗の畵金磁器」(『陶磁』6-6) 등을 발표하기도 하였다.

332 小山富士夫,「朝鮮の旅」,『陶磁』11-2, 東洋陶磁研究所, 1939년 7월.

333 帝室博物館,『帝室博物館年譜(昭和9年 1月~12月)』, 1935.

유물명	출토지	유물 번호	출처	비고
坩形土器	경주 발굴	歷史部第11區 4361, 圖版23	『年譜(1934)』	구입
盌形土器	경주 발굴	歷史部第11區 4362	『年譜(1934)』	구입
土器蓋	경주 발굴	歷史部第11區 4365	『年譜(1934)』	구입
骨壺	경주 발굴	歷史部第11區 4366	『年譜(1934)』	구입
陶製瓶	경주 발굴	歷史部第11區 4367	『年譜(1934)』	구입
陶製裝飾付坩	경주 발굴	歷史部第11區 4368	『年譜(1934)』	구입
細形銅劍	경남 창령 발굴	歷史部第11區 4369	『年譜(1934)』	구입
陶製杯	부여	29002, 歷史部第11區 4340	『收藏品目錄』, 1956; 『年譜(1934)』	기증. 矢島恭介[334]
陶製脚附杯	부여	29001, 歷史部第11區 4339	『收藏品目錄』, 1956; 『年譜(1934)』	기증. 矢島恭介
佛形立像(高 11.6糎)	조선 발견	歷史部第11區 4341	『年譜(1934)』, 『收藏品目錄』, 1956.	기증. 菅貞助
金製太環式耳飾 1쌍	경주 노서리 제215번지고분 발굴	歷史部第11區 4346, 圖版24	『年譜(1934)』	기증. 今井田清德
金製頸飾 1連	경주 노서리 제215번지고분 발굴	歷史部第11區 4347, 圖版25	『年譜(1934)』	기증. 今井田清德
玉製頸飾 1連	경주 노서리 제215번지고분 발굴	歷史部第11區 4348	『年譜(1934)』	기증. 今井田清德
金製指輪	경주 노서리 제215번지고분 발굴	歷史部第11區 4349	『年譜(1934)』	기증. 今井田清德
金製指輪	경주 노서리 제215번지고분 발굴	歷史部第11區 4350	『年譜(1934)』	기증. 今井田清德
銀製指輪	경주 노서리 제215번지고분 발굴	歷史部第11區 4351	『年譜(1934)』	기증. 今井田清德

334 矢島恭介는 고고학을 전공하고 제실박물관 감사보로 근무하면서 1933년부터 낙랑고분 발굴에 참여했다.

유물 명	출토지	유물 번호	출처	비고
銀製指輪	경주 노서리 제215번지고분 발굴	歷史部第11區 4352	『年譜(1934)』	기증. 今井田淸德
金製釧	경주 노서리 제215번지고분 발굴	歷史部第11區 4353, 圖版26	『年譜(1934)』	기증. 今井田淸德
銀製釧	경주 노서리 제215번지고분 발굴	歷史部第11區 4354	『年譜(1934)』	기증. 今井田淸德
金製太環式耳 飾 1쌍	경주 황오리 제16호분 발굴	歷史部第11區 4355, 圖版24	『年譜(1934)』	기증. 今井田淸德
玉製頸飾 1連	경주 황오리 제16호분 발굴	歷史部第11區 4356	『年譜(1934)』	기증. 今井田淸德
金製太環式耳 飾 1쌍	경주 황오리 제16호분 발굴	歷史部第11區 4357, 圖版27	『年譜(1934)』	기증. 今井田淸德
螺鈿懸筒	조선 시대	美術工藝部第2區 內482, 圖版57	『年譜(1934)』	구입

朝日修好條規

大日本國與

大朝鮮國素敦友誼歷有年所今欲重修舊好以固親睦由兩國政府簡派

大日本國政府簡命特命全權辨理大臣陸軍中將兼參議開拓長官黑田清隆特命副全權辨理大臣議官井上馨

大朝鮮國

大朝鮮國政府簡列中樞府事申櫶副總管尹滋承各遵所奉論旨議立條款開列于左

, 第一欵

朝鮮國自主之邦保有與日本國平等之權嗣後兩

우리 문화재 수난일지

1935년

1935년 1월 6일

평안백화점 주최 《제1회 서화골동품전람 및 즉매회》

『매일신보』 1935년 1월 8일자 광고

1월 6일부터 9일까지 평양의 평안백화점 서화 골동품부 주최로 서화골동품전람회 및 즉매회가 개최되었다. 출품 점수는 1천점 이상으로 변호 사 이학천, 대명의원장 김광업의 출품이 가장 많 은 수를 점하였으며, 1천 년 전의 고기물을 위시 하여 1천원 가치의 서화 등이 진열되었다.[335]

1935년 1월 17일

《조선미술공예품감상회》

1월 17일부터 20일까지 경성 미쓰코시三越백화점에서 《조선미술공예품감상 회》가 개최되다.[336]

---

335 『朝鮮中央日報』 1935년 1월 10일자.
336 『陶磁』 제7권 제1호, 東洋陶磁研究所, 1935년 10월.

1935년 1월

총독부에서는 종합박물관 건설을 위한 제1회 협의회를 개최하고 박물관건설 후보지로 선정되었던 왜성대와 경복궁 중에서 대지공사에 많은 경비가 소요되는 왜성대보다 경복궁내에 건설하기로 결의하다.[337]

1935년 3월 1일

와타나베 사다이치로(渡邊定一郎) 소장품 경매

경성상업회의소 회두이자 경성미술구락부 2대 사장 와타나베 사다이치로渡邊定一郎는 다양한 고미술품을 수집하였는데, 그가 소장하였던 일부의 미술품은 1935년 3월 1일부터 3일까지 경성미술구락부에서 《도변가어소장품매립》 회를 열어 경매 처분하였다. 『도변가어소장품매립』 목록을 보면, 서화, 불상, 고려자기, 분청사기, 조선백자, 기타 총 457점이 수록되어 있다.

『도변가어소장품매립』 안쪽 표지

---

337 『東亞日報』 1935년 1월 28일자.

『도변가어소장품매립』 도판

그 중에서 고려백자칠각향로高麗白磁七角香爐는 3,500원, 계룡산회삼도덕리鷄龍山

조선석조대호(도판 188번)

繪三島德利는 8백원, 신라시대 관음상
은 2천원에 낙찰되었다고 한다.[338]

석조물까지 출품을 했는데 도판
에는 유일하게 도판 188번으로 조
선석조대호朝鮮石彫大虎 한 쌍이 실
려 있는데, 3월 3일에 간송 전형필
이 거간 심보新保를 시켜 1,200원에
낙찰시켰다.[339]

---

338 『陶磁』 제7권 제1호, 東洋陶磁研究所, 1935년 10월.
339 崔完秀, 「澗松이 葆華閣을 設立하던 이야기」, 『澗松文華』 55, 1998.

그의 소장품은 이 같이 일부는 한국에서 흩어졌지만, 그 중 일부는 문명상회를 통하여 일본으로 건너가 판매된 것도 있다.

1939년 11월 문명상회가 조선총독부의 후원으로 오사카에서 제6회 《조선공예전람회》를 개최 했을 때 와타나베가 경성미술구락부를 통해 판매한 도판 100번 고려백자칠각향로가 나타났다.

1935년 3월에 경성미술구락부에서 경매에 붙였을 때 문명상회 이희섭에게 바로 넘어 갔

고려백자칠각향로

는지 아니면 중간에 다른 사람을 거쳤는지는 알 수 없으나 문명상회의 제6회 '조선미술공예품전람회'의 도판 1번으로 '고려백자양각연판칠릉향로高麗白磁陽刻蓮瓣七稜香爐'라 게재한 것이 바로 이것이다.

제6회 『조선미술공예전람회도록』에 도판 1로 실린 이것은 비명碑銘과 함께 나온 것으로 비명도 함께 도판으로 실려 있다. 그 비문에 '熙宗七年' 이라는 시년諡年이 있어 고려 중기에 제작한 것으로 추정되고 있다. 도록의 해설에서 "현재 고려백자가 조선 내에서 제작된 것을 부정하는 일부 설을 불식"시킨 예로 들고 있다.

와타나베 사다이치로渡邊定一郞는 1913년에 한국에 건너와 황해도 천좌농장의 지배인으로 있다가 1918년에 황해사라는 회사의 토목부장, 경성요업주식회사 감사역, 경성토목건축협회 상담역을 하였다.

1935년 3월 9일

금산사 미륵전 화재

금산사 미륵전은 총독부 보조금으로 1919년에 수선 개축을 시작하여 1922년 11월에 준공을 하여 11월 12일에 낙성식을 가졌다.[340]

그 후 13년이 지나 1935년 3월 9일 밤 11시경 전북 김제군에 있는 고찰 금산사 미륵전에서 원인불명의 화재가 발생하여 미륵전에 안치한 높이 33척이나 되는 역사적 미륵 1상을 태우고 또 묘행보살의 왼팔과 연화대 약 2평을 태우고 10일 아침 7시 반에 겨우 진화되었다.[341]

금산사 화재 후 오가와小川 기수가 미륵불의 피해를 조사하는 과정에 은제원통 속에서 루비, 진주, 호박이 각 1개씩 나왔으며, 그 외에 타다 남은 경문 3백 권과 녹아 남은 은이 발견되었다.[342]

미륵전의 본존인 미륵불은 이때 전소되자 미륵전 자체는 껍데기에

『조선중앙일보』 1935년 3월 12일자 기사

---

340 『每日申報』 1922년 11월 17일자.
341 『每日申報』 1935년 3월 12일자.
342 『東亞日報』 1935년 3월 20일자.

불과한 것이 되고 말았다. 이렇게 되자 금산사에서는 곧바로 미륵전 수리복구와 함께 미륵불 제작에 들어가게 된다. 미륵불 제작은 1935년 11월에 당대 일본 유학파로 가장 이름 있는 김복진에게 제작을 의뢰했다.

『매일신보』 1936년 7월 5일자에는 다음과 같은 기사가 있다.

금산사 미륵전 재건. 조각가 김복진 씨의 역작품

금산사 미륵상이 작년 여름 화재로 인하여 없어진 후 관계자는 크게 유감으로 있던 중 금산사 주지 황성렬 씨의 주선으로 미륵개건 시주를 구하던 중 김수곤金水坤 씨 외 일반의 기부가 많이 모였으므로 작년 11월부터 비용 1만 4천원으로 조각가 김복진 씨에게 부탁하여 제작 중이었는데 불상의 높이가 33척의 거대한 불상으로 8월 말경에는 완성될 것이라는데 이 불상에 사용한 순금박 가격만 해도 6천여원에 달한다고 한다.

제작 중인 미륵상(『매일신보』 1936년 7월5일자)

금산사 미륵존불은 그 규모면으로도 엄청난 것이었기에 1935년 11월에 시작하여 1938년 9월에 와서야 그 완공을 보게 되어 9월 3일 점안식을 가졌다.

1935년 3월 14일

3월 14일 함경남도 고원군 낙천리 양천사梁泉寺에서 실화로 소향각燒香閣이 전소되다.[343]

1935년 3월 15일

복명서 표지(표지에 공람자의 확인 인이 여러 개 보이고 있다)

금강산 유점사(楡岾寺)와 부석사 조사

조선총독부 촉탁 사와 슌이치澤俊—와 가야 모토 가메지로榧本龜次郎는 1935년 3월 15일부 터 28일까지 금강산 유점사楡岾寺 53불 및 태 백산 부석사 본존불 등의 조사 및 촬영을 마치 고 돌아와 3월 31일에 복명서를 제출했다.

금강산 유점사 내 53불과 목조백의관음입상 木彫白衣觀音立像, 수야백원狩野伯園 필 육곡병풍 한 쌍, 나옹화상계첩懶翁和尙戒牒 1책, 관세음보 문품경觀世音普門品經 1책 등 기타 사보寺寶에 대

---

343 『東亞日報』 1935년 3월 21일자.

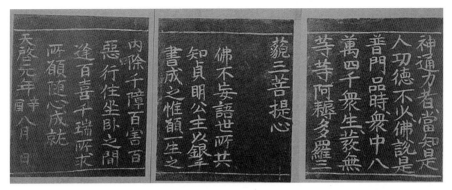

유점사 소장 감지은니법화경 보살품 말미

한 조사 보고와 관련 사진이 첨부되어 있다.[344] 특히 유점사 53불에 대해서는 정면 측면 사진과 더불어 설명을 붙이고 있는데, 그간의 53불의 도난과 관련하여 중요한 자료라 할 수 있다. 그런데 전부터 알려진 사패족자賜牌簇子: 花瓶, 조금합彫金盒: 香爐, 불체주락佛替珠絡, 진주방석眞珠方席 등에 대한 언급이 보이지 않는다.[345]

부석사에 대한 조사는 내용은 소략하나 복명서에 첨부한 부석사의 사진은 당시의 관리

부석사 석조 부도(浮屠) 및 등롱(燈籠)

---

344 「금강산 楡岾寺 신라, 고려불 조사 복명서」, 『국립중앙박물관 소장 조선총독부박물관 공문서』, 목록번호 : 96-136.

345 「東洋名勝 金剛山」, 『每日申報』 1915년 5월 19일자에는,
"유점사 유물로는 賜牌簇子(花瓶), 彫金盒(香爐), 佛替珠絡 등의 보물도 있고, 眞珠方席, 鸚鵡盃 및 中鍾은 융희3년에 황실로부터 금 5백원을 하사하시고 국보로 상납케 하여 목하 경성박물관 내에 있다. 능인보전 앞의 7층탑은 사원 창건시대의 건조물이라 하나 그 후 49회의 화재로 인하여 원형을 잃고 현재물은 183년 전의 창립이라더라"라고 하는 기사가 있다.

상태를 잘 보여주고 있다. 오늘날 부석사를 답방할 때와는 전혀 다른 황폐한 모습을 보게 된다.

1935년 3월 25일

고종, 순종실록 편찬 완성

「동아일보」 1935년 3월 30일자 기사

고종, 순종실록 편찬을 1935년 3월 25일에 완성하였다.

1927년 4월에 고종, 순종실록을 편찬하자는 의논이 있자 이왕직에서는 준비실을 두어 1928년 4월부터 사자생寫字生을 두어 실록 편찬에 필요한 사료를 등사하기 시작했다.[346] 편찬 작업에 필요한 자료가 준비되자 1930년 4월 1일에 이왕직장관 시노다 지사쿠篠田治策를 실록편찬위원장으로 하고 이하 실록편찬위원을

---

346 『東亞日報』 1928년 4월 11일자.

조직하고 본격적으로 5개년 계획으로 양조兩朝의 실록편집에 착수하여 드디어 1935년 3월 25일에 완성을 보게 된 것이다.

고종실록은 철종이 승하한 1863년 12월 8일부터 1907년 (광무 11) 7월 19일 양위까지, 44년간의 47책으로 이루어졌다. 순종실록은 고종의 퇴위부터 1926년 4월 25일까지 20년간의 7책으로 이루어졌다.

『매일신보』1935년 3월 31일자에 다음과 같은 기사가 있다.

조선 역사상 존귀한 이조실록 편찬 완성

이조李朝 500년간의 실록인 시조 태조로부터 25대 철종에 이르기까지의 역대정사歷代正史는 이미 완성되어 유명한 이조실록으로 되어 있는데 그 계속된 이태왕 고종과 고 이왕 순종의 2대의 실록은 아직 완성을 보지 못해서 그간 이왕직에서는 소화5년(1930) 4월 1일부터 5개년계획으로 이 양조兩朝의 실록편집에 착수하여 이래 경학원經學院 대제학大提學과 원 성대교수 오다 쇼고小田省吾를 비롯하여 중추원 참의 석학들과 사회의 경력이 많은 이들을 위원으로 동서고금의 고전, 사료를 섭렵하여서 3월 25일에 겨우 그 완성을 보게 되었다. 이것으로써 이조 500년의 실록정사가 완전히 된 것이다. 그 내용은 이태왕실록에는 철종이 승하하옵신 계해 12월 8일부터 시작하여 광무 11년 7월 22일 이태왕 퇴위의 날까지 이르는 동안의 44년간 47冊이 되고 이왕실록은 이태왕 퇴위의 날로부터 명치43년(1910)까지의 4년 동안과 그 후 대정15년(1926) 4월 25일까지 25년간 7책으로 전후 54책의 기록이라 한다.

그 실록 편찬위원들은 다음과 같다.

실록 편찬위원[347]

직책	위원 명	비고
위원장	篠田治策	이왕직 장관(처음 위원장 직을 맡을 때는 이왕직 차관)
부위원장	李恒九	이왕직 차관
감수 위원	小田省吾	경성제국대학 교수
감수 위원	鄭萬朝	경학원 대제학
감수 위원	朴勝鳳	중추원 참의
감수 위원	成田碩內	이왕직 촉탁
감수 위원	金明秀	이왕직 사무관
감수 위원	徐晚淳	궁내부 비서원
편찬 위원	徐相勛	중추원 참위
편찬 위원	南奎熙	중추원 참위
편찬 위원	李明翔	궁내부 종정원
편찬 위원	趙經九	궁내부 봉상사 제조
편찬 위원	洪鍾翰	총독부 군수
편찬 위원	權純九	총독부 군수
사료 수집 위원	朴冑彬	이왕직 사무관
사료 수집 위원	李源昇	이왕직 사무관
사료 수집 위원	李能和	총독부 편수관
사료 수집 위원	菊池謙讓	대륙 통신사 사장
서무 위원	末松熊彦	이왕직 사무관
서무 위원	志賀信光	이왕직 사무관

---

347 『靑丘學叢』第1號 , 靑丘學會, 1930년 3월, p.160.

직책	위원 명	비고
회계 위원	佐藤明道	이왕직 사무관
감수 보조 위원	金碩彬	총독부 군수
감수 보조 위원	江原善椎	총독부 이사관
감수 보조 위원	金寧鎭	궁내부 비서원
감수 보조 위원	崔奎煥	이왕직 속
편찬 보조 위원	濱野鐘太郞	총독부 도경시
편찬 보조 위원	李秉韶	궁내부 비서원
편찬 보조 위원	李豊用	이왕직 속
편찬 보조 위원	水橋復比古	총독부 군서기
편찬 보조 위원	李準聖	농상공부 주사
편찬 보조 위원	金炳明	법부 주사
편찬 보조 위원	洪明基	궁내부 수륜과 주사
사료 수집 보조 위원	北島耕造	경성고등상업학교 촉탁

중요한 직에는 일본인이 구성되어 있는데 특히 편찬의 가장 중책인 감수에 오다 세이고小田省吾가 맡고, 실록의 원고는 이왕직 장관인 시노다 지사쿠篠田治策의 결재를 득해야 했기 때문에 일제에 유리한 방향으로 편찬하겠다는 심산이 작용했다고 볼 수밖에 없다.

1935년 3월

석고전 박문사로 옮기게 되다

이전 전의 석고전(『매일신보』 1935년 3월 23일자)

남은 석고(『매일신보』 1938년 3월 4일자)

고종께서 조선의 황제국임을 선포한 환구단을 중심으로 조성된 건물은 일제강점과 함께 그 자리에 철도호텔(조선호텔)이 들어서면서 소멸되어 갔다. 마지막 남은 석고전은 총독부도서관에 편입되어 있다가 1935년 3월에는 이토 히로부미의 추모사 즉 박문사로 뜯어 옮겨 종각으로 사용하기로 결정되었다.[348]

석고전이 뜯겨가자 남아 있던 석고石鼓는 조선호텔 정원 장식으로 남아야만 했다.

---

348 『每日申報』 1935년 3월 23일자.

1935년 4월 3일

《조선석공예품전》

1935년 4월 3일부터 8일까지 오사카大阪의 슈고엔聚好園이라는 곳에서 《조선석공예품전朝鮮石工藝品展》이라는 제목으로 전람회가 열렸는데 이는 일본인 골동상 다케우지 야오타로竹內八百太郎이란 자가 한국 전토에 걸쳐 수집한 석조물 200기 이상을 판매하는 전시로 도록까지 발간하였다. 이 속에는 8기의 석탑도 포함되어 있다.[349]

『조선석공예품전관(朝鮮石工藝品展觀)』 표지

다케우치는 경성미술구락부를 통하여 여러 차례 판매하기도 했지만 상당수는 일본으로 빈출하어 판매를 하였다. 일본으로 얼마나 많은 수를 반출하여 판매하였는지 자세히 알 수는 없지만 그가 판매를 목적으로 간행한 도록에서 일부 살펴 볼 수 있다. 다케우치는 서화 골동 모두를 취급하였지만 서화나 도자기에 대한 기록은 잘 보이지 않고 그가 판매를 목적으로 만든 도록에는 석조물이 주를 이루고 있다. 도록에 나타난 주요한 것은 다음과 같은 것이 있다.

---

349 『朝鮮石工藝品展觀』, 安井聚好山房, 1935.

	목록 사진
朝鮮石工藝品展 (1935년 4월 3일~8일)	

	목록 사진
	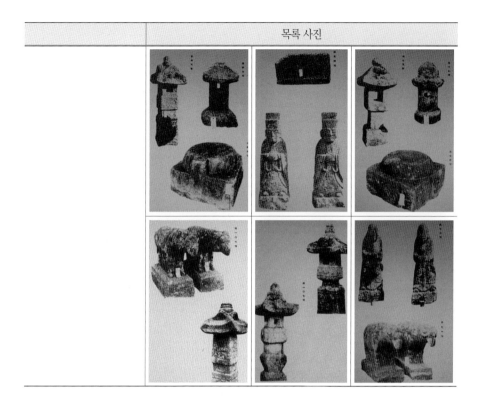

이 전시 매매에서 불티나게 조선석조물이 팔리자 두 달 후 1935년 6월 1일부
터 3일까지 다시 동경미술구락부 정원에서 한국석조물 120여 점을 전시 매매
하였다. 이때 매매되었던 것도 석탑 6기를 포함한 석등, 석수, 문인석 등 대부
분이 폐사지나 고분묘 등에서 몰래 이반한 것으로 전국적인 조직망을 가지고
있으면서 대량 반출한 것으로 보인다.

1935년 4월 11일

부안 성황사 불상 도난

전북 부안 읍내 성황사에서는 4월 11일 오전 2시경에 불상 1체를 도난당했는데, 주지가 출타하고 없는 사이에 도둑이 법당문을 부수고 훔쳐갔다.[350]

1935년 4월 19일

청주 용화사 화재

청주의 대표적 사찰 용화사龍華寺는 창건 설화에는 신이한 현상을 강조하기 위함인지는 모르지만 엄비嚴妃의 꿈과 관련시키고 있지만, 용화사의 창건 시기에 대해서는 미상이다. 1992년 청주박물관에서 발굴 조사한 결과로는 고려시대 후기 이전에 이미 용화사지에는 사가 건립되어 있었던 것으로 추정되고 있다. 폐사지로 남아 있는 사지에 엄비의 도움으로 새로이 용화사란 이름으로 중창한 것으로 추정된다. 엄비의 꿈은 실재든 아니든 그것은 열외로 하더라도 폐사지 일대에 묻혀 있던 석불과 석탑을 수습하여 1902년에 재창건한 후 석불 7구는 법당 안에 모셨다.

---

350 『東亞日報』 1935년 4월 16일자.

1912년의 용화사 모습

(『매일신보』 1912년 7월 7일자. "청주를 거(去)하기 서북 2리 정도에 있으니 10년 이전의
건축에 관계한 것이라 불상 등에도 가견(可見)할 자(者)-유(有)하여 석조로 그 높이가 사람의
4, 5배되는 것이 있는지라 엄비(嚴妃)가 몽조(夢兆)를 의하여 당시 유아(幼雅)하시던 지금 왕세자 전하를
만족히 생육하시고 국가를 태평하기 위하여 건립한 것이라 하더라" 라는 기사를 싣고 있다)

용화사는 1902년 이후 왕실의 비호를 받으면서 비약적 발전을 가져왔다. 용화사 사적에는 "청주군수 이희복이 상당산성 보국사輔國寺를 옮겨 창건했다" 하는데, 보국사는 법주사의 말사로 충청북도 청주군 낭성면에 소재하던 사찰로 1917년에 용화사에 병합되었다.[351] 따라서 1917년에 보국사의 건물을 용화사로 옮겨 신축하면서 법당의 규모가 확장된 것으로 보인다.

청주 일대의 대표적인 사찰로 발전해 오던 용화사에 화재가 발생했다. 1935년 4월 19일 오전 4시경에 법당에서 불이 나 법당이 전소되었으나 다행히 불상은 구출했다. 『매일신보』 1935년 4월 20일자에는 다음과 같은 기사가 있다.

---

351 『朝鮮總督府官報』, 1917년 6월 4일자.

清州龍華寺의
法堂을 燒失

原因放火嫌疑濃厚

「清州電話」 十九日오전四시경부터 청주읍화천정용화사법당에서 발화하야 동四시二十분에 승려리억수가발견하고즉시 청주서와소방서원이현장 으로급행하야七시경법당 을전소하고진화하얏는데 손해는四千원에이르럿고 원인은방화의혐의가농후하야 용의자수명을인치하는한편 주지김경호(金敬浩)와불을처 음발견한리억수(李億水)승을 소환취조중이며원인불명의 괴화로취조결과의여하가 대단히흥미를끌고있다동법 당(法堂)은광무六년(光武) 의건축물(建築物)이며 내부에안치하얏든불상은 석불상으로다행히화는면하얏 (?) 清州

『매일신보』 1935년 4월 20일자 기사

청주 용화사의 법당을 소실
19일 오전 4시경부터 청주
읍 화천정 용화사 법당에서
발화하여 동 4시 20분에 승
려 리억수가 발견하고 즉시
청주서와 소방서원이 현장
으로 급행하여 7시경 법당
을 전소하고 진화하였는데

손해는 4천원 원인은 방화의 협의가 농후하여 용의자 수명을 인치하는 한편
주지 김경호와 불을 처음 발견한 리억수 승을 소환 취조 중이며 원인불명의
괴화로 취조결과의 여하가 대단히 흥미를 끌고 있다. 동 법당은 광무6년의
건축물이며 내부에 안치하였던 불상은 석불상으로 다행히 화는 면하였다.

화재의 원인은 방화의 협의가 짙다고 하여 용화사에 감정을 품은 자를 비롯
하여 신도들까지 조사를 하였으나 그 원인을 밝히지 못했다.

본당 건물을 완전히 잃어버린 용화사는 주존불이라 할 수 있는 석불 7구를
그대로 노천에 봉치하고 사원의 재건에 골몰했다. 화재 이후 청주읍 화천정 무
심천반無心川畔의 위치가 부적절하다는 의견도 있어 청주읍내 부근의 적당한 산
으로 이전 신축하는 방안도 계획되어 그 위치를 물색하기도 했었다.[352]

법당을 소실한 후 여러모로 골몰하던 사찰 측에서는 결국 무심천반에 그대

---

352 『每日申報』 1935년 10월 28일자.

용화보전(『조선관계사진자료집』)

로 용화사를 신축을 계획하는데, 이때 충북의 4개소의 선화당 중의 하나인 청주 선화당 건물을 350원에 매수하여 본당 건물을 신축하게 되었다.『매일신보』 1937년 10월 24일자에는 다음과 같은 기사가 있다.

유서 깊은 청주의 선화당宣化堂 한촌불각寒村佛閣으로 전신轉身

왕시에는 충북 최고 정청이든 것

청주의 최고 주인공이라 할 만한 고대의 건물인 종래는 충북의 최고 정청이었던 선화당은 고래는 도내의 정사政事를 처결하던 곳이었으며 그 후는 청주목사의 진영 청주병영의 정청 청주관찰부를 중용하다가 최근까지는 충북도청의 산업과로 충당되어 도민의 복리증진을 도모하는 중대한 사명을 띄우고 있었는데 금년에 도청사를 신축이전하기로 되어 이 건물만은 제외되어 고적으로 보존하기를 바라고 있던 바 최근에 이르러 이것을 350원으로 청주 용화사로 매각하였으므로 동사에서는 이것을 이전하여 다가

노천에 모신 석불(용화사 자료)

청주교외의 쓸쓸한 벌판에다가 불각佛閣으로 충당하여 가지고 객년에 소
실된 동사 미륵불의 불각으로 개축하기로 되어 지난 20일부터 이것을 뜯
어 이전하려고 공사를 착수하였다 한다.

청주의 선화당을 옮겨 신축한 법당은 6·25 때 소실되어 석불은 또다시 노천
에 그대로 방치되었다.

이후 1972년에 와서야 콘크리트 법당인 미륵보전을 신축하고 석조불상군을

용화사 석조불상군

造佛像群은 1989에 보물 제985호로 지정되었다. 용화사의 건물은 1989년 이후 계속 증축하여 오늘에 이르고 있다.

1935년 4월

도쿄제실박물관 신축 상량식

도쿄제실박물관(현 도쿄국립박물관)은 1928년부터 파괴된 박물관건물의 신축에 들어간다. 1930년 5년 11월에 지진제에 이어 1935년 4월에 제실박물관복흥건축의 상량식이 이루어졌다. 박물관 신축에는 한국 측에 5만원이 분담되었다.[353]

제실박물관 재건계획이 진보됨에 따라 어대전기념제실박물관복흥익찬회(御大典記念帝室博物館復興翼贊會)를 조직한다는 기사(『매일신보』 1928년 8월 30일 기사)

평북 선천군 산면 보광사普光寺에 불이나 사찰 전부가 소실되다.[354]

---

353 『釜山日報』 1933년 6월 6일자.
354 『東亞日報』 1935년 4월 27일자.

덕수궁 함녕전 뒤뜰에 비를 세우다

1909년 6월 15일 통감 이토 히로부미가 일본 추밀원 의장으로 가게 되자, 자작 소네 아라스케曾彌荒助가 후임 통감이 되었다.

이토는 7월 5일에 경성에 와서 고종을 알현하고 14일까지 머물게 되었다. 그 사이 각종 송별회가 있었다. 7월 9일에는 고종이 함녕전에서 오전 10시에 이토와 후임 소네를 위해 오찬을 베풀었는데, 내각대신들도 함께 배석을 하였다.

때마침 이날 비가 내려 운치가 그윽하게 돌자 그 자리에서 고종은 인人, 신新, 춘春 석자의 운韻을 내려 시를 짓도록 하였다. 그러자 이토가 먼저 일어나 기구起句를 이어서 궁내대신 비서관 모리 다이라이森大來가 승구承句, 소네 통감이 전구轉句, 내각총리 이완용이 결구結句를 적었다. 이것을 깨끗이 정서하여 고종에게 바치자 크게 기뻐하였다고 한다.

1935년 4월에 당시의 진필을 돌에 새겨 그 뜻을 기리고자 특별히 함녕전 뒤뜰에 세웠다.[355]

4월에 조선사편수회의 이나바 이와키치稻葉岩吉는 함흥 태조 이성계 유물, 황초령 진흥왕순수비, 마운령 진흥왕순수비, 여진자비 등을 조사했다.[356]

---

355 서울특별시 시사편찬위원회, 『국역 경성부사』 제2권, 2013.
356 「彙報」, 『靑丘學叢』 제21호, 1935년 6월.

1935년 5월 3일

5월 3일 오후 8시경에 경주군 동부리 분황사 내에 있는 분황사포교당에 석존강탄제釋尊降誕祭 예습제豫習祭를 하던 중 불단의 촛불이 화환에 옮겨 붙어 포교당 1채와 석불 1체를 소실했다.[357]

1935년 5월 25일

원주군 신림면 성남리 치악산에 있는 상원사에서는 지난 25일 밤에 법당에 안치한 불상 1체를 도난당하다.[358]

1935년 5월 27일

5월 27일 밤 11시경에 7, 8인의 악한들이 장단군 강산면 심복사心腹寺에 침입하여 심복사 마당에 세워져 있는 탑 중에 보물을 절취하기 위하여 탑을 파괴하고 보물을 훔쳐갔다. 당시 주지 임태화는 외출하여 피해 2일 후에 돌아왔는데, 피해 당시에 사찰에는 아녀자 3,4인이 있었고 인근 민가가 2, 3호 있었으나 범

357 『東亞日報』 1935년 5월 6일자.
358 『朝鮮中央日報』 1935년 6월 3일자.

인들의 소동에 눈치를 채었으나 두려워서 외출할 수 없었다고 한다.[359]

1935년 5월

충북 청주군 사주면 외덕리에 사는 최준홍은 청주읍 와룡산록에서 고종 1개를 발견하여 청주경찰서에 신고했다.[360]

총독부박물관의 사자면상獅子面像을 도난당했다. 이 사자면상은 경복궁 서쪽에 있는 영추문 지붕의 4각에 장식하였던 청동제사자면상인데, 총독부박물관이 설립된 후 청동제사자면상 4체를 박물관에 보관하여 두었는데, 언제 분실되었는지는 정확히 알 수 없고 5월에 들어 박물관에서 없어진 것을 발견한 것이다. 『매일신보』1935년 5월 30일자에는 다음과 같은 기사가 있다.

잃어진 사자면상獅子面像
세종대왕 시에 만든 보물로 영추문 지붕에 장식하였던 것, 총독부박물관 도난
경복궁 안에 있는 박물관 안에 보관하여 두었던 유서 깊은 고대기념물인
사자면상이 돌연 없어지게 되어 경찰당국에서는 극력 수사 중이다. 기념

---

359 黃壽永, 『日帝期文化財被害資料』, 韓國美術史學會, 1973.
360 『每日申報』1935년 5월 12일자.

품은 경복궁 서쪽에 있는 영추문 지붕 4각에 장식하였던 청동제사자면상인데 그곳은 세종대왕8년에 집현전이 건립되자 경복궁 정문이던 광화문과 같이 서문으로 하여 대원군도 그 문으로 출입하던 유서 깊은 역사를 가진 것으로 총독부박물관이 설립된 후로는 전기 장식된 청동사자형 4체를 영구보존하기 위하여 박물관에 보관하여 두었던 것인바 최근에 이르러 박물관에서는 백방으로 찾어보나 못찾고 도난당한 것이라 하여 28일은 경기도 경찰부 형사과에서 대 활동을 개시 중이다.

진남포 용강읍에 있는 오석산 황룡성지에서 서산대사의 비석을 발견하다.

진남포부사를 편찬하기 위해 진남포 촉탁으로 와있던 안규응安奎應이 사료를 취집하기 위해 황룡성지에 갔다가 발견한 것으로 1930년경에 건립한 것이라 한다.[361]

5월에 부산시내에는 고분에서 발굴한 석물과 기타 자기 등이 비밀리에 매매되고 있음으로 조사한 결과 최근에만 매매된 것이 11건에 달한다고 한다. 그리하여 그 출처를 조사한 결과 이 물건들은 경기도 양주군 부곡면 신내리에 사는 임모 외 2명의 소행으로 밝혀졌다.[362]

---

361 『朝鮮中央日報』1935년 5월 20일자.
362 『東亞日報』1935년 5월 30일자.

1935년 6월 3일

《조선석공예품전관》

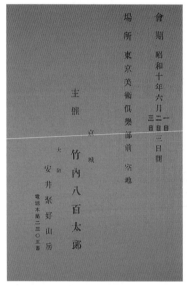

1935년 6월 1일부터 6월 3일까지 3일간 경성의 다케우치 야오타로竹內八百太郎의 주최로 도쿄미술구락부 공지에서 《조선석공예품전관》을 개최했다.

이 경매전은 4월에 오사카에서 개최한 경매전에서 좋은 성과를 얻자 이번에는 도쿄에서 이 경매전을 가지게 된 것으로 보이는데, 그 수량은 4월

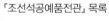
『조선석공예품전관』 목록

에 비해 절반이 좀 넘는 정도이다. 『조선석공예품전관』 목록을 보면 81번까지 도판으로 소개를 하고 "기타 10여 점 사진 생략"이라 표시하고 있는데, 보통 한 번호에 2점씩으로 된 것이 많아 130여 점이 출품된 것으로 보인다.

그 일부의 도판을 보면 다음과 같다.

1935년 6월 6일

여수군 돌산면 율림리의 향일암向日庵에는 지난 4일 오후 2시 불상 1좌를 도

난당해했다. 6월 6일 범인을 체포하다.[363]

1935년 6월 7일

굴산사지부도 도굴

굴산사지는 강원도 강릉시 구정면 학산리에 있다. 낭원대사오진탑비문朗圓大師悟眞塔碑文에 의하면 889년 범일조사가 입적入寂하자 그의 제자 낭원대사 개청이 스승을 그리며 비를 세우고 항상 송문松門을 지켜 도적으로부터 수호했다고 전한다.[364] 현재 이곳 사지에는 범일국사의 비는 일찍이 파괴되어 산일되고[365] 범일의 것으로 보이는 부도(보물 제85호)[366]가 있다.

이 부도는 1916년경에 조사한 『조선보물고적조사자료』에, "강릉 약 1리 석천石泉의 서방西方 전중田中에 있다. 8각형4층의 석탑으로 높이 10척6촌 제1 제2층

---

363 『동아일보』 1935년 6월 10일자.
364 「朗圓大師悟眞塔碑」, 『朝鮮金石總覽』上, 朝鮮總督府, 1919.
365 申千湜은 1977-1978년에 굴산사지에서 石碑의 龜趺片과 螭首片, 그리고 銘文이 있는 비편을 발견하였는데, 명문에는 '溟州都督銀副都督'이란 명문과 '所二年三'이란 명문이 刻字되어 있으며 記銘이 나오지 않아 년대를 측정할 수 없으나 字體가 朗圓大師悟眞塔碑銘과 유사한 점이 있어 범일국사비편일 가능성이 높다고 한다(申千湜, 「韓國佛敎思想史에서 본 梵日의 位置와 崛山寺의 歷史性 檢討」, 『嶺東文化』 創刊號, 1980, pp.3-4).
366 진성여왕3년(889) 5월에 示寂하니 諡은 通曉大師 라 하고 塔名은 延徽之塔이라 하였다(權相老, 『退耕堂全書』 卷八).

및 대석에 정교하게 연화가 조각되어 있음"[367]이라고 하여 손상 없이 완전한 형태로 남아 있었다. 또 1924년에 간행한『고적급유물등록대장초록古蹟及遺物쯩錄臺帳抄錄』에는 "정식頂飾의 일부 실失"한 외에는 다른 손상이 없이 등록번호 제 173호로 등록 기재하고 있다.

그 후 1934년 8월 27일에는 조선총독부 고시 제430호로 '보물고적명승천연기념물보호령'에 의해 보물 제127호로 지정되어 학산리 밭에 있었는데,[368] 1935년 6월 7일 야음을 틈타 무뢰한들이 무참히 도괴倒壞시키고 안에 있던 유물을 훔쳐 달아났다.[369] 스기야마 노부조杉山信三의『조선의 석탑』에는 당시 굴산사지부도의 석

도괴된 굴산사부도(『조선의 석탑』)

재가 도괴되어 흩어져 있는 모습의 사진 1매가 게재되어 있다.[370] 도괴 후 이를 조사하기 위해 조선고적보존회가 기단석基壇石을 들추어 본 결과 기단석 아래에 지하석실이 있고 오백나한을 설치한 흔적이 있었다고 한다.

『광복 이전 박물관 자료목록집』을 보면, 강릉고적보존회장 강릉군수가 조선총독부 학무국장에게 보낸 '보물 굴산사지부도에 관한 건(1943년 2월 3일자,

367 『朝鮮寶物古蹟調査資料』, 朝鮮總督府, 1942.
368 總督府告示 第430號(1934년 8월 27일).
369 金禧庚 編, 「韓國塔婆研究資料」, 『考古美術資料』第20輯, 考古同人會刊, 1969, pp.97~102.
370 杉山信三, 『朝鮮の石塔』, 1944 圖版 第4-2.

1943년 3월 13일자)'과 조선총독부 학무국장이 강릉군수에게 보낸 '보물 굴산사지부도에 관한 건(1943년 2월 9일자)'과 '굴산사지부도 적직積直공사비 내역서'가 보이고 있어 1943년 2월경에 복원한 것으로 보인다.

(『江原道名勝古蹟』
강원도체육회, 1959)

1959년에 발간한『강원명승고적江原名勝古蹟』(강원도체육회)에 실린 사진을 보면, 부도의 주변은 경작지화 되어 있으며 부도는 하대석까지 묻혀 있으며 현재의 부도에서 볼 수 있는 상륜부의 로반과 복발은 보이지 않고 옥개석 위에 보주 하나만 남아 있어 그간 버려져 방치되어 있었음을 짐작케 하고 있다.

1961년에 발간한『국보도록』제5집을 보면 상륜부의 부재가 지상에 흩어져 있음이 나타나 있다. 이는 1943년 복원을 하면서 빠트린 것이라고 보기에는 너무 어처구니없는 일이다. 혹 1943년 복원 후에 또 다른 도굴 행위가 있었는지 의심이 되고 있다.

현재 사지에는 부도 외에 보물 제86호의 당간지주幢竿支柱와 강원도 문화재자료인 석불좌상이 남아 있다. 이러한 유물들이 광범위하게 산재散在되어 있어서 중심 건물지가 어느 곳인지 확실치 않으나 지형조건과 와전편瓦塼片의 산포상태散布狀態로 보아서 대략

굴산사지 부도

학산鶴山과 그 앞을 흐르는 학산천鶴山川 사이의 평편한 대지 일대일 것으로 추정되고 있다.[371] 그간 이곳에는 민가지民家地와 경작지耕作地로 사용되어 왔으며 특히 2002년 태풍의 피해로 이 일대의 토사들이 쓸려 내려가면서 지형마저도 그 원형을 많이 잃어버렸다.

굴산사지는 강원도 강릉시 구정면 학산리에 있다. 굴산사는 신라 문성왕13년(851)에 범일국사에 의하여 창건된 사찰로 범일은 당에서 환국 한 후 굴산사에서 40여 년을 주석하면서 국사로서 존숭尊崇을 받았다. 굴산사에 대한 기록은『삼국유사』에,

굴산조사 범일梵日이 태화太和년간(817~835)에 당나라에 들어가 명주 개국사에 이르니 왼쪽 귀가 없어진 중 하나가 여러 중들의 끝자리에 앉아 있다가 대사에게 말하기를,

「나도 또한 고향사람으로, 내 집은 명주의 경계인 익령현 덕기방에 있습니다 조사께서 후일 본국에 돌아가시거든 반드시 내 집을 지어 주어야 합니다」했다.

이윽고 조사는 총석을 두루 돌다가 염관鹽官[372]에게서 불도를 얻고 회창會昌7년 정묘(847)에 본국으로 돌아오자 먼저 굴산사를 세우고 불교를 전했다.

---

371 白弘基,「溟州 崛山寺址 發掘調査略報告」,『考古美術』161號, 1984년 3월.
372 중국 염관현에 있었던 齋安禪師.

라고 하여 굴산사의 창건년대와 창건주創建主를 밝히고 있다. 즉 범일이 환국
한 후 굴산사를 창건한 것으로 기록하고 있다. 그런데『조당집祖堂集』에는 범
일이 환국 후에 일시 경주에 체류滯留하다가 얼마 후 백달산白達山에 안좌安坐하
여 대중大中5년(문성왕13년, 851년)정월까지 기거하였으며, 이때 도독 김공金公
이 대사의 명성을 듣고 그에게 '청주굴산사請住崛山寺'하였던 것으로 기록하고
있다.[373] 따라서 굴산사는 범일이 환국하기 전부터 창건되었던 것으로 추정되
나,[374] 범일에 와서 대대적인 중창과 아울러 선문禪門 도굴산파闍崛山派의 개산開
山이라는 의미에서 그의 창건으로 보아도 무방하리라 본다.

도굴산파闍崛山派의 개창지開創地인 강릉지방은 무열왕武烈王의 직계손直系孫
으로 왕위에 오르지 못한 강릉 김가의 시조 김주원金周元의 은거지이다. 김주원
은 이곳에 토착하여 명주군왕溟州郡王으로 봉하여 졌으며, 그 후에도 김주원계
의 사람들이 이곳에 세거世居하여 독립세력을 형성하게 되었다. 범일도 그의 조
부가 명주도독溟州都督을 지냈던 점으로 보아 이 계통의 사람이었음에 틀림없
다.[375] 범일의 굴산사 개창을 후원한 명주도독 김공金公이라는 사람도 역시 김
주원계 세력에 속하는 인물로서,[376] 굴산사는 김주원계의 지방호족세력을 배경
으로 한 영동지방嶺東地方을 대표하는 사찰로 번창해 갔다.

---

373 『祖堂集』卷第十七 "大中五年正月於白達山宴坐溟州都督金公仍請住崛山寺."
374 申千湜은「韓國佛教思想史에서 본 梵日의 位置와 崛山寺의 歷史性 檢討」(『嶺東文化』
　　創刊號, 1980)에서. 직접 地表調査 과정에서 標集한 遺物 중에는 新羅中代의 것으로
　　보이는 것이 다수 발견되었으며, 범일이 闍堀山禪門을 開山하기 이전부터 현 위치에
　　存置하였던 것이 확실하며 그 창건연대는 新羅中代로 보고 있다. pp.3-4.
375 崔柄憲,「羅末麗初 禪宗의 社會的 性格」,『史學研究』25號, 韓國四學會, 1975, p.5.
376 金杜珍,「新羅下代 禪師들의 中央王室 및 地方豪族과의 關係」,『全南史學』11, 全南史
　　學會, 1997, p.33.

굴산사는 신라 하대 구산선문 중의 하나인 도굴산파의 본산本山으로 범일의 문하에는 낭원대사朗圓大師 개청開淸, 낭공대사朗空大師 행적行寂 등을 포함한 소위 십성제자十聖弟子들이 있어서 문풍門風을 조양助揚하여 구산선문에서 가장 번창하였다.[377] 그러나 고려 때 원나라의 침입으로 인근 법왕사法王寺와 함께 불에 타서 폐사가 되어[378] 그 사명寺名과 위치마저 잃었음인지 『동국여지승람』에는 굴산사지의 위치 등은 보이지 않고, 단지 『신증동국여지승람』 제44권 강릉대도호부江陵大都護府 '제영題詠' 조에 '굴산종崛山鐘'을 읊은 김극기金克己: 고려 명종 때의 문신)의 시[379]만 전해지고 있다.

굴산사의 사명과 위치가 밝혀진 것은 1936년 홍수로 인해 주변의 흙이 쓸려가면서 6개의 주춧돌이 노출되고 '堀山寺'라는 글씨가 새겨진 기와가 발견됨으로서 이 절이 굴산사였음이 밝혀졌다. 1983년에는 농업용수로공사로 개발을 위한 수로공사 중 유구와 유물이 발견되어 강릉대학교박물관에서 발굴조사를 하게 되었는데, 이때 지표 채집된 와당편瓦當片의 대부분이 고려시대의 유물인 점으로 보아 굴산사는 여말까지 존속한 것으로 추정된다.[380]

---

377 白弘基,「溟州 崛山寺址 發掘調査略報告」,『考古美術』161號, 1984년 3월.
378 이정 편저,『한국불교사찰사전』, 불교시대사, 1996.
379 용용(憃容)한 崛山鐘은, 梵日禪師가 지은 것이다.
　　보고 놀라서 마음이 당황하고, 珍重하게 敬禮하며 눈물 흩뿌린다.
　　귀신은 다만 도를 행하고, 새들은 발붙이기 어렵다.
　　그대는 행여 치지 말라, 동해에 어룡이 놀랄까한다.
380 白弘基,「溟州 崛山寺址 發掘調査略報告」,『考古美術』161號, 1984.
　　이 당시에 발견된 銘文瓦로는「屈山寺」「五臺山」「中二六」등의 印刻瓦가 나왔다.

1935년 6월 14일

이토 마사오(伊東愼雄)의 소장품 경매회

《이토가장품매립伊東家藏品賣立》회가 경성미술구락부에서 6월 14일, 15일 양일간에 열렸다. 매상 총액은 2만 1천여 원에 달했는데, 청자상감환형수금모단사방회환호青磁象嵌丸形水禽牡丹四方繪丸壺는 2천 8백 50원, 쇄모삼도화변삼환부대화병刷毛三島火變三環付大畵瓶은 2천 400원, 청자연화양각문향로青磁蓮花陽刻文香爐는 2천원, 회고려당초모양환호繪高麗唐草模樣丸壺은 1천 200원에 낙찰되었다.[381]

도자기류의 수장으로는 일인 중에서 제일가는 수장가는 동양제계 사장으로 있던 이토 마사오伊東愼雄이다. 그는 특히 도자기 부문에 있어서는 가장 비대한 수량과 질을 자랑하였다. 심지어는 자료가 될 만한 도자기 파편까지 수집하였다.[382]

일찍이 그기 소장한 것으로『조선고적도보』제15책에 삼도수문자입명(도판번호 6221), 삼도수문자입완(도판번호 6223)이 실려 있으며, 그 외에도 국가 지정 국보 여러 점을 가지고 있었던 대수장가이다.

고야마小山는 이토가 소장한 순화4년명호를 비롯한 청자백상감보상화당초문철발, 청자홀지초번명완青磁忽只初番銘盌, 경남 하동면 출토 청자쌍이소호青磁双

---

381 『陶磁』제7권 제3호, 東洋陶磁研究所, 1935년 8월.
382 小山富士夫의「朝鮮の旅」(『陶磁』11-2, 1939년 7월)에는 이토의 도자기 파편을 도판으로 많이 게재하고 요지 및 양식 자료로 제시하고 있다.
　　정읍의 深田泰壽가 부산요지에서 채집한 파편 200여 점을 소장하고 있다는 소문을 듣고 찾아가 우수한 것을 골라서 매입하였다고 한다.

耳小壺, 전남 해남 출토의 옹류壅類, 조선 초기 백자진사당초문병, 청화백자도광년제명발靑華白磁道光年制銘鉢을 위시하여 많은 진품를 보고는 "일일이 이에 대해 설명할 수 없음을 유감으로 생각한다"고 하고 "이토는 조선에서 첫 번째 가는 수집가가" 라고 표현하고 있다.[383]

금동신묘명무량수삼존불입상
(金銅辛卯銘無量壽三尊佛立像)[51]

그는 일본이 패망할 것을 미리 예견하고 해방 직전에 그가 수장하고 있던 금동신묘명무량수삼존불입상(현재 국보85호), 고려황청자순화사년명입호(총독부지정보물 현재 보물237), 고려 청자금채입상감대접 등을 비롯한 일부를 국내에서 처분하고 귀국하였다. 그는 해방 전에 귀국했기 때문에 그가 가져가고자 했던 귀중 유물은 얼마든지 가져갈 수 있었다. 그러나 그가 반출해간 한국 유물 중에 알려진 것은 그의 없다.

---

383 小山富士夫, 「朝鮮の旅」, 『陶磁』 제11권 2호, 1939년 7월.
384 1930년경 황해도 곡산에서 우연히 출토되었다고 하는데 당시 평양의 고등계 형사 나까무라가 발굴자에게 400원에 산 것인데(나까무라 월급 20원), 나까무라는 금속에 어두워 중국불상이 아닌가 하여 화장실 창문에 두었다. 나중에 아마이케 노인이 이것을 보고 800원에 사서, 이토 마사오(伊東愼雄)에게 강제로 맡기다 시피 하여 3000원에 넘겼다. 며칠 후 세끼노가 이토의 집에 왔다가 이것을 보고 감정을 해주었다.
세키노의 기록에, "이 像은 昭和5年 가을 黃海道 谷山郡 花村面 逢山里에서 出土된 것으로 佛身高 三寸七分五厘, 背光高 五寸, 廣 三寸四分, 背光 裏面에 陰刻銘이 있는데 景(?)四年, 在辛卯 ....高句麗 平原王 十三年에 相當할 것으로 생각한다"(關野貞, 『朝鮮の建築と藝術』, p.498)라고 평가를 하자, 일약 10~15만으로 치솟았다. 그러나 해방이 되면서 이토가 급히 처분하면서 잊고, 헐하게 장석구에게 넘겼다. 당시 장석구는 불상엔 관심이 없다고 했지만 굳이 끼워 팔겠다고 하여 사게 되었다고 한다. 6 · 25직전 장석구의 고물 창고에서 이것을 발견한 김동현씨는 숨을 제대로 쉬지 못했다고 한다.

이토는 서봉총출토의 금관과 여러 가지 점에서 동일한 양식을 지닌 금동관도 소장하였는데, 이것은 해방 전에 본인이 직접 가지고 귀국을 하였는지 아니면 다른 사람의 손에 넘어가 일본으로 반출되었는지는 명확하지 않으나 1967년에 우메하라 스에지梅原末治에 의해 공개되었다. 우메하라梅原가 「두개의 금동관」이란 제하로『고고미술』제8권 2호(1967년 2월) 소개한 내용에, "종전 전 경성에 재주하여 반도문물에 깊은 관심을 갖고 있던 고 이토 마사오伊東愼雄 씨의 당시 수집품의 하나로 거의 출토 그대로 청록수靑綠銹가 덮여 있는 완호품

이다"라 하고 있다. 우메하라는 "종전 전의 출토품임에 불구하고 아직 세상에 알려지지 않은 것들이다" 하며 시진은 소개하고 있으나 소장처는 밝히지 않고 있어 어느 개인 수장가에 의해 비장되어 있는 것으로 짐작된다.

우메하라가 소개한 금동관

결국은 25,000원에 김동현이 입수하게 되는데, 현재 호암미술관에 소장되어 있다.
385 關野貞,『朝鮮の建築と藝術』, p.498.

1935년 6월 18일

경주 성덕왕릉(聖德王陵) 도굴

경주 내동면에 있는 신라 33대 성덕왕릉聖德王陵은 『동경통지』에,

부동도지리府東道只里에 있다. 주위는 석란石欄이 있고 둘레에는 십이신상
을 새겼으나 태반이 무너졌고 문무석인文武石人 각 하나와 석사石獅 둘이 있
다. 비신은 없어졌고 귀부龜趺만 남아 있다.[386]

하여 그간 돌봄이 소홀했던 것으로 보인다. 이러한 관리 소홀을 틈타 1935년 6
월 18일 밤부터 북쪽에서 시작하여 중심으로 약 18척이나 파 들어갔는데 6월
22일에야 경주서에서 탐지하여 범인을 조사하기에 이르렀으며 파헤쳐진 능을
다시 복구하는 일까지 있었다.[387] 복구 당시에는 『동경통지』에 기록된 12지상
중 둘은 사라지고 10상만 남아 있었으며 머리부분은 잃어 버렸다. 그 중 가장
완전한 신상申像은 경주박물관으로 옮겼다.[388]
　다음과 같은 기사가 있다.

---

386 『東京通誌』(黃在炫 譯), 慶州文化院, 1990.
387 『每日申報』1935년 6월 24일자.
388 有光敎一, 「十二支生肖の石彫を繞らした新羅の墳墓」, 『靑丘學叢』第25號, 1936, p.78.

왕릉을 발굴한자

경주군 내동면 도지리에 있는 신라 33대성덕
왕릉을 지난 18일 밤부터 북쪽에서 시작하여
약 18척이나 발굴한 자가 있어 아직 중심에
는 도달하지 못하였으나 22일에야 경주서에
발각되어 범인을 수색 중이며, 왕릉은 다시
복구하였다(『매일신보』 1935년 6월 24일자).

6월 19일 1시경 보존회 촉탁 최남주씨가 각 왕
릉을 순시 중 불국사역 전방 민가의 뒤에 있는
성덕왕릉이 도굴당했다는 것을 듣고 경찰 및
박물관에 신고하여 관계자들이 현장에 출동하
여 살펴본 즉 릉의 뒤쪽으로부터 입구 높이 4
척, 넓이 2척2촌, 깊이 18척을 파고 들어갔다.

그러나 다행히 관에까지는 도달하지 못했다(『부산일보』 1935년 6월 26일자).

1935년 6월 24일

도굴단 체포

보성군의 산야에 있는 옛 무덤에는 고려자기가 많이 묻혀있다는 소문이 번지면서 1934년부터 1935년 사이에 대규묘의 도굴단들이 몰려들어 산야의 옛 무덤들을 황폐하게 했다. 결국 경찰 당국에서 상당 기간 수사를 하여 1935년 6월 24일에 도굴협의자 60여 명을 체포했다. 그간에 도굴이 얼마나 심했는지 『매일신보』에는 다음과 같은 기사가 있다.

보성산야寶城山野에는 굴총단掘冢團이 횡행橫行

고려기 파낸다고 파굴

보성군에서는 일반 고래 선산 등지를 파굴하는 자가 적지 않다는데 그 원인은 고려기를 발견하기 위하여 굴총을 하면 수백 원 횡재한다고 전문으로 하는 자 2,3인씩 작당을 하여 5척이상의 창을 가지고 고총만 보면 금광이나 발견한 듯 불문곡직하고 파굴하는 동시에 고려기가 발견된다면 다행이나 만일 없다면 백골적악白骨積惡하는 부랑자들은 영혼이 있다면 원망함에도 불구하고 매일 호의호식으로 영업을 삼아 고혼古魂을 놀라게 한다. 보성 산야는 송충이가 송전을 훼파하고 굴총단들은 묘지를 훼파하여 미려美麗의 산자山姿가 목불인견目不忍見의 상태에 빠졌으므로 근일은 일반 소유자로서 산야를 수직守直하는 자도 적지 않은데 당처는 본군 보성면 원봉리 부근이라 한다 (『매일신보』 1934년 7월 12일자).

『매일신보』 1935년 7월 1일자

고려기를 얻고자 보성에 도굴단 횡행

보성군에서는 기보한 바와 같이 누월을 계속하여 산야의 고총을 파굴하는 도굴단들은 보성 일대를 횡행하여 백주에도 5,6인씩 작당하여 철창과 연장을 휴대하고 다니며 분묘의 자손유무를 불구하고 고총을 파굴하여 백골을 폭로케 하는 그 원인을 들으면 옛날에 묻은 고려장高麗葬에는 고려기高麗器가 있다는데 그것을 파서 고가를 받아 생활을 계속하는 관계로 직업을 삼는 것이라 한다. 경찰 당국에서는 악한배를 취체코자 사법계 김형사를 파견하여 파괴한 산야의 고총현장을 조사한 결과 1개소의 산야에 한해서만 해도 수백 총에 달하였으므로 엄중히 범인을 수사 중이라 한다(『매일신보』 1935년 3월 11일자).

1935년 6월

괴산 외사리석조부도(보물 579호) 반출 사건

이 부도는 높이 3.5미터의 8각원당형부도로 원위치는 충북 괴산군 칠성면 외사리인데, 사명寺名은 아직 밝혀지지 않고 있으며 사역寺域이 폐사된 지 오래고 또 현장에는 이를 고증할 만한 자료가 빈약하고 문헌에도 아직 밝혀진 것이 없다.

사지에 있던 많은 석조물들은 일제 강점기에 거의 외지로 이반되었거나 도난, 인멸되었다. 본 석조부도는 1935년에 서울의 고물상 배성관과 중계인 그리고 일본인 다케우치 야오타로竹内八百太郎라는 자가 합작 모의하여 일본으로 방매하려다 발각되어 이송 중지되었다. 당시 신문에는 다음과 같은 기사가 실려 있다.

골동상을 전전하던 신라시대 사리탑

수만 원짜리를 기백 원에 팔어

총독부서 국보 지정

신라시대의 풍취 좋은 사리탑을 불과 수백원에 전전매매轉轉賣買 중 발견한 국보가 있다. 부내 남대문통 고물상 배성관이 지난 6월 27일경 용인군에 거주하는 김성배의 중개로 충북 괴산군 칠성면 외사리 349번지 김준형으로부터 높이 1장2척 가량 되는 사리탑 한 개를 350원을 주고 사서 부

『매일신보』 1935년 7월 11일자 기사

내 황금정 2정목 죽내竹內 모에게 1700원에 전매를 하였는데 죽내竹內 모씨는 수 만원의 가격이 있는 보물인 것을 알고 다시 지나 방면에 전매하고자 하는 것을 총독부 사회과에서 탐지하고 지난 3일 오전 10시경 사회과 최 속과 유광有光, 택澤 촉탁이 본정 서기보안과 주임과 같이 현장 사리탑을 조사한 후 10일 보물 가지정假指定을 하여 보관케 하였다(『매일신보』 1935년 7월 11일자).

고 1장 2척 웅대하고 우아한 신라시대의 아취가 있는 석탑이 최근 경성 남대문통의 고물상 배성관 씨가 6월 27, 28일경에 경기도 용인군 생 김성배

와 주소 불명의 남자의 중개로 충북 괴산군 칠성면 외사리 349번지 무직 김준형으로부터 350원에 매수하고 다시 배는 수일 전 경성부 황금정 죽내 竹内 씨에게 2,700원에 전매하고 죽내는 내지 또는 중국방면으로 이송하기 위해 각 방면으로 교섭 중인 것을 알고 본부 사회과가 직접 경성과 충북의 양 경찰부에 연락을 취하여 탑의 정확한 원소재지 및 소유권과 아울러 소재지의 유적상황 및 반출연월일을 목하 조사 중이며, 해외에 이송할 염려로 다시 7월 6일 오전 10시경 최사회과 속, 유광有光, 택澤 양 촉탁 등이 본전서 보안주임과 장시간에 걸쳐 타합한 후 경찰관을 대동하여 전기 죽내 씨 댁으로 가 동탑을 조사한 결과 우아하고 웅대한 점, 타일 조사의 필요를 결정, 이송 중지를 명령하고 함께 관계자 협의 결과 급히 처치하기로 함에 따라 10일 보호령의 발동을 보게 되어, 동탑을 보물로 가지정하기로 결정, 죽내 씨에게 통달하게 되었다(『경성일보』 1935년 7월 11일자).

귀중한 보물석탑이 모리배 고물상의 손을 거쳐 고가로 조선을 떠나게 되어 이송준비 중에 있는 것을 총독부 사회과의 이송중지명령과 동시에 급시의 처치로 10일 보물로 가지정되었다. <중략> 본적을 용인군에 두고 일정한 주소가 없는 김성배의 중개로 그 매수한 죽내竹内는 이를 다시 3만여 원에 팔려고 일본 내지에 이송하려고 하였다. 이를 탐지한 총독부 사회과에서 즉시 경기도 경찰부와 충북경찰부와 연락하여 이 탑의 정확한 유적 상황을 조사하는 동시에 최사회속이 유광 촉탁 등을 대동하고 현장에 출장하여 본 정서의 입회하에 본 탑을 점검한 후 그의 이송중지를 명하는 동시에 시급의 처치로 10일 보물로 가지정하고 10일 즉시 죽내에게 통달하였다(『동아

이송 직전의 사리탑
(『조선중앙일보』 1935년 7월 11일자)

일보』 1935년 7월 11일자).

돌연 문제된 사리탑 국보로 가지정
코 해외 이송 방지 명령

시내 남대문통에 있는 고물상 배성
관은 지난 6월 27, 28일경에 경기도
용인에 거주하는 김성배의 중개로
충남 괴산군 칠성면 외사리 349번지
에 사는 김준형에게서 높이 약 12척
되는 신라시대의 풍취있는 사리탑 1
기를 350원에 사다가 수일 전에 시내

황금정 죽내竹內라는 일본 내지인에게 2천7백 원에 전매轉賣하였던바 그것
을 일본 내지나 중국 방면에 방매하려고 수송준비 중인 것을 7월 3일 오전
10시경에 총독부에서 탐지하고 사회과 최 속관, 유광有光, 택澤 두 촉탁은
본정 경찰서 서기西崎 보안과 주임을 대동하고 이송 중지를 명하고 지난
10일에 보물로 가지정하였던바 관계자는 엄벌에 처할 방침이라 한다(『조
선중앙일보』 1935년 7월 11일자).

이 사건은 6월 27일경에 이미 원지에서 서울로 이송되어 전매轉賣가 이뤄져
일본으로 반출 직전에 있었는데 어떻게 7월 11일에 와서야 보도 되었을까?

다케우치 야오타로竹內八百太郎는 그간에 전국적으로 석조물을 모아 일본으로
반출하여 1935년 4월과 6월에 이미 대대적인 경매회를 가졌다. 그리고 12월에

다시 일본에서 석조물 경매회를 가질 예정이었다. 다케우치는 이 괴산 외사리의 폐사지에 남아있던 부도를 다른 석조물과 함께 일본으로 반출하려다 이 소식이 누군가에 의해 총독부에 전해졌던 것으로 보인다. 그래서 7월 3일에 총독부에서 아리미츠 교이치有光敎一, 사와 슌이치澤俊一 등을 다케우치의 골동점으로 파견하여 조사한 결과 우수한 사리탑임이 판명되자. 이송 중지를 명령하고 7월 10일에 '조선보물고적명승천연기념물보존령'에 의해 보물 가지정 유물로 지정하자 각 신문에서는 경쟁하듯이 보도하게 된 것이다.

그리고 1935년 7월 10일부 조선총독부고시 제393호[389]에 보물로 가지정한 내용은 다음과 같다.

조선총독부고시 제393호

조선보물고적명승·천연기념물보존령 제2조 제2항의 규정에 의하여 좌(아래)와 같이 가지정假指定함

쇼와昭和10년 7월 10일   조선총독 우가키 잇세이宇垣一成

一. 지정번호　　　　　　　보물제1호

一. 명칭　　　　　　　　　석조사리탑

一. 원 수　　　　　　　　 1기

一. 소재지　　　　　　　　경성부황금정이정목육오

一. 소유자의 주소 및 씨명　경성부 황금정 이정목 65

다케우치 야오타로竹內八百太郞

朝鮮總督府告示第三百九十三號
朝鮮寶物古蹟名勝天然記念物保存令第二條第二項ノ規定ニ依リ左ノ通假指定

昭和十年七月十日

朝鮮總督　宇垣一成

一、指定番號　寶物第一號

一、名稱　石造舍利塔

一、員數　一基

一、所在地　京城府黃金町二丁目六五

一、所有者ノ住所及氏名　京城府黃金町二丁目六五竹內八百太郞

389 『朝鮮總督府官報』 第2547號, 1935년 7월 10일.

사리탑의 우수함이 판명되자 총독부에서는 괴산 외사리 현지를 조사를 하는
한편 이 사리탑을 박물관으로 옮기기로 했다. 『조선중앙일보』 1935년 8월 27일
자에는 다음과 같은 기사가 있다.

　　문제의 사리탑 국보로 박물관에 이송하기로 결정하여
　　지난 7월초순경에 충북 괴산군에서 시가 수만 원의 가치가 있는 사리석탑
　　이 겨우 백 수십 원에 시내 남대문통 배모라는 고물상에게 팔리어 다시 해
　　외로 전매되려는 것을 총독부 사회과 최 속 이하 과원이 폭탄적 정지명령
　　을 발하는 동시에 국보로 가지정을 하였다 함은 기보한 바어니와 최근 최
　　속 일행이 현지에 출장하여 삼선三船 충북도속과 중야中野 괴산군속의 안내
　　로 동 석탑의 원소재지를 조사한 결과 당지는 신라말엽부터 고려초기에 속
　　한 오랫동안 사지인 것이 판명 되었다. 아직도 본당 대웅전의 초석을 비롯
　　하여 많은 와편이 산재하여 있을 뿐 아니라 동 당간지주와 같은 것은 아직
　　도 원형대로 남아 있으므로 폐사지인 것이 틀림없다하여 전기 사리탑은 당

사리탑과 현지에 남은 당간지주(『조선중앙일보』 1935년 8월 27일자)

연히 국유로 될 것을 인정하였다. 동 탑을 에워싸고 2중3중의 부정매매사건이 있었으나 그것은 모두 무효로 돌아가고 국보로 곧 수속을 마친 후 총독부박물관으로 이송키로 되었다. 이와 같이 고적지대의 유물을 매매하거나 운반하는 자에게는 법령위반으로 금후 엄벌주의를 취할 방침이라 한다.

당시 다케우치가 석조물을 마구 매입하자 그 피해가 얼마나 컸는지, 『매일신보』1935년 8월 16일자에는 다음과 같은 기사가 있다.

묘전석물墓前石物에 피해가 빈번
골동상의 매입으로
최근 양주군 일부에서는 경성 방면 고물상의 골동품 고가 매입에 허욕虛慾을 내는 자가 많아서 조선묘소祖先墓所에 장치하였던 석등롱을 자손의 일부나 또는 타인이 암암리에 매도한다는 소문과 사실이 있음으로 양주서에서는 저번 양주군 읍천면 덕계리 권동태를 검거하여 절도죄로 송국하였는데 이와같은 사실이 허다함으로 이제 전 관내에 지시하여 여사한 사욕자 및 간상奸商 등을 적발하는 중이라는데 당국의 말하는 바에 의하면 세도인심世道人心이 경박하여 이기주의가 나날이 늘어가는 것도 한심한 일인데 조선숭배의 관념까지 몰각하려는 패덕지배悖德之輩들은 촌호도 가차없이 엄중취체할 방침이라 한다.

신문 기사마다 석조물을 운반하거나 이를 매매하는 자에 대해서 엄중하게 처벌하겠다고 하지만 배성관이나 다케우치에 대해 어떤 처벌을 했다는 기록은 보이지 않는다.

뿐만 아니라 총독부로 이송하기로 하였다던 부도는 그 이후 이송되었다는 기록은 보이지 않는다. '쇼와昭和10년(1935)도 조선총독부 보물고적명승천연기념물 보존회총회'에서는 이 부도를 '지정예정물건指定豫定物件'으로 분류해 놓고 "경성부황금정이정목65 다케우치씨방京城府黃金町二丁目六五 竹内氏方"이라 기록하고 있으며,[390] 『조선총독부보물지정대장』에는 "충북괴산군칠성면외사리부도 및 석등"이라 하여 '외사리부도外沙里浮屠 조사서'와 사진 6매가 실려 있는 것으로 기록하고 있다.[391]

이 사진 6매는 1935년 7월 10일 보물 가지정하면서 촬영한 것으로 외사리부도의 해체된 사진이지만 함께 부근에 나타난 많은 석조물들은 바로 이러한 방법으로 수집 매수한 것들로 보인다.[392] 이들은 전부 1935년 12월에 다케우치가 일본에서 경매한《조선고대정원석전관》을 위해 반출되었을 것으로 추정된다. 사진 일부는 다음과 같다.

외사리부도 옥개
(뒤로 석등, 석탑, 부도 등이 보이고 있다)

탑신 및 중대석(뒤로 석탑이 보이고 있다)

390 「彙報」,『靑丘學叢』第24號 , 1936년 5월.
391 『光復以前 博物館 資料目錄集』, 國立中央博物館, 1997, p.204.
392 「조선총독부 보물 지정 대장 - 사지(寺址)별」,『국립중앙박물관 소장 조선총독부박물관 공문서』, 목록번호 : 97-지정19.

부도 상대석(뒤로 고분묘에서 옮겨온
각종 석등과 기석이 보이고 있다)

부도 하대석(뒤로 석탑과 석등이 보이고 있다)

그 후 괴산 외사리 사리탑은 국유로 돌리지 못하고 다케우치의 개인 소유로
있다가 1938년 초에 인천으로 옮겨져 일본으로 밀반출하기 직전 간송이 막대
한 액수를 지불하고 입수하여 보화각 숲 속으로 옮겼다.

보물로 가지정 되어 신문에 까지 반출불가로 널리 알려진 이 부도가 어떻게
인천으로 옮겨져 밀반출이 시도되었는지 알 수 없다. 일제 강점기 동안 숱한
한국의 탑, 부도 등을 일본으로 반출하여 매매하였던 타케우치竹內이고 보면 여
기에는 모종의 흑막이 있었을 것으로 추정된다.

『조선총독부보물지정대장朝鮮總督府寶物指定臺帳』에 기록하고 있는 '외사리석등'
에 대해서는 어떻게 되었는지 이후의 기록에 나타나지 않는 점으로 보아 일본
으로 반출된 것으로 추정된다.

간송미술관의 문화재는 대다수가 1930년부터 1945년 해방 때까지 대략 15
년에 걸쳐 수집한 것으로, 그 중에서도 1936년에서 1940년 사이에 가장 많은
문화재를 수집하였으며 괴산부도의 입수도 이 시기에 속한다.

1934년에 북단장 터를 구입하고, 1938년 우리나라 최초의 사립박물관인 보화

각을 설립하여 북단장이 완성되어 개
설하게 되자 간송은 그간에 손을 대지
못하던 규모가 큰 석조물들을 일본인
들로부터 되사오는데 열심이었다.

1998년에 간행한 『간송문화』에는
이와 관련하여 괴산부도를 보화각으
로 옮긴 후의 사진 1매와 함께 다음
과 같이 기술하고 있다.

석등

(『조선총독부보물지정대장』에는 '충북 괴산군 칠성면
외사리부도 및 석등'이라 하여 외사리부도의 해체된 사진
외에도 석등 1점이 실려 있는데, 설명은 없으나 사진자료에
함께 첨부되어 있는 것으로 보아 같은 시기에 가지정하고자
한 것이 아닌가 여겨진다. 사진상으로 보면 다케우치의
골동상점에 진열된 것이 아니라 산간 현지의 것으로 보인다.
'조선총독부 보물지정 대장 사지별'에서 '충청북도 괴산군
외사리 부도(浮屠) 및 석등(石燈)에 관한 건'에서
지목하고 있는 바로 그 석등으로 보인다)

북단장이 개설되자 간송은 일인들
이 절취해간 석불, 석탑, 부도, 석
등 등 규모가 큰 석조물들을 되찾
아오는 작업을 시작했다. 이제까지
는 보관할 장소가 마땅치 않아 손
을 못 대던 것을 북단장 너른 곳곳
에 배치할 수 있게 되니 마음 놓고
일본까지 사람을 보내어 되 사온
다. 그때마다 이순황 씨가 그 심부

름을 도맡아 하게 되었던 듯 일본인들이 일본으로 반출하기 위해 인천항
에 실어다 놓은 것을 거금을 주고 되 사왔다는 보물579호 '괴산팔각당형
부도'를 옮겨놓은 직후에 찍은 사진에도 간송 앞줄 오른쪽에 이순황이 앉

아 있다.[393]

간송의 문화재수집에는 항상 충실한 두 명의 골동거간이 있었다. 한 사람은
이순황이란 사람으로, 간송은 유명한 고서포인 한남서림을 인수 받아 이를 이
순황에게 맡겨 구가에 비장되었다 흘러나오는 문화재를 모았다. 또 한 사람은
퇴계로 맞은편 남산동 동편에 자리 잡고 있던 일본인 골동상 온고당溫古堂 주인
신보 키조新保喜三이란 자로 골동에 대한 감식안이 뛰어났기 때문에 간송은 이
자를 한국은 물론 일본의 각 경매장에 보내어 최고품들을 수집하였다. 즉 이
두 거간을 통하여 전국적인 골동의 흐름과 소재지를 파악하여 중요문화재를
수집할 수 있었던 것이다.

타케우치가 당시 보물로 가지정된
괴산부도를 포함한 대량 석조물들을
밀반출하기 위해서는 극히 은밀하게
행하였을 것이다. 이런 은밀한 다케
우치의 행위를 간송이 어떻게 탐지할
수 있었겠는가 하는 데에는 두 정보
망이 있었기에 가능했던 것이며, 문
화재 보호에 불타는 간송 전형필 선
생이 아니었으면 다시 찾을 수 없었
던 것이다.

1938년 괴산부도를 옮겨놓고(『澗松保華』)

393 崔完秀, 「澗松이 保華閣을 설립하던 이야기」, 『澗松文華』 55, 한국민족연구소, 1998.

1967년 8월 정영호 교수가 충북 괴산군 일대의 고적조사를 가는 길에 간송이 정 교수에게 원래 이 부도가 있던 사지를 확인할 것을 당부하여 조사를 한 적이 있다. 절터는 괴산군 칠성면 외사리 삼성부락에 들어서면 그 어귀 경작지에 당간지주가 서 있고 당간지주에서 500미터쯤 동쪽의 도로변이 바로 부도가 있던 자리라고 한다. 당시 정교수가 조사를 할 때 일본인이 이 부도를 헐어 가는 것을 보았다는 김 씨라는 사람도 만나 보았으며 그 사람의 말에 의하면, 김 씨는 외사리 태생으로 어려서부터 늘 이곳에서 탑(부도)을 보고 다녔다고 한다. 그리고 일제 때에는 부도를 이반할 때에도 목격하였다하며 당시 일인과 친교하여 이반에 주동되어 크게 활약하였다는 자도 잘 알고 있어서 현재의 행방까지도 짐작할 수 있다고 하나 그 자가 아직도 생존해 있으므로 그에 대한 이야기는 일

간송미술관의 외사리부도

절 할 수 없다고 함구하였다고 한다.[394]

1979년에는 이 부도가 있던 외사리지에서 부도비로 추정되는 높이 61센치 너비 43센치 두께 22센치의 비편이 발견되었는데 해서로 쓴 비문은 현재 120자 정도가 판독이 가능하며 청주대학교에 소장되어 있다.[395]

외사리 부도는 6 · 25 때 무너진 것을 1964년 2월 간송의 2주기에 고고미술 동인

394 『澗松文華』41號. 1991; 『考古美術』43호, 1964년 2월; 鄭永鎬, 『槐山地區 古蹟調査報告』, 단국대학교출판부, 1967.
395 『괴산군지』, 괴산군, 1990.

들의 주선으로 다시 세웠다.

＊ 골동상 배성관

　모리스 쿠랑이 보았던 종로-남대문의 큰길가에 있었던 고서점, 골동가는 1905년 이전의 도로 정비와[396] 1909년 2월 법률 제 6호로 제정한 구한국 출판법을 적용한 금서조치로 인해 급격한 몰락을 맞게 되었다.[397] 그 곳 옛 고서점가에서 점포를 운영한 한국인의 예로는 배성관의 골동점이 가장 오랜 것으로 보인다. 이것이 언제부터 시작되었는지는 명확하지 않으나 일제 강점기의 골동 수집에 관련해서는 그의 가게를 언급하는 사람이 상당수 있을 정도로 중요한 위치를 점하고 있다. 1923년에 경성상업회의소에서 간행한『경성상호명록』에는 일본인 아마이케天池, 스스키鈴木, 다케우치竹内, 후지모토藤本의 골동상과 더불어 한국인 골동상으로는 유일하게 '배성관골동점'이 나타나 있다.『광복이전 박물관 자료목록집』에는 1929년에 조선총독부박물관에서 배성관으로부터 '조선철사유병'을 구입한 건이 보이고 있으며, 그 이후에도 여러 건이 보인다. 이런 등으로 보아 경성미술구락부가 설립되기 훨씬 전부터 골동상을 운영하였던 것으로 짐작된다. 박병래는 그의 골동가게에 대해 다음과 같이 기술하고 있다.

396　이중연은(『古書店의 文化史』, 도서출판 혜안, 2007, p106) 1894년과 1905년의 남대문 앞의 사진을 비교하여 설명하고 있다. 1894년에는 낮은 초가집들이 연이어 있던 것이 1905년에는 전통 한옥과 다른 형태의 집들이 들어서 있어 그간에 도로 정비가 있었던 것으로, 이때를 즈음하여 고서점들이 몰락한 것으로 보고 있다.
397　징규홍,『우리문화재 수난사』, 학연문화사, 2005, p.88~91.

가게의 외모로 보나 쌓아놓은 물건으로 보나 그의 상점은 잡동사니를 수두룩하게 모아다 놓은 넝마전을 연상하면 된다. 배성관의 가게는 우리나라 사람에게만 유명한 것이 아니라 그 당시 재경 외국인에게도 인기가 있었다. 그도 그럴 것이 상투를 틀고 갓을 쓴 주인 배씨가 곧잘 영어와 일본어를 해가면서 고객을 응대하는 까닭이다. 그 집에 가면 한 마디로 없는 게 없이 무엇이든지 살 수 있다는 장점이 있다. 천장에 주렁주렁 매어 달리고 이 구석 저 구석에 먼지가 쌓인 채 퀴퀴한 냄새를 내는 갖가지 장신구며 골동이 걸리적거려 가게 안에서 행보하기가 불편할 정도였다. 배성관 가게에 가면 없는 것이 없다는 말이 나오게 된 것도 그럴만한 이유가 있었다. 그 집에 가면 각종 짐승이나 새 특히 꿩 따위의 박제까지 널려 있었기 때문이다. 심지어는 머리가 둘이 붙은 기형의 송아지 머리를 진열장에 얹어 놓았는데 하도 유명하여 '송아지 대가리 둘 달린 집에 가면 무엇이건 산다'는 소문이 돌아 전국에서 올라오는 물건들은 이런 소문에 배성관의 고물상에 팔려 왔다고 한다.[398]

주인 배성관은 창경원 초대 수의사를 지낸 탓인지[399] 갖가지 희귀한 동물 표본들이 함께 진열되어 장안의 화제가 되었다. 배성관의 가게는 오래된 것이나 희귀한 것은 무엇이건 취급하였던 만물상과 같은 골동가게이었다.

어떤 사람은 배성관이 평생 한복차림으로 남들이 상대하지 않은 하찮은 것

398 朴秉來, 『陶磁餘滴』, 중앙일보사, 1974.
399 朴滿基, 「恥辱과 受難의 骨董秘史 100年」, 『史談』, 1987년 11월.

까지 모조리 긁어모은 점을 들어 그를 민족의식이 확고한 사람이라고 하는 이도 있지만,[400] 그는 거간을 10여 명 거느리고 전국의 희귀한 물건이나 도굴품들을 취급하였다. 심지어는 산간벽지의 석조물까지 반출하여 이익을 챙기려 한 악덕 상인이라 할 수 있다.

1936년 9월에는 배성관이 그의 하수인을 시켜 문경시 관음리 불당골이라는 산중 폐사지에 있는 석탑을 해체하여 서울로 반출하던 중에 당국에서 탐지하여 중지시킨 일도 있다.[401] 총독부에 발각되어 드러난 것이 2건일 뿐이지 그의 행위로 보아 드러나지 않은 것도 상당수가 있을 것으로 추정된다.

그는 한국인이지만 이익이 되는 일은 무엇이든 자행했던 악덕 골동상이라 할 수 있다.[402] 그의 점포는 해방 이후 6·25 때까지 유지되었던 최장수 골동상 점이었다.

---

400 朴滿基는 「恥辱과 受難의 骨董秘史 100年」(『史談』, 1987년 11월)에서,
"주인 배씨는 특히 민족의식이 강한 골동상이 었다. 평생 한복 차림으로 지낸 그는 일인들을 주로 상대하는 다른 골동상들과 달리 거의 우리나라 사람들만을 상대하여 거래를 하였다. 또 당시 경성미술구락부에서 경매를 하는 날이면 어김없이 나타나 다른 골동상들은 거들떠 보지도 않는 하찮은 골동들을 모조리 긁어가고 하였다. 이는 비록 값비싼 명품들은 재력이 못미처 할 수 없다 할지라도 단 한 점이라도 일본으로 반출되는 것을 막고자하는 충정 때문이었다고 한다. 하지만 안타깝게도 당시 우리나라 사람들에 의해 운영되던 골동점들 가운데 배성관 상점과 같은 확고한 민족적 의식이 확고한 상점은 극히 드물었다"고 기술하고 있다.

401 金禧庚, 「韓國 塔婆研究資料」, 『考古美術資料』 제22집, 考古美術同人會, 1969.

402 李英燮의 「文化財 秘話, 내가 걸어온 고미술계 30년」(『月刊文化財』 1973년 7, 8월호)에 그의 행적과 인간성에 대한 기록이 있다.

도쿄대학『문학부고고학연구실 수집품 고고도편』에 나타난 한국 유물

도쿄대학 문학부 고고학연구실에서는 1935년 6월에『문학부고고학연구실 수집품 고고도편』제9집을 발간했다. 서언에서 "본집은 동아 관계의 유품遺品 중에서 선택"한 것으로, "많은 것은 본실 관계의 고마이駒井, 에가미江上, 다자와田澤를 시작으로 우리들의 지우가 친히 현지에서 채집"한 것이라고 하고 있다. 대부분 발굴시 가져간 것으로 보인다. 이들이 언제 한국에 건너와 채집했는지 알 수 없으나 이와 같이 일본학자들이 현지를 답사하고 무법적으로 발굴 채집해 간 것이다.[403]

도편 9집에는 다음과 같은 유물이 실려 있다.

품명	출토지	소장처 및 소장자	출처	비고
馬鐸	경기도 광주 풍납리토성 출토	考古學研究室	圖版22	선년 田澤金吾가 토성을 조사할 때 채집
瓦壺	충남 공주 출토	考古學研究室	圖版23	

---

403 東京帝國大學,『文學部考古學研究室蒐集品 考古圖編』第9輯, 美術工藝會, 1935년 6월.

품명	출토지	소장처 및 소장자	출처	비고
瓦璭 1개	충남 공주 서혈리사지 출토	考古學硏究室	圖版24	
塼斷片 2개	송산리 고분 출토	考古學硏究室	圖版24	
瓦製骨壺	경주부근	考古學硏究室	圖版25	
金銅佛像		考古學硏究室	圖版26	

품명	출토지	소장처 및 소장자	출처	비고
塼佛頭	평남 평원군 덕산면 원오리 출토	考古學研究室	圖版27	도판 설명에는 사당(寺堂) 벽간에 소감(小龕)을 만들고 그 안에 넣어 두었을 것으로 추정하고 있다.

양양 화암사 불상 절취범 검거

강원도 양양에 있는 화암사禾岩寺에서는 4월 17일경에 불상 2체를 도난당했다. 양양경찰서에서는 그동안 범인을 수색하던 중 고성읍에 사는 전송호 외 2명을 협의자 검거했다. 이들은 훔친 불상을 경성으로 가지고 올라와 남대문통 3정목 배서완의 고물상에 40원을 받고 판 사실이 들어났다. 양양경찰서 서원은 6월 12일 상경하여 경성 서대문서의 응원을 얻어 배성관의 고물상점을 수색한 결과 불상은 아직 매매되지 않은 채 있어 압수하여 화암사에 돌려주게 되었다.[404]

---

404 『朝鮮中央日報』 1935년 6월 14일자.

경주 내남면 탑리 장창곡에 사지에서 우수한 문양와가 출토되어 수집가들이 이목이 집중되고 있는데 6월 실지조사에서 지하 약 2척 깊이에서 '天卍恩'의 양각명의 평와편이 발견되었다.[405]

1935년 7월 11일

후지즈카 지카시藤塚隣 경성대 교수와 이케다池田 경무국장이 함께 제주 시찰 중 제주도 인사의 소장 유묵을 참고하고자 7월 11일 김근선 가에서 《추사유묵전람회秋史遺墨展覽會》를 개최하였다.

1935년 7월 22일

조선고적연구회에서 일본 궁내성에 헌상한 참고품

조선고적연구회의 <궁내성에 참고품 헌상에 관한 건>(소화10년 7월 22일 기안)을 보면, 1933년 이래 3개년 간 조선고적연구회 사업에 대해 궁내성으로부터 지원을 받은데 대한 감사와 제실박물관 건설이 착착 진행 중인바, 장래 조선실을 열어 조선 고대문화를 소개 취지에 부응하여 전년도 본회 조사 수집품

---

405 大坂金太郎, 「慶州に於ける新羅廢寺址の寺名推定に就て」, 『朝鮮』, 朝鮮總督府, 1935년 10월.

평남대동강면 낙랑고분 발견 노기(弩機)
(『제실박물관연보 昭和10年
1月~12月』도판 26)

내에서 중복품을 보낸다는 내용이다. 그 헌상품으로는 평안남도 대동군 대동강면 정백리 발견의 목제칠도청동부노木製漆塗靑銅附弩 1개만 나타나 있다.[406] 그밖에 어떤 것이 더 헌납되었는지 알 수 없다.

『제실박물관연보 昭和10年 1月~12月』(帝室博物館, 1936년)에는 <궁내성에 참고품 헌상에 관한 건> 것으로 추정되는 역사부 제11구 유물번호 4237의 조선 평안남도 대동강면 낙랑고분 발굴의 노기弩機(도판26)가 있다.

1935년 7월

망해사지 부도 이건 미수

망해사지는 경남 울산군 청량면 율리의 영취동 부락 부근에 소재한다. 이곳 사지에는 신라말기로 추정되는 두 기의 부도가 남아 있다. 두 기 모두 전형적인 팔각원당형 부도로 동서로 건조하였는데 양부도의 건조양식이나 각 부의 조각 수법에 있어서도 같으며 전체규모에 있어서도 거의 같은 크기이다. 양식상으로

---

406 大韓民國政府, 『對日請求 韓國藝術品』, 「附錄」 편, 1960, pp.369~372.

844년에 건립한 염거화상탑과 893년대에 건립한 실상사 수철화상탑과 같은 계보의 것으로 평가되고 있어[407] 9세기 말경에 건립된 것으로 추정되고 있다.[408]

두 기의 부도 중 현재 동쪽 부도는 탑신과 옥개석이 많이 파손되어 있다. 이같은 현상은 보물도취로 인해 크게 파손되어 도괴되어 있었는데, 상대석과 탑신, 옥개석 등 부도의 중추부가 마구잡이로 깨어져 나갔다. 『조선보물고적조사자료』에 이미 부도 두 기 중 한 기는 파손된 것으로 기록된 점[409]으로 보아 이러한 행위는 1916년 이전에 일어난 것으로 보인다.

이같이 돌보지 않고 방치되어 있어 1935년 7월 24일자로 범어사 주지가 망해사지 부도를 이건하고 싶다는 '석탑이건 허가원'을 제출했다.[410] 이 부도의 이건 희망에 따라 1935년 10월 31일자로 경남도지사가 학무국장에게 보낸 '석탑이건 허가에 관한 건'을 보냈는데, "관하 울산군 청량면 율리 소재 망해탑은 학술적 가치가 있는 것으로 인정되나 이의 보관이 충분하지 못한바 있으므로 별지와 같이 동래군 범이사 주지로부터 이의 이건 보관할 것을 희망함이 있으므

---

407 蘇在龜,「新羅下代石造美術研究」(『美術資料』62, 1999.
　　蘇在龜는「新羅下代僧塔造營史」(『美術資料』67, 2001 국립중앙박물관)에서, 현재 실상사 수철화상탑(893년 작)은 수철화상탑이 아니라 실살산문의 창건주인 증각대사탑(861년 이전 작)으로 보아야 마땅하다고 하며, 대체로 870년대 이전에 활동한 신라 선승들의 승탑은 규묘가 작은데다 염거화상과 현 수철화상탑이 860년 이전에 활동한 증각대사탑이어야 한다고 주장하고 있다.

408 鄭永鎬는「蔚州望海寺 石造浮圖의 建造年代에 대하여」(『又軒 丁仲煥博士還曆記念論文集』, 1974)에서, 聖住寺 朗慧和尙白月保光塔(890)과 禪林院弘覺禪師塔(886) 보다는 樣式上 望海寺浮圖가 앞서며, 鳳巖寺智證大師寂照塔(883)보다는 뒤지는 건조물로 추정하고 있다.

409 『朝鮮寶物古蹟調査資料』, 朝鮮總督府, 1942, p. 308.

410 「昭和9년~12년 고적보존관계」, 『국립중앙박물관 소장 총독부박물관 공문서』, 목록번호 : 96-159.

로"그 가부의 지시를 해 달하는 것이다.

이에 대해 1935년 11월 20일자로 총독부 학무국장이 경남도지사에게 보낸 '석탑이건 허가원에 관한 건'에 의하면 "망해사지는 장차 보존령에 의하여 고적으로 지정될 것임으로 사지는 원상대로 보존"해야 하므로 잔존하는 부도 역시 원지에 보관해야 하므로 범어사의 허가원은 받아들일 수 없다는 것이다.[411]

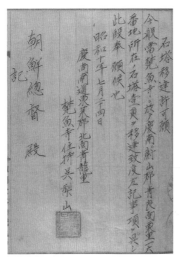 

'석탑이건 허가원'과 이에 첨부한 사진

이로써 망해사지 부도의 이건은 무효화되고, 1937년 6월 9일 제3회 조선조물 고적천연기념물조존회 총회에서 보물로 지정하였다.[412] 그러나 일제말기의 전시체제로 들어서면서 복원을 하지 못하고 그대로 방치해 두었는데 이러한

411 金禧庚 編, 『韓國塔婆研究資料』, 考古美術同人會刊, 1969.
412 『靑丘學叢』第29號, 彙報, 靑丘學會, 1937년 8월.
    朝鮮總督府官報, 號外, 1938년 5월 3일.

상태는 1960년까지 계속되었다.

1960년 8월에 이곳을 답사한 정영호 교수의 기록에 의하면, 동쪽부도는 기단부부터 도괴되어 중, 상대석과 탑신, 옥개석 등이 주변에 흩어져 있었고 서쪽부도는 상륜부 대신 옥개석 위에 소형의 조선시대 석종형 부도 하나가 놓여 있어 원형을 그르치고 있었다고 한다.[413] 1960년 11월의 복원공사에서 동쪽부도는 산재한 부재를 수합하여 완전히 복구하였으며 서쪽부도도 옥개 위의 타 부재를 내려놓고 현재와 같이 복원하였다.

망해사는 신방사라고도 불렀다고 하는데 처용설화와 관련된 사찰이다. 『삼국유사』 제2권 '처용랑處容郎과 망해사望海寺' 조에,

제 49대 헌강대왕 때에는 서울에서 지방에 이르기까지 집과 담장이 연이어 있었고 초가는 하나도 없었다. 풍악과 노래소리가 길에서 끊이지 않았고 바람과 비는 사철 순조로웠다. 이때 대왕이 개운포開雲浦(지금의 울산)에서 놀다가 돌아가려고 낮에 물가에 쉬고 있는데 갑자기 구름과 안개가 자욱해서 길을 잃었다. 왕이 괴이하게 여겨 좌우 신하들에게 물으니 일관이 아뢰기를, '이것은 동해에 있는 용의 조화이오니 마땅히 좋은 일을 행하여 풀어주어야 할 것입니다' 했다. 이에 일을 맡은 관원에게 명하여 용을 위하여 절을 짓게 했다. 왕이 명령을 내리자 구름과 안개가 걷혔다. 그래서 그곳을

413 鄭永鎬, 「蔚州望海寺 石造浮圖의 建造年代에 대하여」, 『又軒 丁仲渙博士還曆記念論文集』, 1974.

개운포라 했다. <중략> 왕은 서울로 돌아오자 이름을 망해사望海寺라 했다.
또는 이 절을 신방사新房寺라고도 했는데 이것은 용을 위해서 세운 것이다.

이런 기록을 비추어 볼 때, 당시 개운포 즉 지금의 울산 앞바다에 처용암이 있고
처용리라는 동리까지 남아 있으며, 바닷길의 안전과 관련한 제사인 망해제가 전해
오는 것으로 보아 단순한 설화로만 묵과할 수 없는 것이다. 또 사지에서 라대의 와
편이 다수 출토된 점[414]으로 보아 창건설화와 관련한 창건년대는 상당히 신빙성이
있는 것으로 보여 지며 대략 9세기 후반에 개창된 것으로 추정되고 있다.

망해사가 언제 폐해 졌는지는 알 수가 없으나 『신증동국여지승람』에는 "문

망해사지 부도

수산文殊山에 있다"고 하여
이때까지는 법등을 이어온
듯한데, 『울산읍지』에는
"금폐"로 기록하고 있으며,
『교남지』에는 "신라 헌강왕
때 건립되었으나 금폐"로
기록하고 있어 최소한 18
세기 이전에 폐사가 된 것
으로 추정된다.

---

414 鄭海昌, 「浮圖의 樣式에 관한 考略」, 『白性郁博士頌壽記念佛敎學論文集』, 동국대,
　　1959, p.3.

1935년 8월 14일

촉탁 가야모토 가메지로樞
本龜次郞는 1935년 8월 14일부
터 20일까지 경상북도 문경군
가갈면 원북리에 있는 봉암사
鳳巖寺 내 탑비들을 조사하고
돌아와 같은 달 31일에 복명
서를 제출했다. 봉암사의 위
치, 연혁, 현상 그리고 삼층석
탑을 비롯한 사찰 내 유물의

봉암사 전경(복명서에 첨부된 사진으로,
"1919년 10월 谷井 寫"라고 기록하고 있다.)

특징이 기재하고 각 유물의 사진이 첨부되어 있다.[415]

1935년 8월

문경 관음리5층석탑(갈평리5층석탑) 매매 사건

이 석탑은 문경시 신북면 관음리 불당골이라 불리는 산중의 폐사지에 있었는데,

---

415 「경상북도 문경군 봉암사(鳳巖寺) 내 탑비 조사 복명서」, 『국립중앙박물관 소장 조선충
독부박물관 공문서』, 목록번호 : 96-431.

1916,7년경에 조사한 『조선보물고적조사자료』에는 "관음동觀音洞 북방 전중田中에 있다. 고 10척의 8중방탑八重方塔이 있으며 형태완전形態完全"한 것으로 나타나 있다.[416]

그런데 1935년 8월에 관음리의 이모 등이 부락의 사업 시설비에 충당한다는 모의를 꾸며 서울에 거주하는 임장춘이란 자에게 매각하였다. 임장춘은 이 석탑을 해체하여 서울로 이반 중에 당국에서 탐지하여 조사에 나서게 되었다.

1935년 8월 24일자로 총독부 학무국장이 경기도지사에게 보낸 '석탑 반출에 관한 건'을 보면, 법령위반法令違反으로 인정되는 행위임으로 엄중취조嚴重取調한 뒤 적의適宜의 처리를 바란다고 하면서 임장춘은 경성부 남대문통 고물상인 배성관과 연관이 있음을 부언하고 있다. 이에 따라 경북도에서는 조사에 나섰으며, 1935년 9월 4일자로 경상북도에서 총독부로 보낸 '석탑 반출에 관한 건'은 다음과 같다.

석탑 반출에 관한 건

8월 24일부 어 조회한 바 있는 관하 문경군 문경면 관음리 소재의 석탑에 관한 건을 죄기와 같이 처리하였음을 보고함

기

一. 해 석탑 매매인의 주소 성명

　　매도인 문경군 문경면 관음리 이강오

　　　　　문경군 문경면 관음리 손일수

---

416 『朝鮮寶物古蹟調査資料』, "觀音洞北方田中에 在한다. 高十尺의 八重方塔이 있으며 形態完全."

매수인　경성부 신용산 이태원 66 임장춘

一. 해 석탑 소재지의 지번 및 소유자

지번　관음리 397번지

토지 소유자　문경면 관음리 손일수

一. 매각 연월일 및 매매의 상황

매각 연월일　1935년 8월 5일

매각의 상황

전기 이강오는 동리 손일수 외 3명과 협의하고 부락 공동의 사업시설

비에 충당할 것을 꾀하고 허가를 받지 않고서 본년 8월 5일 전기 임장

춘에게 매각한 것임

一. 본건에 관한 처리 상황

본년 8월 17일 전기 매매 관계자 이강오와 임장춘을 경찰서에 출원시

켜 우 계약을 취소시키고 우 석탑의 전부를 원소재지까지로 운반하여

두기를 임장춘에게 청서請書를 제출시켜 8월 말일 한限 원위칭 복원시

키기로 하였음[417]

이 결과 보고를 받은 총독부에서는 "보물로 지정할 사정도 있으므로 처치 상
황을 상세히 보고" 하라는 주문을 하달하고, 이에 따라 1936년 4월 21일자 경
북도에서 총독부 학무국장에게 보낸 내용의 골자는 다음과 같다.

417　金禧庚 編, 「韓國 塔婆硏究資料」, p 214.

1936년에 복원한 모습[86]과 최근의 석탑 모습

임장춘에 대하여 복원을 엄중 처치하였던바 원위치에서 약 1리 떨어진 장소에 복원했는데, 그 이유는 원소재지인 관음리 폐사지는 갈평리로부터 약 1리의 거리에 있으며 급경사 등으로 운반이 심히 곤란하고, 현 복원 장소는 근처에 간이학교, 주재소 등이 있어 안전하다.

결국 매도관계자를 경찰서에 출두시켜 계약을 취소시키고 가장 안전하다고 생각되는 문경면 갈평리 갈평지서 구내에 재건했다.[418]

현재 갈평리 지서는 없어지고 이 자리에는 문경 갈평출장소 및 보건소가 들

418 秦弘燮, 『聞慶 觀音里의 石佛과 石塔』, 考古美術 2號; 張俊植, 「遺蹟을 통해 본 鷄立領 考」, 『예성문화』 제7호, 예성동호회, 1985.

419 1936년 5월 26일부로 경북도지사가 학무국장에게 보낸 '석탑사진 송부의 건.'(「소화9년 ~12년 고적보존관계」, 『국립중앙박물관 소장 총독부박물관 공문서』, 목록번호 : 96-159)

어서 있으며 석탑은 갈평출장소내 입구 쪽 담 측편에 세워져 있다.

본 석탑이 원래 있었던 5천 평 가량 되는 넓은 관음리사지는 축대와 장대석 등이 남아 있으며 아직도 주변에 와편이 발견된다.

고분 발견

경기도 광주군 동부면 교산리로부터 서부면 춘궁리 일대는 궁지가 있던 곳으로, 그 산속에서 불상 2체와 고분 6기를 발견하다.[420]

1935년 9월 1일

낙랑유적 조사

조선고적연구회 평양연구소의 1935년도 낙랑유적 조사는 일본학술진흥회의 원조금을 받아 9월 1일부터 11월 상순까지 실시했다. 당시 발굴은 석암리 255 호분, 석암리 257호분, 정백리 4호분, 남정리 53호분, 도제리 50호분 그리고 토성지를 발굴하였다.

이 조사는 후지타 료사쿠藤田亮策 연구원의 통일적 계획 하에 오바 쓰네키치

---

420 『東亞日報』 1935년 9월 1일자.

小場恒吉 연구원이 주임으로 실시했다. 조사연구원으로는 조선총독부 고적조사사무촉탁 노모리 겐野守健, 조선총독부 고적조사사무촉탁 사와 슌이치澤俊一, 조선총독부 고적조사사무촉탁 가야모토 가메지로榧本龜次郎, 도쿄제국대학 문학부 부수 고마이 가즈치카駒井和愛, 동방문화학원 도쿄연구소 조수 다키 요우이치瀧遼一, 조선고적연구회 촉탁 다쿠보 신고田窪眞吾 등이 참가했다.

조사계획은 6월부터 개시하여 후지타, 오바, 우메하라梅原가 제반 준비를 하여 8월말부터 조사원들이 평양에 집합한 다음 9월 1일에 조사를 개시하여 11월 상순에 종료하는 것으로 했다. 다음과 같은 관련 기사가 있다.

금추에도 낙랑고분발굴대 일행은 발굴을 행하기로 되었는데 소장小場, 야수野守, 택澤, 구정駒井 등은 9월 1일부터 석암리 및 오봉산 뒤편에 있는 4기의 고분을 약 2개월에 걸쳐 발굴하기로 했다(『매일신보』 1935년 5월 25일자).

낙랑고분 발굴
총독부는 낙랑유적을 연구하기 위하여 9월 1일부터 11월 10일까지 약 3개월 동안 동경미술학교 강사, 성대교수, 총독부 촉탁이 평남 대동군 대동강면, 원암면, 남고면 일대 낙랑시대의 고분과 군치지로 추정되는 토성 내부의 발굴과 조사를 하기로 했다(『동아일보』 1935년 8월 30일자).

금추에 낙랑고분 발굴을 개시하기로 되어 소장 낙랑연구소장을 위시하여 8월 28일 래양한 택澤 총독부 촉탁, 전와田窪 평양주재소원과 기일 중에 래양 예정인 동경제국대학 문학부 구정駒井 조수 등이 작업을 개시하기로 되어 소장小場, 삼森 양씨의 제1반은 제9호분 부근 목곽분을 발굴하기로 하고, 택澤, 전와田窪 양씨의 제2반은 오봉산의 대동군 용연면에 있는 전곽분을 발굴할 예정으로 전와 씨는 지난 1일부터 현장 실지측량을 개시하고 있고, 소장 씨는 명일 간에 실지측량을 개시할 예정으로 오야리 숙소에 주재하기로 되었으며, 구정 씨는 금년 춘기 작업에 계속하여 낙랑토성지 발굴을 행하기로 되어 있어 원전 동대교수, 매원 성대 조교수도 발굴 진행에 따라 래양하기로 되었으므로 금추의 발굴은 비상히 기대되는 바 있다(『매일신보』 1935년 9월 4일자).

그 조사 일정과 출토 유물은 대략 다음과 같다.

명칭	조사기간	담당자	출토 유물	비고
석암리 제255호분	9월 3일 ~10월 19일	小場恒吉, 榧本龜次郎, 澤俊一	漆器殘缺, 鏡 1면, 大甕, 瓦盤, 瓦竈 등[88]	
석암리 제257호분	9월 7일 ~10월 19일	小場恒吉, 榧本龜次郎, 澤俊一	漆器類 약 25개분, 도기류 약20개분, 금곡제품 약 50개분, 玉石甲類 14점, 직물류 약간[89]	

---

421 朝鮮古蹟研究會, 『昭和10年度 樂浪古墳 古蹟調査槪報』, 1936.
422 朝鮮古蹟研究會, 『昭和10年度 樂浪古墳 古蹟調査槪報』, 1936.
　　『매일신보』 1935년 10월 1일자에는 다음과 같은 기사가 있다.
　　낙랑고분 발굴 진품 다수 발굴
　　목하 발굴 중에 있는 평양 대동군 대동강면 석암리 제257호분은 거의 발굴을 종료하였는데 동고분은 부부합장한 것으로 우편이 남자이고 좌편이 여자의 관이다. 그런데 관에는 칠이 상당히 있고 곽의 상부에는 토기 약 20개가 들어 있다. 그리고 여관의 상부에는 비녀가 있고 하방에는 룡형으로 만든 장식품과 거울 등이 있고 관 속에는 두발이 완전히 남아 있다. 이외에 여관 중앙에는 동제요대, 금속구, 황색분말, 漆塗한 신발, 관 외에는 금구, 모직물, 검 등 다수의 진품이 발견되었다.

명칭	조사기간	담당자	출토 유물	비고
정백리 제4호분	9월 18일 ~10월 18일	小場恒吉, 榧本龜次郎, 澤俊一, 田窪眞吾	칠기류 약간, 도기류 4점분, 금속제품 11점, 옥석갑류 4개, 직물류 약간[90]	
남정리 제53호분	9월 1일 ~10월 23일	梅原末治, 澤俊一, 田窪眞吾	금속제품 13점, 칠기류 약 10점, 도기류 13점, 그 외 博山爐 등 26점[91]	출토유물 상당수 교토 대학 문학부로 반출[92]
도제리 제50호분	9월 4일 ~10월 30일	梅原末治, 澤俊一, 田窪眞吾	도기류 약 20점, 칠기류 약 20개분, 금속제품 약 64여 점[93]	
토성지	4월, 9월 5일, 10월 19일	駒井, 澤俊一, 田窪眞吾, 野守健	銅鏃, 鐵釘, 瓦甑, 瓦鼎, 玉類, 封泥 기타 총 150여 점[94]	출토유물 상당수 도쿄 박물관으로 반출

석암리 제255호분

423 朝鮮古蹟研究會, 『昭和10年度 樂浪古墳 古蹟調査槪報』, 1936.
424 朝鮮古蹟研究會, 『昭和10年度 樂浪古墳 古蹟調査槪報』, 1936.
425 梅原末治, 藤田亮策, 『朝鮮古文化綜鑑』 제2권, 養德社, 1948, p.42.
　　雲龍漆文土器盒, 博山爐, 龍首盌이 京都大學 문학부 소장으로 나타나 있다.
426 朝鮮古蹟研究會, 『昭和10年度 樂浪古墳 古蹟調査槪報』, 1936.
427 朝鮮古蹟研究會, 『昭和10年度 樂浪古墳 古蹟調査槪報』, 1936.

정백리 제4호분

도제리 제50호분

남정리 제53호분

이 고분은 오봉산의 동남 대지상에 조성된 고분으로 분구는 동서 약 30미터, 남북 28미터 가량의 방대형으로 고 5미터 정도 규모를 가지고 있다. 대정12, 13년 이래 도굴을 당한 흔적이 있었다. 본년도의 발굴계획에 그 첫 번째로 선정되어 9월 1일 외형 실측을 하고 9월 3일부터 발굴에 착수했다. 22일에 조사를 종료했다.

이 고분은 후실 천정의 서변에 구멍을 뚫고 도굴자가 침입하여 후실의 유물

남정리 제53호분 발굴 장면(『소화10년도 낙랑고분
고적조사개보』)

을 훔쳐가고, 남방에 구멍을 뚫어 전실에 도달하여 도굴하고 내부가 교란攪亂되어 있었다. 도굴자가 원했던 것은 주로 금은보옥 등이었는지 다수의 부장품이 잔존해 있었다. 출토유물로는 금속제품 13점, 칠기류 약 10점, 도기류 13점, 그 외 박산로 등 26점이 출토되었다.[428]

우메하라와 후지타가 공저한 『조선고문화종감朝鮮古文化綜鑑』 제2권을 보면 남정리 제53호분 출토의 운용칠문토기렴雲龍漆文土器奩, 박산로博山爐, 용수완龍首盌이 '교토대학 문학부 보관'으로 나타나 있다.[429] 이는 당시 발굴한 유물 전체 내지 일부를 가져간 것이다.

남정리 제53호분 출토 동정
(『소화10년도 고적조사개보』)

남정리 제53호분 출토 박산향로
(『조선고문화종감』제2권 도판 제34)

428 朝鮮古蹟硏究會, 『昭和10年度 樂浪古墳 古蹟調査槪報』, 1936.
429 梅原末治, 藤田亮策, 『朝鮮古文化綜鑑』 제2권, 養德社, 1948, p.42.

토성지 발굴

    평남 대동군 대동강면의 토성리에 있는 토성은 일찍부터 세키노 일행, 도리이鳥居 등에 의해 수차 조사되어 낙랑군치지로 추정하여 중요 유적의 하나로 취급해 왔다. 조선고적연구회에서는 종래의 고분 발굴 조사와 함께 본 유적을 조사할 계획으로 1934년도부터 계획을 세워 하라다 요시토原田淑人 연구원을 주임으로 하여 고마이 가즈치카駒井和愛, 사와 슌이치澤俊一, 다쿠보 신고田窪眞吾, 노모리 겐野守健가 담당했다. 1935년 4월 9일부터 30일까지 제1회 조사를 하고, 다시 1935년 9월 6일부터 10월 18일까지 제2회 조사를 하여 이 유지의 일부를 발굴하였다.

토성지 발굴지(『소화10년도 고적조사개보』)

    출토품으로는 동족銅鏃, 철족鐵鏃, 방추차紡錘車, 철정鐵釘, 와증瓦甑, 와정瓦鼎, 옥류玉類, 봉니封泥, 오수전五銖錢, 화천貨泉, 낙랑부귀와당樂浪富貴瓦當, 천추만세와당千秋萬歲瓦當, 기타 총150여 점이나 되었다.[430]

    그 중 얼마를 그들 연구실로 반출했는

토성지 출토 銅鼎

430 朝鮮古蹟研究會, 『昭和10年度 樂浪古墳 古蹟調査槪報』, 1936.

지는 정확히 알 수 없으나,《토성리출토품전관》의 진열품은 전, 와당, 와중, 와추, 방추차, 오수전, 전범, 검필, 철족, 동정, 와정, 동작 등이라고 한다. 이러한 것은 "도쿄제국대학 문학부 고고학연구실에서 1935년도 조선고적연구회 주최의 고적조사 중 특별히 도쿄제국대학 문학부 고고학연구실 관계자에 의하여 발굴한 평양부외 토성리 토성(낙랑군 치지) 출토품 일부를 진열했다"[431]고 하는 것으로 보아 상당수를 가져갔을 것으로 추정된다.

토성지 출토 유물

---

431 「土城里出土品展觀」,『日本美術年鑑』, 美術研究所, 1937年度版, p.156.

1935년 9월 10일

허울 좋은 고적애호일

총독부에서는 1935년 9월 10일을 고적애호일로 정하고, 매년 이 날에 대대적인 행사를 갖기로 했다.

이에 대한 것은 이미 1935년 7월에 구체적 계획이 수립되어, 총독부 사회과에서는 금후에 대한 애호정신을 일층 고취 선전하기 위하여 오는 9월 10일을 고적애호일로 결정하고 경성을 비롯한 각 지방단체를 동원시켜 적절 유효한 방법으로 고적애호운동을 일제히 일으키기로 하였는데 이 운동의 실행항목은 다음과 같다.

1. 각 고적지의 읍면 또는 민간유력단체로 하여금 고적에 관한 강연회 또는 좌담회 등을 개최케 하여 애호정신을 보급케 할 일
1. 각 보존회 및 이와 유사한 단체 또는 기타 기관으로 하여금 관내 고적 수리보전에 담당케 하고 유물의 도난 및 고적 도굴 방지에 노력케 할 일
1. 관내 각 초등학교에서 고적애호정신 함양에 관한 훈화를 행할 일
1. 각 박물관에서는 당일에 한하여 관람료 할인 기타 방법으로 관람인의 증가를 도모할 것
1. 고적에 관한 팜프랫을 발행할 일
1. 경성에서는 고적에 관한 강연회를 개최할 일
1. 지방에 고적보존회 또는 보승회 등의 조직을 종용慫慂하고 그 확충을 도모할 일

1. 신문 잡지에 고적애과에 관한 논문을 게재할 일
1. 고적에 관한 강연을 라디오로 방송할 일[432]

이에 따라 충청도에서는 내무부장과 경찰부장의 연명으로 도내 각 군수, 경찰서장에게 다음과 같이 엄명을 내렸다.

1. 각 고적지에 있는 읍면 또는 민간 유력단체로 하여 고적에 관한 강연회 또는 좌담회 등을 개최케 하여 이의 애호정신의 보급을 도모할 사
2. 각 보존회 및 이의 유사의 단체 또는 기타 기관으로 하여 관내 고적의 수리보전에 當케 하며 또한 유물의 도난 고분의 도굴 방지에 노력케 하여 고적의 보존상 유감없기를 기할 사
3. 관내 각 초등학교에서는 고적애호정신 함양에 관한 훈화를 하도록 할 사[433]

또 경성에서는 '고적 조선의 유산', '고적은 향토의 자랑' 이라는 표어 아래 1935년 9월 8일 장곡천정 사회관에서 본부촉탁 오다 쇼고小田省吾의 '고적애호에 관하여', 오카다 코岡田貢의 '경성 및 근교의 고적에 대하여' 라는 강연이 있었다.[434] 각 지방 마다 이와 유사한 행사를 갖게 되었다.

이상으로 본다면 이 운동은 고적을 가꾸고 보존하는 데 성심을 다하고 있는

---

432 『每日申報』 1935년 7월 26일자.
433 『每日申報』 1935년 8월 4일자.
434 『每日申報』 1935년 9월 8일자.

것으로 보인다. 하지만 여기에는 겉으로 드러나지 않은 계획이 있었던 것이다. 즉 고대 유물을 통하여 내선일체의 사상을 주입시키고 조선인의 황국신민화하려는 속내가 있었던 것이다.

특히 1937년 7월 중일전쟁에 돌입하자, 고적애호일을 기하여 전쟁 준비를 위한 정신 무장의 장으로 삼게 된다.

1937년 7월 중일전쟁에 돌입한 일제는 군수산업軍需産業에 혈안이 되었다. 전대미문前代未聞의 식민지에 대한 인권유린으로 노동력의 통제와 징용을 강제하여 대부분의 기업을 군수품생산업체로 전환했다. 또한 중일전쟁이 장기화로 갈 것이 예상되자 한국인의 정신무장을 새로이 하기 위한 구심점이 필요했던 것이다.

1937년 9월 9일자 일본 내각총리대신 고유告諭에, "고래 아국민은 간난艱難을 맞게 되면 반드시 이를 극복하여 국가흥융國家興隆의 성과를 거두지 않은 일이 없다. 여하한 간난艱難에도 감내하여 화협일치和協一致 봉공의 지성을 다하라, 금반 국민정신의 총동원을 실시하는 소이所以 또한 이에 따라 생각을 현하現下의 시국에 두어 일본정신을 앙양昂揚하고 솔선하여 더욱 국력의 증진을 도모하여 황운을 부익하기를 기하여야 될 것이다"고 하였다.[435]

조선총독 미나미는 이를 받들어 한국인들에게 일본 내각총리의 고유와 같은 날 유고諭告를 발표하여,

아조선에 있어서는 사변 이래 국민적 신념을 하나로 하여 애국의 지성을 구현하고 거국擧國의 급急에 응하여 내선일체의 실을 거하고 있음은 본 총

---

435 『東亞日報』1937년 9월 10일자.

독의 깊이 감명하는 바로서 아지역의 중요성에 감鑑하여 국가의 목적에 대한 기여 또한 큼을 믿어 의심치 않는다.

사변은 이제 확대하여 장기의 시련에 감내할 각오를 요한다. 반도국민은 더욱 시국의 추향趨向을 명찰하고 견인지구堅忍持久 생업보국의 신념을 견지하여 성지聖旨에 봉대奉對할 것을 기할 것이다.[436]

라고 하였다. 이를 보면 중일전쟁이 장기화할 기미가 보이자 일본에서는 이에 대한 대책을 세우고, 한국민에 대해서는 '내선일체'를 강요함으로서 시국에 대처할 것을 미나미에게 전한 것으로 볼 수 있다.

미나미 전의 조선총독 우가키宇垣가 '내선융화內鮮融和'를 부르짖었다면, 미나미 지로南次郎는 처음에 내선융화를 내세웠으나,[437] 1937년 9월부터 '내선일체內鮮一體'를 들고 나왔다. 이것이 미나미의 조선 통치에서 공식적으로 처음 들고 나오는 용어로 보인다.[438] 이는 일본내각총리의 고유와 미나미의 유고가 같은

---

436 『東亞日報』 1937년 9월 10일자.

437 陸軍大將 南次郎은 1936년 8월 5일에 조선총독으로 임명되어 한국에 부임하기 전에 동경에서 성명서를 발표하였는데 그 내용에, "나아가 참된 內鮮融和의 實을 거두어 一視同仁의 於聖旨를 받들고자 합니다"고 하고 있다(朝鮮總督府, 『施政三十年史』, 1940, p.409).

438 南次郎은 1937년 6월 22일 동경에서 일본의 각료들과 조선통치의 근본방침을 의논하고 조선통치 현황과 근본방침에 관하여 소신을 설명하였는데, "종래의 조선통치에 있어서는 內鮮融和의 정신을 통치의 근본 기조로 하여 왔으나 만주사변을 계기로 내선융화는 진하여 '內鮮一體'로 되었으므로 금후 우방 만주국과 조선과의 融和야말로 조선통치의 근본방침으로 생각하고 있으므로 이 점을 강조한다"고 하고 있다.(동아일보, 1937년 6월 23일자) 南次郎의 조선통치방침은 동경에서 충분한 협의를 거친 다음 이때부터 '內鮮一體'로 수정하였음을 짐작할 수 있다. 하지만 공식적으로 널리 공포하여 추진한 것은 1937년 9월부터로 보인다.

날 동시에 발표된 것으로 보아 미나미의 독자적인 시정지침이 아니라 일본 본국으로부터 시달 받은 것으로 보인다.

미나미는 처음 조선시책의 중요방침으로 국체명징, 선만일여, 교학진작, 농공병진, 서민쇄신의 5대정강을 들고 나왔는데,[439] 이것은 다 대륙병참기지의 구상 아래 조선경제의 재편성과 대륙침공 작전의 일환이었던 것이다. 중일전쟁이 장기화의 조짐이 보임에 따라 미나미는 1938년 4월 19일의 도지사회의에서,

> 회고하면 작년의 본회의에서 나는 시정의 중요방침으로서 5개 항목을 각 위各位에게 시示함과 동시에 관민의 료해了解를 구하고, 그 구현具現을 기하여 온 것이다. 그런데 7월 이래 지나사변은 점차 대규모로 추이발전하고, 전시체제하에 전쟁목적의 수행을 기하여 총후銃後의 노력을 경주 <중략> 본 사변이 가져온 직접 간접의 형이상하에 미치는 영향과 오인이 시행하는 사적事跡을 검토하건데 5대방침은 통치의 근본취지인 내선일체의 본류에 따라 더 한층 새로운 의의를 띠고 그 실적을 거양擧揚할 수 있다고 생각된 것이다. <중략> 내선일체의 실實을 심화하여 정正히 통치사상 1기를 획劃하게 된 것은 각위와 함께 감격하는 바이다.[440]

라고 했다. 즉 시국이 예상치 못하게 변함에 따라 불가피하게 그 통치방침을

439 1937년 4월 20일 제2차 도지사회의 訓示, (『官報』 1937년 4월 21일자)
440 『東亞日報』, 1938년 4월 20일자.
    『官報』 1938년 4월 20일자.

수정하게 된 배경을 설명하고 있다. 내선일체는 1937년 4월에 발표하였던 5대 강령의 본류로서 앞으로 내선일체를 강요하겠다는 의지를 볼 수 있다. 따라서 내선일체는 1937년 9월 일본의 지시에 따른 것이지만 이때부터 구체적인 시안이 마련되고 있음을 짐작할 수 있다.

조선총독부 사회과에서는 1937년 9월 10일의 고적애호일을 기하여 내선일체를 역사적으로 강조천명强調闡明하여 일반 민중의 시국에 대한 인식을 심화시키고자 행사 요령을 각 도에 통첩하였다.

이에 따라 경성부에서는 총독부의 방침에 따라 내선동조內鮮同祖의 역사적 사실에 대하여 강조천명强調闡明하여서 내선일체의 신념을 굳게 가지도록 철저한 운동을 하기로 하여 각 학교에서는 종래 수집하여 두었던 고적연구자료를 정리하는 동시에 고적 애호와 내선동근內鮮同根의 감정을 심화시키는 훈화를 하게 했다.[441] 강원도에서는 관하 각 군에 다시 이첩하여 다음의 행사를 하도록 지시하였다.

1.「고대의 내선관계」라는 팜프랫을 각 관공서, 사공립학교 기타 사회교화 단체에 배부한다.

1. 고적명승지의 읍면 및 민간단체는 고적애호에 관한 강연회, 좌담회를 개최한다.

1. 관내 초등학교에서는 고적애호와 내선일체의 훈화를 한다.[442]

441 『每日申報』1937년 9월 11일자.
442 『每日申報』1937년 9월 10일자.

그 외 각 도에서 이와 유사한 행사를 가졌다.

1937년 9월 10일 고적애호일에 조선총독부 학무국장은 경성방송국에서 「고적애호일에 대하여」란 제목으로 방송을 하였는데 그 내용은 대략 다음과 같다.

금일 의의意義있는 고적애호일을 당하여 아등은 그 고적에 의하여 회고되는 내선동포內鮮同胞의 원시시대에 소급하여 생각해보는 것도 도연徒然한 일이 아니라고 생각합니다. 내지인과 조선인과는 수천 년의 옛날에 있어서 전연 동일하였었다는 것은 금일에 와서는 상식화하였습니다. 이것은 내선동조內鮮同祖 또는 내선동근內鮮同根이라고 말하여 금일 내선일체의 사상적 근거의 하나로 말하고 있습니다.

이것은 인종적으로 보아 전혀 동일 종족에 속한다는 것은 학자의 말하는 바이오. 또 우리로의 이미 의심치 않는 바입니다.

문화적으로 보면 옛날부터 내선 양지인이 상시 극히 불편한 교통을 불구하고 현해탄을 건너서 서로서로 빈번히 왕복하였고 서로 물자의 교환을 하고 또 사상적으로 서로 강열히 영향하고 있어서 점차 한 개가 되어 풍속도 유사하게 되고 또 공통된 감정도 용출되어 별개의 것이라고는 생각할 수 없게 되었습니다. 또 역사상으로 보더라도 내지에서 여러 유명한 사람이 조선에 와서 다스렸다는 것이 고서와 전설 등에 많이 전해져 있습니다. <중략>

그 후 신공황후가 삼한을 다스리신 이래 수백 년에 걸쳐 일본의 정권이 조선의 남부에 있어지고 일본적 정치를 반도에 베풀어 황도皇道를 조선에 선포하고 있었던 것으로 서로 바다를 건너 왕래하면서 물자의 유무는 서로 통하고 또 서로 혼인을 행하여 피에 있어서도 혼연히 한 것이 되어 당시 우리 조선祖先의 생각은 전혀 내선을 하나로 생각하였던 것입니다. <중략> 그대로 역사상 큰 변화가 없이 진행하였으면 내선의 참된 일체는 그 당시에 되어 있어서 전혀 하나가 되어 있었겠음으로 금일 서로 고노苦勞할 필요가 없었을 지도 모릅니다.

그런데 역사의 악희惡戱라고나 할까 그 후 내지에서는 여러 가지 정치적 변화가 생겨서 오랫동안 조선을 돌아보지 못하고 전혀 내지의 일에만 몰두하여 왔던 것입니다.

<중략> 우리들은 떨어져 있을 동안에 어떤 후천적인 세력의 이점異點을 될 수 있으면 빨리 내버리고 일가의 가풍을 세우지 않으면 아니 됩니다. 이 점에 대하여 나는 「반도인이여! 하루바삐 완전한 일본인이 되어라」하고 외치고 싶습니다마는 오늘은 좀 더 변하여 「반도인이여! 하루바삐 완전한 일본인에 돌아오라」고 비상한 열과 애愛로 외치고 싶습니다.

금일은 고적애호일이어서 우리를 수천년래의 조선祖先이 많이 남긴 귀중한 유적을 애호하는 관념을 특히 강조할 날이어서 조선총독부에서는 이 수년래 이것을 실행하여 왔는데 다만 물적 고적을 애호할 뿐만이 아니라 그 고적으로 표현된 내선동조 내선동포의 사상을 애호하고 그 신념을 더 철저히 하

고적애호일 파고다공원 청소 작업(『매일신보』 1938년 9월 11일자)

여 금일의 반도민으로 충량忠良한 일본국신민日本國臣民으로서의 신념을 배양시켜서 이 반도 위에 새로운 일본을 건설하여 동방의 중진重鎮으로서 더욱 더욱 그 사명을 달성하지 않으면 아니 된다고 생각합니다.[443]

이 같이 역사를 왜곡 날조하고 고적애호일을 핑계로 하여 내선일체를 세뇌하여 한국인을 충량한 황국신민화하고자 한 것이다.

1935년 9월 19일

9월 19일에 황해도 평산군 평산면 산성리의 밭 가운데서 말안장에 실은 등자鐙子 1조와 제전용 식기 50매 숟가락 등을 발견했다. 이것은 11일에 총독부박물관으로 가져왔는데 등자는 내 외부를 모두 은으로 합성하고 외측에는 불분명한 조각을 한 것이며 제전용 식기는 모두 유기제로 되었다 한다.[444]

---

443 『每日申報』1937년 9월 12일자.
444 『每日申報』1935년 11월 12일자.

1935년 9월 24일

9월 24일부터 26일까지 일본의 청산회관靑山會館에서《조선도자전》을 개최하다.[445]

1935년 9월

집안현 고구려 유적 조사

1935년에는 만주 집안현의 고구려 유적 조사를 대대적으로 행했다.

조사의 계기는 1935년 5월에 만주국 안동성 시학관 이토 이하치伊藤伊八가 새로이 발견한 벽화고분을 소개하면서, 만주국 문교부에 그 조사를 주장했다. 한편 새로 발견된 벽화는 모사하여 도쿄에 보내졌으며, 이토의 주선으로 세키노, 하마다, 이케우치 등이 실지조사를 할 수 있도록 교섭이 이루어 졌다. 조사는 1935년 7월에 하기로 했으나 함께 조사하기로 한 세키노가 1935년 7월에 졸거卒去하여 일정에 차질이 생기자, 조사는 1935년 9월 말경에 이루어졌다. 도쿄대 이케우치, 교토대 하마다, 우메하라가 참여하고 조선고적연구회에서는 오바 쓰네키치 등이 참가하였다.[446] 이 조사는 만주국 문교부와 일본 학자들의 합작이

---

445 『陶磁』 제7권 제5호, 東洋陶磁硏究所, 1935년 10월.
446 「滿洲國安東省輯安縣に於ける高句麗遺蹟の調査」, 『靑丘學叢』 제23호, 大阪屋號書店, 1936년 2월, pp.170-171.

라 할 수 있다. 이때부터 집안현의 고구려유적 조사가 활발하게 이루어졌다.

1935년 9월 28일부터 30일에는 2기의 고분을 조사하고 무용총과 각저총으로 이름 붙였다. 다시 3기의 고분을 조사하여 모두루총, 환문총, 사신총이라 이름 했다. 산성자성을 조사하고 고와 다수를 채집했다.[447]

봉림사지 3층석탑 반출

현재 창원시 지귀동 상북초등학교에는 봉림사의 3층석탑이 있다. 이 탑은 원래 경작지로 변한 봉림사지의 있었던 것으로, 1916년경 산림과에서 조사한 기록에는 "탑 1기는 답중畓中에 재在, 높이 5척6촌 삼층방탑임, 타 1기는 산림 내에 있으며 고 팔척 팔각탑으로 정교精巧"[448]라고 기록하고 있다. 이때까지는 3층석탑은 논에, 진경대사보월능공탑은 조금 떨어진 산림 중에 무사히 보존되었던 것으로 보인다. 그 후 1919년 3월에 진공대사비와 탑은 총독부박물관으로 옮겨지고 3층석탑은 원 위치에 그대로 남아 있었다. 그런데 1927년에 간행한『경남사적명승담총慶南史蹟名勝談叢』에, "수답水畓 중에 타의 탑개塔蓋가 경사지에 매몰되어 있고 귀부의 부근에 석고石鼓 기타의 조각품이 넘어져 있다"[449]하고 있다. 이 같은 상황은 1919년 3월 이후에 탑 내의 보물을 훔쳐가기 위한 도굴꾼의 소행에 따른 것으로 보인다.

---

447 池內宏,「滿洲國安東城集安縣に於ける高句麗の遺蹟」,『考古學雜誌』28-3, 1938년 3월; 藤田亮策,「高句麗の思出」,『朝鮮學論考』, 藤田先生記念事業會, 1963.

448 『朝鮮寶物古蹟調査資料』, 朝鮮總督府, 1942.

449 諏方武骨,『慶南史蹟名勝談叢』, 諏方武骨遺稿刊行會, 1927, p.29.

1934년까지는 기초대석基礎臺石을 제외한 나머지 석재는 대석의 주위에 붕괴되어 흩어져 있었는데, 어떤 자가 이것을 원형으로 쌓아 올렸다.[450] 그런데 1935년 9월에 창원군 상남면 봉림리의 탑이 있는 전답 소작인 윤상용이란 자가 부산에 있는 골동 앞잡이 장계상의 꼬득임에 빠져 석탑을 팔고 말았다. 장계상은 다시 이를 부산에 있는 일인 다케스에 가스오武末一夫에게 팔았다. 이 일

원 위치의 봉림사지 3층석탑(국립중앙박물관 소장 유리건판)

이 발각되어 '조선보물보존령' 규정 위반으로 조사를 받게 되었다. 그 결과 다케스에 가스오武末一夫는 진해경찰서에 소환되어 조선보물보존령 위반으로 조사를 받는 과정에서 석탑을 원장소에 운반하여 복원하겠으니 관대한 처분을 바란다는 뜻을 진술함에 따라, 부산경찰서에서는 현장까지의 운반 및 공사비를 부담하는 것으로 훈계 방면放免처분을 하였다.[451]

그러나 무슨 이유에서인지 당시 3층

---

450 국립창원문화원에서 발굴조사(1995-1998)한 결과 탑지는 금당으로 추정되는 건물지와 약 20미터 가량의 서편에 있는데 이곳에서 석탑의 지대석과 탑 구역 돌이 확인되었는데, "상북초등학교 교정의 삼층석탑이 일제시대에 이 자리에 있던 석탑을 밀반출한 것인지 아니면 그 이전에 이미 도괴되어 있던 것을 옮기려 한 것인지 분명하지 않아 더 자세한 것은 알 수 없다. 다만 하층기단 갑석과 상층기단 면석이 현지에 남아 있는 것으로 보아 이는 도괴되어 방치되었던 것을 일본인이 옮기려 한 것인지 모르겠다"라 한다.

451 金禧庚 編,「韓國 塔婆硏究資料」,『考古美術資料』, 考古美術同人會, 1969, pp.242~248.

석탑을 원 장소에는 옮기지 못하고 봉림사지 근처에 있는 상북초등학교에 보존하게 되었다. 여러 번 옮겨 다니는 동안 일부를 결실하고 파손 탈락 정도가 심하고 임의적인 보수 등으로 크게 원형을 해치고 있다. 현재 초등학교 교정내의 석탑은 상층 기단 면석이 생략된 채 복원되어 있는데 1차년도 조사 시에 석탑지에서 상층기단의 면석 일매가 발견되었으며 이 면석 주변지역 탐색 조사 결과 암반층의 상면에 바로 놓인 기단석과 기단석 주위의 탑구를 확인하였다.[452]

상북초등학교 정원에 있는 3층석탑

상북초등학교에는 이외에도 봉황장식의 석조부재 및 원구형 석조 부재가 각 한 점씩 보존되어 있는데 이 석재들은 바로 진경대사탑에서 결실된 복발覆鉢과 보개寶蓋일 가능성이 짙다[453]는 견해도 있다. 진경대사탑을 조선총독부로 옮길 당시에는 매몰되어 있다가 후에 발견되어 상북초등학교로 옮긴 것이다.

상북초등학교 정원에 있는 복발과 보개

---

452 申昌秀, 「鳳林寺址 發掘調査」, 『考古歷史學志』 제16輯 , 2000.
453 蘇在龜, 「新羅下代 石造美術樣式 研究方法論」, 『美術資料』 제62호, 국립중앙박물관, 1999.

적조사지불상과 고려석관을 개성박물관으로 옮기다.

1935년 9월에는 총독부박물관과 교섭하여 '적조사지불상'과 '고려석관'을 개성박물관으로 옮겨 왔다. 불상은 원래 개풍군 영남면 평촌리의 적조사지에 있던 것을 총독부박물관으로 옮겨 시정5주년기념공진회에 출품하였던 것이다. 석관은 장단군 대남면 주재소에 있던 것으로 역시 시정5주년공진회에 진열한 이후 조선총독부박물관에 보관하고 있던 것이다.[454] 다음과 같은 기사가 있다.

> 천 년 전의 불상과 석관, 고향 찾아 다시 송도에
> 개성박물관은 점차로 고귀한 보물이 집중되는 일방 면목을 갖추어 오던 중 총독부로 교섭하여 지금으로부터 1천년전 고려초기의 유물인 국보로 되어 있는 불상과 도안조각 등으로 미려한 석관을 개성박물관에 진열하게 되었다는데 이 석관에 대한 박물관장 고유섭씨의 말에 의하면 그는 원시 장단군 대남면 위천리 주재소에 있던 것이며 불상은 개풍군 영남면 평촌리의 寂照寺 터에 있던 것으로 대정5년도에 데라우치寺內 총독이 공진회 당시에 일반에게 관람케 하여 찬미를 받던 것으로 그 후로는 경복궁 근정전에 봉안하여 속세와는 멀리하였던 것인데 석관에는 미려한 천인天人, 보상화, 화조 등으로 내외는 모두 조각하였다고 한다. 이를 지난 고적애호일에 운동을 거듭한 결과 옛 고향인 고려 송도로 또 다시 찾아와서 개성박물관의 위관을 이루게 되었으며 오는 10월 1일에는 불상공양식을 성대하게

---

454 『동아일보』 1936년 4월 14일자.

거행하리라고 한다(『동아일보』
1935년 9월 17일자).

『매일신보』 1935년 9월 18일자 기사

천 년 전 불상, 석관 고도 개성
에 이관

개성박물관에서는 총독부박물
관에 수회를 두고 거듭 교섭한
결과 국보 철조석가여래상과 석
관 1기를 지난 10일 고적애호일
에 개성박물관으로 옮기어 봉
안케 되었다함은 이미 본보에
보도한 바이어니와 이는 1천년
전 고려초기의 유서깊은 유물로 개풍군 영남면 적조사 寂照寺에 있던 것을
1916년도 박람회 때 잠시 일반에게 공개하였다가 그 후 근정전에 봉안하
여 속세와는 거리를 멀게한 존귀한 보물이며 석관은 미려한 천인보상화,
화조를 조각하여 내외가 모두 아름다워 이 세상에는 드문 보물이라는데
개성박물관에서는 오는 10월 1일 오전 11시에 불상공양식을 성대히 거행
하리라 한다(『조선중앙일보』 1935년 10월 1일자).

1935년 11월 9일

괴산군, 보은군 고적조사

다나카 쥬조田中十藏는 1935년 11월 9일부터 12월 11일까지 충청북도 괴산군과 보은군 소재 성지城址, 고분 등에 대한 조사를 하고 이를 날짜별로 기록했는데 대략 그 일지를 보면 다음과 같다.[455]

1935년 11월 9일. 경성역을 출발 조치원역에 도착, 자동차로 청주를 경유하여 괴산군에 도착했다.

11월 10일. 오전에 군청, 경찰서 기타의 호의를 받아 조사상 참고가 될 만한 자료를 청취하고 읍내의 오봉산에 올라 산성을 조사했다.

11월 11일. 자동차로 증평면에 이르러 면사무소와 주재소를 들러 기타 상황을 청취하고 탑선리에 이르러 동리의 사지와 고탑의 잔석을 조사하고 그 동방 미륵리에 이르러 석불과 성지를 조사했다.

11월 12일. 청안면에 들어가 면사무소와 주재소에 들러 유물의 유무를 청취하고, 금신동에 들어가 석불 2체, 문방리에 들어가 무명사지의 석불 1체, 석탑 1기, 석불입상하반신 2체, 아미타좌상 1체 등을 조사했다.

11월 13일. 증평면 광덕리에 이르러 미륵상과 그 앞에 도괴된 석탑조사하고, 도당리의 산성을 조사했다.

---

455 「괴산군, 보은군 고적조사 일지」, 『국립중앙박물관 소장 조선총독부박물관 공문서』, 목록번호 : 96-431.

11월 14일. 율리 서장 산곡에 이르러 구암사지를 답사했는데 도괴된 석탑 1기(7층탑)와 와편이 산란했다.

11월 15일. 남하리(탑동)의 돌출된 자연암상에 세워져 있는 3층탑을 보고, 부근의 유물을 답사했다.

11월 16일. 청안면을 경유하여 사리면 비석촌에 들어가 선정비善政碑를 조사하고 보광산에 올라 보광사지普光寺址를 답사했는데, 보광사지는 3단으로 이루어져 상단에는 조선시대 분묘 2기가 있었고 중단에는 폐탑 1기, 하단에는 고정古井 하나가 있었다.

11월 17일. 사리면 사담리에 이르러 탑을 보고, 소수면에 들어가 조사를 했다.

11월 19일. 칠성면에 들어가 두촌리의 도덕사道德寺를 조사했다.

11월 20일. 탑촌리의 고분과 삼방리(탑촌)의 석탑 1기를 답사했다.

11월 21일. 남행하여 지장리의 불상을 보고, 감물면甘勿面에 들어가 백양리의 무명사지의 석탑 및 석불을 답사했다.

11월 22일. 장연면 방곡리의 사지를 답사하고 상모면으로 들어갔다.

11월 23일. 미륵리에 이르러 석불, 석탑을 조사했다.

11월 25일. 연풍면에 이르러 일대를 답사했다.

11월 27일. 연풍면 연풍5층탑을 보고, 장연면에 들어가 송덕리의 석탑 2기를 조사하고, 태성리台城里에 이르러 각연사에서 숙박했다.

11월 28일. 각연사 경내 밭에 있는 귀부, 사의 남방계곡의 사리탑, 석비와 그 남방의 석탑, 대웅전, 미륵전 등을 조사했다.

11월 29일. 태성리의 성지를 조사하고, 칠성면 쌍곡리의 무명사지에 남아 있는 1기의 석탑 잔석을 보고 청문면 화양리에 도착했다.

11월 30일. 화양리 채운암, 도명산 마애불, 산성, 공림사를 답사했다.

12월 1일. 강평리 내의 석탑을 보고, 청주군 미원면을 거쳐 보은군 산외면에 들어가 오대리, 길양리 등을 거쳐 면사무소에 들어가 면내의 고적에 대해 청취했다.

12월 2일. 보은군청. 경찰서 등에 호의를 표하고 동군 내의 유적에 대해 청취하고 오후에 읍 동방 조령산성을 보고 부근의 고분을 조사했다.

12월 3일. 속리산 법주사 유물을 조사했다.

12월 6일. 마노면에 들어가 관기리 후봉에 있는 산성을 조사했다.

12월 7일. 마노면을 나와 삼부면, 삼승면의 유적을 조사했다.

12월 8일. 내북면의 산성리 산성을 조사하고, 쌍암리 사지를 조사했다.

12월 9일 거교리 산성을 조사했다.

1935년 11월 11일

신동아 주최 '제1회 조선역사강좌'가 경기도경찰에 의해 금지되다.

동아일보 잡지부 신동아에서는 해마다 연중행사로 하여오던 창립기념사업을 금년으로 4주년을 맞아 11월 11일부터 20일까지 10일간 매일 오후 6시 30분부터 동아일보 본사 대강당에서 제1회 조선역사강좌를 개최하기로 되었다. 강사는 정인보, 이선근 손진태 등으로 구성되었다. 하지만 이 강좌는 일제의 우려하는 바가 되어 강제 금지되었다.

제1회 조선사강좌 광고와 조선역사강좌 중지에 대한 사죄의 광고

『동아일보』1935년 11월 12일자에는 그 중지 내용을 다음과 같이 알리고 있다.

조선역사강좌 중지

금야今夜부터 개강하려던 조선역사강좌는 경기도 경찰당국의 기휘忌諱에

촉觸한배되어 부득기 중지케 되었으므로 자에 항고仰告하오며 신청자 제씨

에게 그 미안함을 사謝하나이다.

1935년 11월 11일

신동아사 백

1935년 11월 16일

공주고보 《유묵전람회》

공주공립고등보통학교에서 11월 16일, 17일 양일간 《유묵전람회》를 개최하였다. 김생의 서와 정포은 필적, 한석봉 필적, 심사임당 그림, 이퇴계, 이율곡 유묵 등을 포함하여 총 출품 수는 143점(일본, 중국 18점을 포함)이 진열되었다.

『매일신보』 1935년 11월 21일자 기사

1935년 11월 21일

완주 보광사 석탑이 미야자키 야스이치(宮崎保一)의 농장으로 옮기다.

보광사지는 전북 완주군 구이면 평촌리 상하보 마을에 위치해 있었다.

본래 전주군 (1935년 10월 1일 이후는 완주군) 구이면 지역으로 1914년 행정구역 폐합에 따라 평촌리 상보리 하보리 소용리 상척리 하척리 주리리 태실리

박석동 일부를 병합하여 평촌리라 하여 구이면에 편입되었다.

상하보上下湺는 상보, 하보를 합친 명으로 '보湺'는 근처에 보광사普光寺가 있어 생긴 명칭이라고 한다.[456]

이 사찰은 일찍이 폐사가 되어 석조물 일부가 남아 있었는데 그 중 석탑 1기는 1932년 5월에 이곳 사지에서 반출되어 돌고 돌아 1935년 11월에 옥구의 대농장주 미야자키 야스이치宮崎保一의 손에 들어갔다.

이 내막은 1936년 1월 16일자로 전북도지사가 조선총독에게 보고한 '보물로 인정해야 할 석탑발견에 관한 건'에 나타나 있는바 그 내용은 요약하면 다음과 같다.

전북보 제33호

소화11년 1월 16일

전북도지사

조선총독 전

보물로 인정해야 할 석탑발견에 관한 건

관하 완주군 이동면 덕진공원 지반池畔에 상당 유서가 있는 석탑이 건립되어 있어 발견 조사 좌기(아래)에 보고함

기記

1. 명칭, 종류 및 수: 4층석탑 1기

2. 소유자: 전북 옥구군 미면 경장리 128

---

456 완주군 구이면 지명 유래.

궁기농장주 미야자키 야스이치宮崎保一 소유

3. <중략>

4.현상

덕진지반의 풍취를 더한 동 지반 요리옥 약내정 별저의 정원에 건립되어 전기와 같이 석탑의 일부는 분실되어 대용물로 그 형체를 보완하여 석탑의 가치는 상당 감살減殺되어 있음

5. 작자 전래

작자 불명으로 해 석탑은 원래 완주군 구이면 평촌리 50번지

부락민의 전설에 의하면 이곳은 고려시대에 건립한 보광사라 하는 사찰이 있었는데 이조초엽 승려의 배척과 함께 사찰도 파괴됨

후에 동 부락민 이병수(사망)에 의해 석탑 가까이에 호두나무 2그루를 심어 스스로 관리해 왔는데, 그 자손 이성래(사망)가 자기 소유물이라 하고 1932년 5월경 단독으로 매각하려하자, 부락민 등이 부락 공유물이라 하여 이성래李成萊의 단독행위를 저지하였으나 동인同人은 사적으로 1932년 5월 중순 전주부 대정정 2정목(현재 이리 경정) 거주 골동상 미야하라 쓰루지로宮原鶴次郎에게 80원에 매각함, 미야하라宮原는 이를 전주부 팔달정 수비대가 있었던 광장에 운반하여 오랫동안 동소同所에 방치하여 두었다. 그때 전기와 같이 3층목三層目의 석石이 분실되었다고 한다.

그리고 이래 1명의 손을 거쳐 1933년 7월경 전주부 팔달정 요리옥업料理屋業 와카야마 구마지로若山熊次郎의 손에 들어갔다. 그간 전기의 장소(약산 경영 요리옥 약내정 별저 현관 앞)에 운반하여 와카야마若山은 분실한 부분을 보정하여 건립하였다. 그 후 골동상인 2,3명의 손을 거쳐 작년(1935) 11월

21일 현 소유자 미야자키 야스이치 宮崎保一가 450원에 매입하였다고 한다. 현물은 해 장소에 현존함.[457]

보고서에 첨부한 석탑 사진

이 같은 보고가 있은 후 이 석탑에 대해서는 원위치하거나 국유로 할 생각이 전혀 없는 가운데 1938년 3월 26일자로 학무국장이 전라남도지사에게 보낸 '보물로 인정해야 할 석탑 발견의 건'을 보면 "귀 관하 옥구군 미면 경장리 128 미야자키 야스이치宮崎保一소유, 수제의 4층석탑은 보존령에 의하여 지정할 필요가 인정" 이라고 하며 미야자키의 소유로 인정해 버리게 된다.

해방 이후 이 석탑의 소재가 불명이다.

＊ 군산의 대부호 미야자키 야스이치(宮崎保一)의 소장품

군산의 대부호였던 미야자키 야스이치宮崎保一도 많은 미술품을 가지고 있었다. 그는 1905년에 한국에 건너와 전남 옥구군에서 미야자키농장을 운영하던

457 「昭和12年 1월 이후 고적관계 서무잡건」, 『국립중앙박물관 소장 조선총독부박물관 공문서』 목록번호 : 96-151.

호남에서 제일가는 수장가로 고려자기 1등품을 많이 가지고 있었다.

미야자키의 양부 요시타로宮崎佳太郎은 1890년에 인천을 거쳐 서울에 들어와 조선협회 간사로 있으면서 실업에 종사하였다. 1902년에 친구인 조선은행 군산지점장으로 있던 하라다 쇼모原田松茂의 권고로 전라북도 군산지방을 돌아본 후 이듬해부터 농업에 착수하였다. 토지매입을 시작한지 15년 만에 전답 면적이 370정보에 달하였으며 농장 이름을 미야자키宮崎농장이라 하였다. 농장 사무소는 옥구군 미면 경장리에 두었으며 1917년경에 소작인이 약 500호에 달하였다. 이를 물려받아 운영한 것이 그의 아들 미야자키 야스이치宮崎保一이다.[458]

당시 농업에 종사하는 일본인들은 막대한 농토를 조선척식주식회사로부터 헐값에 불하받거나 강탈하여 군산 일대의 옥토를 대부분 소유하였다. 동아일보 1928년 9월 21일자의 기사를 보면, "일본인 소유답은 전라북도에 특히 많으며 옥구평야에는 조선인의 소유 토지가 거의 없다. 전라남도는 오늘날의 추세로 나아가면 머지않아 조선인 토지는 없다"할 정도로 모든 농토는 일본인들이 장악하고 있었다. 이들 일본인 대지주들은 대부분 자신의 저택 정원에는 폐사지 등에서 불법 반출해온 석탑 등으로 꾸미고 집안에는 각종 고미술품을 들여놓아 취미생활을 즐겼다.[459]

458　田內竹葉 編纂,『朝鮮成業名鑑』, 朝鮮硏究會, 1917; 全北日日新聞社,『全羅北道案內』, 全北日日新聞社, 1914.

459　대표적으로, 시마타니 야소기키(島谷八十吉)란 자는 1903년에 한국에 건너와 옥구군 일대의 전답 43여 정보, 임야 80여 정보를 강제 매입하여 1908년부터 거대한 농장을 운영하였다. 한국인 소작가호가 1600여 호에 달할 정도로 부를 누렸다. 그는 이런 부를 토대로 집안에는 한국 고미술품으로 장식하고 정원에는 각지에서 옮겨온 석탑, 부도 등으로 꾸몄다. 현재 군산시 발산리 발산초등학교 뒤뜰에 있는 석조물들은 그가 정원을 꾸몄던 것이다. 또 모리 키구고로(森菊五郎)란 자도 정미소 3개를 가지고 군산곡물조합장을 역임하였는데, 1919년부터 익산, 옥구, 논산 등지의 농토를 매입하여 대농장을 운영하였다. 이

미야자키 역시 자택의 정원에는 수천 종의 국화를 심어놓고 집안에는 각종 한국 고미술품을 진열하고 호화로운 취미생활을 즐겼던 것이다.

해방이 되어 미군이 진주하면서 군정명령이 선포되자 자기의 막대한 소장품을 도저히 일본으로 가져가지 못하게 되자 급하게 처분할 수밖에 없었다. 부랴부랴 사람을 서울로 보내어 평소 친분이 두텁던 이희섭에게 인수할 것을 연락하여 가장 우수한 것 상당수를 넘기게 되었다.

미야자키가 소장하였던 것 중에는 모양이 압형연적 중에서도 아주 특이한 '청자압형연적'이 있었다. 간송미술관이나 국립중앙박물관에 소장하고 있는 압형연적은 모두 오리의 목을 옴츠리고 있는 반면 이것은 꽃가지를 입에 문채 목을 길게 빼고 있는 명품이다.

이것은 원래 1935년경 황해도청에 근무하던 선우인순이 입수하여 무척 아끼던 것이다. 선우인순은 일찍부터 서화 골동에 취미를 갖고 수집을 하였다. 그 동기는 "1924년경 당시 23세로 경도제국대학 고고학과 주임교수였던 하마다 고우사쿠의 강의와 고고학입문서 등의 참고서를 듣고 보고 하면서 고문화재에 대한 관심을 가지게 된 것이다"라 한다. 그러나 여러 가지 사정으로 큐슈대학 법과를 다니면서도

청자오리형연적
호암미술관 소장

자도 역시 석탑 등의 석조물들을 옮겨 정원을 꾸몄다(졸저, 『석조문화재, 그 수난의 역사』, 2007). 이 외에도 이와 같은 예는 많이 있다.

늘 고문화재에 관심을 갖고 있었다고 한다. 그는 대학을 졸업하고 귀국 후 관리가 되어 황해도 해주의 내무부 지방과에 근무하였다. 1년 후에는 일본인 관리들의 틈에서 근무하기 힘들어 사직을 하고 학습강습소인 대동학원을 열었다.

그 동안에 해주 일대에서 거래된 우수한 명품 도자기를 상당수 수집을 하였다. 그 속에는 1935년경에 연평도에서 출토되었다고 하는 청자오리형연적도 포함되어 있었다. 이것을 입수하고 얼마 지나지 않아 하루는 선우인순과 친한 친구가 이 연적의 모양이 특이하다는 소문을 듣고 연적을 좀 보겠다고 하여 빌려주었다. 그 친구가 무슨 생각에서인지 서울로 가지고 올라와 거상 이희섭에게 가격도 알아 볼 겸 자랑삼아 보였다가 이희섭의 수단에 넘어가 그만 팔아버리고 말았다. 가격은 선우인순이 입수할 때의 가격인 1천 6백원을 받았다고 한다. 물론 골동에 대해 잘 모르는 친구는 그 가격만으로도 엄청난 가격에 판 것이라고 생각했던 것이다. 며칠이 지난 후 선우인순은 친구로부터 그 이야기를 듣고 깜짝 놀랐다. 문명상회를 찾아가 이희섭에게 전후사정을 말하고 1천 6백 원을 줄테니 돌려 달라고 사정을 하였으나 이미 문명상회를 떠났다고 한다. 그 때 이것을 문제 삼으면 다시 찾을 수는 있겠지만 친구가 해를 입을 것 같아 포기하였다고 한다.

이희섭이 선우인순의 친구로부터 이것을 입수하였을 때, 군산에서 올라온 미야자키가 문명상회에 들렀다가 오리형연적을 발견하고 2만원에 사간 것이다. 선우인순으로서는 통탄할 노릇이었다.

해방이 되자 미야자키宮崎의 물건인 불상, 고려자기 등 47점이 이희섭에게 넘어 갔다. 이희섭은 미야자키의 소장품 중 명품만을 골라 헐값으로 구입을 하였으나 당시 사업자금으로 60만 원의 빚을 지고 있었다. 빚에 쪼달리게 되자 이희섭은 이를 갚기 위해 미야자키로부터 인수한 물건 전부를 60만 원에 내놓

앉다. 선우인순도 이 소문을 듣고 이희섭을 찾아가 그 물건들을 보게 되었는데, 당시를 다음과 같이 회고하고 있다.

60만원이면 당시로서는 상당한 거액이어서 내게는 어려웠지만 일단 현품을 보고 다시 생각해 보자면서 이희섭 씨 사무실로 가서 금고 속에 보관했던 자기 등을 보게 되었다. 수점을 보고 있으려니까 이희섭 씨가 "여기 선우 선생께서 인상 깊은 것 나갑니다" 하는게 아닌가. 내게 인상 깊은 것이라니 하며 나는 고개를 갸우뚱하고 있었는데 이씨가 내놓은 물건을 보니 그건 놀랍게도 10여 년 전에 내 친구가 문명상회에 팔았던 '청자오리형연적'이었다. 그것이 다시 내 눈앞에 나타났으니 내 감회는 이루 말할 수 없었다. 그러나 애는 써보았으나 내게 60만원이란 돈은 워낙 큰돈이라서 스스로 매입할 것을 단념하고 국내의 다른 애호가에게 구입키로 결심하여 이명욱씨를 찾아가 아까운 물건이니 꼭 입수하라고 거듭 말을 하였다.[460]

이명욱 역시 입수할 형편이 못되어 선우인순은 금강제약회사 전용순에게 입수할 것을 종용하였다. 그러나 그 역시 사업자금에 쪼들려 실패하고 말았다. 이희섭은 미야자키로부터 인수한 것을 묶어 팔 수 없게 되자 몇 사람에게 나누어 팔게 되었다. 그 중 '청자오리형연적'을 포함한 가장 많은 것을 산 사람이 손재형이다. 손재형도 후에 정치자금난에 봉착하자 청자오리형연적을 포함한 상당수를 이병철에게 양도하여 현재 호암미술관에 소장되어 있다.

460 鮮于仁荀,「書畵 骨董 蒐集의 半世紀」,『世代』11-7, 1973년 7월.

이희섭이 미야자키로부터 인수한 '통일신라천지불'은 대단히 뛰어난 불상인데, 이것을 이병직이 인수받아 1948년 한국고미술협회 전람회에 출품하였다. 이후 몇 사람의 손을 거쳐 종래는 장석구에 의해 미국으로 반출되고 말았다.

1941년 동경에서 개최되었던 《조선공예품 대전시회》 때 이희섭은 미야자키가 아

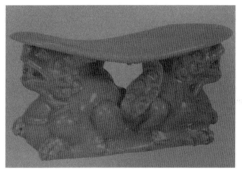

고려청자쌍사자침

1941년에 문명상회를 통해 일본으로 반출되어 제7회 《조선공예전람회》에서 판매 되었다. 현재 아카타安宅컬렉션에 속해 있다.

끼던 명품 '쌍사자투각고려도침'과 '고려진사목단문병'을 빌려갔다. 쌍사자침은 지정가격 5만원, 진사병은 15만원이었는데 도록에는 쌍사자침만 실렸다. 송원 이영섭에 의하면, 이 두 가지는 결국 다시 가져왔으나, 해방 후에 진사병은 미야자키가 몸에 지니고 간 것 같다고 한다.[461]

1935년 11월 30일

문명상회의 제2회 《조선공예대전람회》

문명상회의 제2회 《조선공예대전람회》 조선공예연구회 주최로 1935년 11월 30일부터 12월 5일까지 오사카에서 열렸다. 도록에는 1회 때 실렸던 도판이 그

---

461 정규홍, 『유랑의 문화재』, 학연문화사.

대로 실린 것도 있다. 1회 때 출품되었던 것 중에서 대표적인 것이 실린 것으로 보아 도록의 무게를 살리기 위한 것으로 추정된다. 도록의 첫 장에는 제1회 때와 같은 마사키正木의 머리글이 실려 있다.

특이한 것은 목록번호 1961부터 2052까지는 목록에서 생략되고 있으면서 '비매품'이라고 표시하고 있으며, 2053부터 2152까지는 '조선고대 초자옥류硝子玉類 비매'라고 표기하고 있다. 또 목록에는 포함시키지 않은 석물이 별도 목록으로 1~18까지 실려 있다.

*제2회 전람회 주요 목록

품명	목록번호	비고
낙랑출토 도금박산로	1	1회와 동일
낙랑출토 초자옥	2~21	1회와 동일
신라불	22, 23	

품명	목록번호	비고
청자인물형연적, 청자병	154, 153	 청자인물형연적은 현재 야마토(大和)문화관에 소장
낙랑 출토 도증	65	
신라불	106~112	
고려불, 목조금박관음상	121, 250	

품명	목록번호	비고
신라토기	99~103	
新羅砂張	105, 106	
도판은 383번까지 실려 있는데, 순서만 바뀌었지 1회와 동일한 것이 많이 실려 있다.		
목록은 1960번까지 나타나 있다.		
비매품	1961~2052	
조선고대 초자옥 비매품	2053~2152	
그 외 석물	1~18	

1935년 11월

황해도 안악군 남률면에서 문자전이 5백 매나 발견되었다. 이를 가지고 있던 김선양은 문자전 5백 매를 평양의 고물상 김성도에게 매각하였다.

이 문자전은 대방시대 고분에 소용되는 것으로 거기에는 '일민함자왕군장逸

民含資王君藏' 이란 문자가 새겨져 있었다. 총독부 사회과에서는 조선보물보존령
에 의하여 총독부박물관으로 가져왔다.[462]

1935년 11월에 황복사지에서 사지에 건립된 비편이 최남주, 오사카 긴타로大
坂金太郎에 의해 발견되었다.[463]

《시대민예품 석등롱 전람회》

1935년 11월에 도쿄에서 야마나카상회가 주최한 《시대민예품 석등롱 전람
회》가 열렸다. 이때 전시된 것은 민예품 2,500점, 석조물 100여 점이 진열되었
는데 이 속에는 한국에서 가져간 것이 상당수 포함되었다.[464] 그 중에는 고려시
대의 3층석탑 1기가 있었다.

이 석탑은 11월28일 한 일본인 수집가에게 팔렸는데. 그는 규슈 사가현佐賀
縣의 자택 정원에 석탑을 들여다 놓고 평생 감상했다. 이때 함께 구입한 조선의
석등과 석인 등은 주차장 등 집안 곳곳에 장식했다고 한다.

이 석탑은 2015년 11월에 고국에 돌아왔다. 학고재갤러리(서울 종로구 소격

462 『每日申報』 1935년 11월 3일자.
463 黃壽永, 『金石遺文』, 도서출판 혜안, 1999.
464 山中商會 編, 『時代民藝品石燈籠展覽會』, 日東美術協會, 1935.

동)의 우찬규 대표는 "10년 동안 일본인 소
장자를 설득한 끝에 구입해 지난해(2015)
11월에 한국에 가져왔다"고 말했다.[465]

안타깝게도 이 석탑이 어디에서 반출되
었는지 원위치를 알 수 없다.

1935년 12월 3일

《조선고대정원석전관》

학고재에서 구입해온 석탑

다케우치 야오타로竹內八百太郎는 12월 3
일부터 8일까지 오사카의 취호산방聚好山
房에서《조선고대정원석전관》경매를 열었다. 그 목록을 보면 80번까지 나타나
있으며, 어떤 것은 한 번호에 2점씩 실은 것도 있기 때문에 총 110여 점이 나타
나 있다. 몇 가지 대표적인 도판 사진을 보면 다음과 같다.

---

465 『조선닷컴』 2016년 3월 1일자.

　이 경매회를 가진 다케우치 야오타로竹內八百太郞가 이같이 많은 석조물을 모
을 수 있었던 것은, 경성에서 골동상점을 운영하면서 전국적인 망을 가지고 수
집했기 때문에 가능한 것이었다. 산간벽지에 있는 석탑이나 고분묘 앞에 세워
진 석물들을 모아 일본으로 반출한 것이 1935년에만도 3회에 이른다. 이후에도
계속적으로 반출했지만 도판을 실은 목록은 현재 찾아볼 수 있는 것이 1935년
에 경매한 3권뿐이다. 하지만 일본의 고서점가나 도서관에는 상당수가 더 남아
있을 것으로 기대하는바 이 같은 목록은 반출 문화재의 경로를 파악하는데 중
요한 자료라 할 수 있다.

　이 해에 타인의 무덤에서 석물을 절취하여 다케우치 골동점에 매각하다가 발
각된 사례가 있는데『매일신보』1935년 5월 28일자에는 다음과 같은 기사가 있다.

　타인 총전塚前의 석물을 절취 매끽賣喫한, 덕한德漢
　충북 음성군 금왕면에 본적을 두고 현재 경기도 고양군 한지면 하주중리
　에 거주하는 정규업은 생활곤란 관계로 호구지책을 강구하던 중 현재 경
　성부 황금정 2정목 65번지 다케우치 야오타로竹內八百太郞가 전선적全鮮的으

로 고분상古墳上에 장식한 석물들을 고가로 매입하야 내지內地: 일본)에 이

송한다는 소문을 듣고 한번 일확천금을 하자는 생각으로 금년 3월 초경

에 강원도 관내에 들어와서 고분의 석물을 찾던 나머지 금년 4월 5일 오후

11시에 원주군 원주면 화천리 구정동 □봉산 후록에서 동군 동면 상교리

원씨元氏12대조 분묘를 장식한 석등롱 1개 가격 100원 짜리를 관리인과 공

모하고 운거하는 동시에 동군 신초면 수암리 자금촌 내 김모의 전중田中에

있는 석탑 8개(가격 150원)을 절취하여 주간에 인부를 투입하야 심야에

틈을 타서 운반하야 전기 고물상에 200원에 매각한 사실이 발각되어 원주

경찰서 이 형사에게 체포 취조 중이라 한다.

1935년 12월 31일

성덕대왕신종을 타종하여 1935년 12월 31일 제야의 종소리를 방송으로 중계

하다.[466]

---

466 「고적 관계 서무 잡건 쇼와(昭和) 8년부터 쇼와(昭和) 11년까지」, 『국립중앙박물관 소장
조선총독부박물관 공문서』, 목록번호: 96-295.

같은 해

신덕왕릉(神德王陵) 도굴

1935년에는 경주 남산기슭에 3기의 왕릉이 송림 중에 동서로 나란히 자리를 잡고 있어서 이를 경주 삼릉三陵이라 부르고 있는데 이 중 중간에 위치한 신덕왕릉神德王陵이 1935년 봉분封墳의 북쪽이 도굴을 당해 세간의 이목을 경악케 하였다. 당시 경주박물관장 사이토 타다시齋藤忠가 피해현장을 조사하고자 하였으나 관리자 측의 완강한 거부로 조사를 하지 못하고 다만 도굴공盜掘孔으로 내부를 들여다보고 횡혈식의 석실구조에 속하고 또 어떤 벽화가 있다는 것만 확인하였을 뿐이다.[467]

『낙랑급고구려고와도보諸岡榮治 수집 편 梅原末治 校』 표지

모로오카 에이지(諸岡榮治)의 수집 『낙랑급고구려고와보』 발행

『고구려시대의 유적 상』(1929)의 도판을 보

---

467 齋藤忠, 『古都慶州と新羅文化』, 第一書房, 2007; 朴日薰, 「慶州三陵石室古墳」, 『美術資料』 8號, 國立博物館, 1962.
이 고분은 1963년 7월 18일 밤중에 또다시 도굴 봉변을 당하였다. 이번에는 봉토 서쪽의 上部쪽이 뚫렸다.

면 고구려 관계의 무수한 와전이 개인 수장으로 수록되어 있으며, 그 중 모로오카와 핫타八田己之助의 소장으로 나타나 있는 것이 절반 이상을 차지하고 있는데, 모로오카가 수집한 와가 90여점이 실려 있으며, 핫타八田가 수집한 것이 60여 점이 실려 있다.

모로오카의 수집품은 그 중 가장 귀중한 것을 선별하여 1935년 우메하라梅原末治에 의해 『낙랑급고구려고와도보』로 발간되었다. 모로 오카는 '자서自序'에서 "과거 약 10년간 모은 것으로 평양부근 출토와 와전은 현재 약 천 점에 달한다"라고 하고 있다.[468]

그 목록을 보면 다음과 같다.

품명	출토지	소장처 및 소장자	출처
樂浪富貴瓦當(樂浪)	평양 토성	諸岡榮治	圖版2
大晋元康垂木飾瓦當(樂浪)	평양 토성	富田晋二	圖版3
萬歲瓦當(樂浪)	평양 토성	諸岡榮治	圖版4
千秋萬歲瓦當(樂浪)	평양 토성	諸岡榮治	圖版5,6
蕨手文瓦當(樂浪) 9점	평양 토성	諸岡榮治	圖版7~15
四葉文瓦當(樂浪)	평양 토성	諸岡榮治	圖版16
狩獵文墓塼(樂浪)	대동강면	諸岡榮治	圖版17
白虎文墓塼(樂浪)	대동강면	諸岡榮治	圖版18, 21
動物文墓塼(樂浪)	대동강면	諸岡榮治	圖版22

---

468 諸岡榮治蒐集 編, 梅原末治校, 『樂浪及高句麗古瓦譜』, 京都便利堂, 1935.

품명	출토지	소장처 및 소장자	출처
文字文墓塼(樂浪) 6점	대동강면	諸岡榮治	圖版23~28
人物文墓塼(樂浪)	대동강면	諸岡榮治	圖版29
幾何學文墓塼(樂浪) 19점	대동강면	諸岡榮治	圖版30~48
仙兎藥文墓塼(樂浪)	대동강면	諸岡榮治	圖版19
魚文墓塼(樂浪)	대동강면	諸岡榮治	圖版20
輻線蓮花文瓦當(高句麗) 2점	토성	諸岡榮治	圖版49, 50
輻線蓮花文瓦當(高句麗) 2점	청암리	諸岡榮治	圖版51, 52
蓮花文瓦當(高句麗) 2점	류사리	諸岡榮治	圖版53, 54
蓮花文瓦當(高句麗) 3점	토성	諸岡榮治	圖版55, 57, 58,
蓮花文瓦當(高句麗) 5점	청암리	諸岡榮治	圖版56, 61, 62, 60, 59
蓮花文瓦當(高句麗) 4점	평양	諸岡榮治	圖版63, 64, 75, 76
蓮花獸面文瓦當(高句麗)	토성	諸岡榮治	圖版65
蓮花忍冬文瓦當(高句麗)	평양	諸岡榮治	圖版69
蓮花忍冬文瓦當(高句麗)	토성	諸岡榮治	圖版70
忍冬華文瓦當(高句麗)	모란대	諸岡榮治	圖版73
忍冬華文瓦當(高句麗)	토성	諸岡榮治	圖版74
橫蓮花文瓦當(高句麗)	평양	諸岡榮治	圖版77
五角繋忍冬文瓦當(高句麗)	평양	諸岡榮治	圖版78
六角繋文瓦當(高句麗)	평양	諸岡榮治	圖版79
蓮花忍冬文瓦當(高句麗)	모란대	諸岡榮治	圖版80
花文瓦當(高句麗)	평양	諸岡榮治	圖版81
蓮花文瓦當(高句麗)	평양	諸岡榮治	圖版82
變樣蓮花文瓦當(高句麗) 2점	평양	諸岡榮治	圖版83, 84

품명	출토지	소장처 및 소장자	출처
飾紐文瓦當(高句麗)	평양	諸岡榮治	圖版71
遊虯文瓦當(高句麗)	평양	諸岡榮治	圖版72
忍冬文瓦當(高句麗)	토성	諸岡榮治	圖版85
渦線文瓦當(高句麗)	평양	諸岡榮治	圖版86
獸面文瓦當(高句麗)	청암리	諸岡榮治	圖版66
獸面文瓦當(高句麗) 2점	평양	諸岡榮治	圖版67, 68
輻線珠文瓦當(高句麗)	평양	諸岡榮治	圖版87
怪獸文半瓦當(高句麗)		경도 伊藤庄兵衛	圖版89
蛙文半瓦當(高句麗)		諸岡榮治	圖版90
變形蛙文半瓦當(高句麗) 2점		諸岡榮治	圖版91, 92
獸面文半瓦當(高句麗)	평양	諸岡榮治	圖版93
草花文半瓦當(高句麗)	평양	諸岡榮治	圖版94

모로오카 에이지(諸岡榮治) 구장 고구려와

모로오카는 밖으로는 사업을 하는 것처럼 꾸미고 몰래 도굴품을 취급하였다.

『동아일보』1925년 5월 16일자 기사에는 다음과 같은 내용이 게재되어 있다.

요새 평남 대동군 남곳면 류자리 낙랑고분
에는 어떤 자들이 깊은 밤중에 고분을 발굴
하고 다수한 고적품을 도적하려는 사건이
빈번하였으므로 평양경찰서에서는 그 범인
을 염탐하던 중 수일 전에 동리 피진채 외
십수 명을 피의자로 검거하고 엄중 취조하
여 본 결과 그 자들은 면경, 호미, 토기 등
기타 다수한 고적품을 발굴하여다가 제강
諸岡 모라는 일본인 상점에 수십 원을 받고
팔아먹은 사실을 자백하였다는 바 매장물
발굴죄로 검사국으로 송치하였다더라.

『동아일보』 1925년 5월 16일자 기사

모로오카는 조선총독부박물관에 상당수의 도굴품을 팔아 「쇼와昭和 10~18년
도 박물관 진열품 구입결의」 문서에는 모로오카로부터 박물관에서 그의 소장
품에서 봉니封泥 5점, 청동제대구靑銅製帶鉤, 동모銅鉾, 낙랑경樂浪鏡 70여 점을 구
입한 기록이 있다.

또 고구려의 금강사지金剛寺址로 추정되는[469] 청암리 폐사지의 조사는 1938년
도에 고적조사연구회에서 약 5천 평에 달하는 주요지역에 대한 발굴조사가 있
었다. 사지는 이미 경작화耕作化되어 부근의 민가에는 본 지역에서 출토된 것으

---

469 梅原末治, 藤田亮策 編著, 『朝鮮古文化綜鑑』 第4卷(1966, 養德社, p.17)에서는, 『三國
遺事』, 『東國與地勝覽』, 『高麗史』의 記事를 들어 金剛寺로 추정하고 있다.

로 알려진 각종 초석이 산재해 있었으며, 사지의 지표상에는 와편이 산란했다.

이곳 사지에서는 일찍부터 우수한 고구려 와당이 출토되어 각 수집가들의 손에 들어갔다. 평양 모로오카의 수집품 중 본 유적지 출토라 칭하는 귀면와당 鬼面瓦當이 있다. 또 이곳에서는 [한천寒川]이라 명銘한 희귀한 문자전文字塼이 출토되었다.[470]

교토대학 고고학교실 진열품 도록 발간

『교토제국대학 문학부진열관 고고도록』은 1923년에 간행[471]한 이후 1928년 과 1930년에 새로이 원색판 약간을 넣어 3판을 발행했다. 이후 수집한 것 중에서 대표적인 것을 골라 1935년 3월에 다시 간행하고, 1951년에는 우메하라가 중심이 되어 고고도록을 간행하기에 이른다.[472] 1951년에 간행한 도록의 기증자들의 면모로 보아 모두 해방 전에 반출한 것으로 보인다.

『교토제국대학 문학부진열관 고고도록』(1935, 1951)에 실린 한국 유물은 다음과 같은 것이 있다.

---

470 「平壤淸岩里廢寺址の調査」, 『昭和13年度 古蹟調査報告』, 朝鮮古蹟硏究會, 1940.
　　당시 발굴조사에는 평양중학교 전교생이 勤勞奉仕라는 이름 하에 20여 일간 동원되었다(小泉顯夫, 『朝鮮古代遺跡の遍歷』, 六興出版, 1986, pp.339~340).
471 京都帝國大學文學部, 『京都帝國大學文學部陳列館 考古圖錄』, 1923.
472 京都大學文學部, 『京都帝國大學文學部陳列館 考古圖錄』 '序文', 1951년 3월.
473 『京都帝國大學 文學部陳列館 考古圖錄』, 1935년 3월.

품명	출토지	출처	비고
節目文土器	평남 廣梁灣패총	『考古圖錄』1935,[140] 도판30-1	寄贈. 水野淸一
節目文土器	부산 동삼동패총	『考古圖錄』1935, 도판30-2	寄贈. 부산고고회
石劍, 石鏃, 石斧, 石器	경주 부근	『考古圖錄』1935, 도판31	寄贈. 有光敎一

품명	출토지	출처	비고
元康三年銘塼	황해도 발견	『考古圖錄』1935, 도판32-1	
永和九年銘塼	평양	『考古圖錄』1935, 도판32-2	
咸寧元年銘塼	황해도 발견	『考古圖錄』1935, 도판32-3	평양부 기증
銀製裝身品	경주 부근 고분 발견	『考古圖錄』1935, 도판33-1~13	

품명	출토지	출처	비고
水禽形容器	경주 부근 고분 발견	『考古圖錄』1935, 도판34-1	
橫瓮	경주 부근 고분 발견	『考古圖錄』1935, 도판34-2	
押型花飾高杯 形骨壺	경주 부근 고분 발견	『考古圖錄』1935, 도판35-1	 有光敎一 기증
把手附骨壺	경주 부근 고분 발견	『考古圖錄』1935, 도판35-2	 有光敎一 기증

품명	출토지	출처	비고
綠釉器蓋	경주 부근 고분 발견	『考古圖錄』1935, 도판35-3	有光敎一 기증
圓瓦	경주 흥륜사지	『考古圖錄』1935, 도판36-1	

품명	출토지	출처	비고
圓瓦	경주 창림사지	『考古圖錄』1935, 도판36-2,3,5	
圓瓦		『考古圖錄』1935, 도판36-4	

품명	출토지	출처	비고
圓瓦	경주 신동리 폐사지	『考古圖錄』1935, 도판36-6	
平瓦	경주 보문사지	『考古圖錄』1935, 도판37-1	
平瓦	임해전지	『考古圖錄』1935, 도판37-2	
平瓦	경주 부근	『考古圖錄』1935, 도판37-3,5	
平瓦	동천리 폐사지	『考古圖錄』1935, 도판37-4	
塼	경주 임해전지	『考古圖錄』1935, 도판38-1~3	
塼	경주 월성지	『考古圖錄』1935, 도판38-4	
塼	울산 농소면 출토	『考古圖錄』1935, 도판38-5~8	

품명	출토지	출처	비고
甎佛	평남 평원군 덕산면 출토	『考古圖錄』1935, 도판39-1	 中村眞三郎 기증
甎佛 4종	발해 구도 동경성 출토	『考古圖錄』1935, 도판39-2~5	 水野淸一 기증
異形石器	경주 부근 발견	『考古圖錄』1935, 도판48-5	有光敎一 기증

품명	출토지	출처	비고
조선 각지 발견 토기, 석기	선산 부근, 평남 미림리, 경주 남산, 경주부근	『考古圖錄』1951,[474] 도판39	 柴田鈴三, 諸鹿央雄, 水野清一, 田中秀作 기증
綠釉陶壺	집안현 고구려고분 출토	『考古圖錄』1951, 도판40-1	 七田忠志 기증

474 京都大學文學部,『京都帝國大學文學部陳列館 考古圖錄』, 1951년 3월.

품명	출토지	출처	비고
瓦製明器竈	집안현 고구려고분 출토	『考古圖錄』1951, 도판40-1	七田忠志 기증
瓦	부여 군수리 폐사지 출토	『考古圖錄』1951, 도판41-1	조선고적연구회 기증
瓦	부여 舊待里 출토	『考古圖錄』1951, 도판41-2	藤澤一夫 기증
瓦	경주 천관사지 출토	『考古圖錄』1951, 도판41-3, 4	小川敬吉 기증

품명	출토지	출처	비고
鬼面瓦	경주 출토	『考古圖錄』1951, 도판41-5	

* 경주 부근 발견 와전

1935년의『고고도록』에는 경주 부근에서 출토한 와전이 많이 나타나 있다. 하마다와 우메하라가 공저한『신라고와의 연구』를 보면 "우리가 교토제국대학 문학부 고고학교실에서 대정7년 이래 수십 회에 걸쳐 경주를 방문할 때 자연스럽게 입수한 고와는 거의 3백에 달하고 그 중에는 약간의 중요품을 포함하고 있다"[475] 하는 것으로 보아 이들은 경주를 방문할 때 마다 와전을 수집하여 대학으로 반출한 것이다.

* 평양부에서 기증한 영화9년명전

영화9년명전이 나온 무덤은 1932년 평양역 구내 철로 아래에서 발견된 벽돌무덤塼築墳으로 1932년 5월에 조사를 했다. 영화9년명벽돌이 출토되어 '영화9년명 출토 고분' 또는 '평양역전 전실분'이라고도 부른다. 이 고분은 이미 도굴되어 소량의 유물만이 출토되었다. 금제가는귀고리細環耳飾 1점, 금동투조금구, 칠안漆案, 토기파편 1점과 생선뼈가 붙은 칠기가 발견되었고, 굵은고리귀고리太環耳飾 1점, 철환鐵環, 철제띠고리, 도금된 철기 등이 발견되었다. 평양부에서 교토대학에 기증한 전은 '영화구년삼월십일요동한현도태수령동리조永和九年三月十日遼東韓玄菟太守領

475 濱田耕作, 梅原末治,『新羅古瓦の研究』, 京都帝國大學, 1934.

佟利造'의 명문이 있는 것으로 평양역구내 지하의 전축분에 사용되었던 전이다.[476]

* 부산고고회가 기증한 부산 동삼동패총

1931년에 부산을 중심으로 고고학에 관련한 연구와 취미 보급을 목적으로 결성한 부산고고회의 회원 명부를 보면 30여 명이 결성되어 있다. 박문당이라는 골동상점을 운영하는 요시다 신이치吉田新一 외에는 모두 일반인들로 구성되어 있다. 1908년 탁지부 부산세관에 부임하여 1921년부터 전주전매국에 근무한 오오타니 요시타로大曲美太郎, 1927년 동래보통학교 후에 진해여자고등학교에 근무한 오이카와 다미지로及川民次郎, 1912년 3월 조선공립소학교 훈도에 임명되어 한국에 건너온 나미마츠 시게로並松茂, 부산을 중심으로 식림 및 농장을 경영한 다케시타 요시타카竹下佳隆 등이 있었다. 이들은 동호인회 성격의 와전이나 도자기 전람회를 수시로 가졌던 점으로[477] 보아 당시 부산 일대를 중심으로 한 수집가들로 보인다.

부산고고회에서는 수시로 부산일대의 유물을 수집하고 일대의 유적을 발굴하기도 했다. 1931년에는 동래고등보통학교 교유 오이카와 다미지로及川民次郎가 동삼동 패총 발굴하고, 1934년에는 오오타니 요시타로大曲美太郎가 경남 동래군 낙동강안 대포 패총을 발굴 조사했다.[478] 이중에서 1931년에 발굴한 부산

---

476 榧本龜次, 野守健, 「永和九年在銘傳出土古墳調查報告」, 『昭和7年度古蹟調查報告書 第1冊』, 朝鮮總督府, 1933.

477 高須賀虎夫, 『朝鮮陶磁』, 釜山考古會, 1932.
부산고고회에서는 창립 5년의 기념사업으로 금년 가을 부산에서 조선교육총회 및 경남교육총회가 개최되는 계기로 교육총회장의 1실을 빌어 향토관계의 고고전람회를 개최하기도 했다(『매일신보』 1936년 7월 26일자).

478 早乙女雅博, 「新羅の考古學調査 100年の研究」, 『朝鮮史研究會論文集』 39, 朝鮮史研究會, 2001년 10월. p.77.

동삼동 패총에서 발굴한 일부의 유물을 교토대학에 기증했다.

1935년도 도교박물관 수입품

　도쿄제실박물관의 『제실박물관연보(昭和10年 1月~12月)』[479]를 보면 1935년
에는 경주 황남리, 보문리, 천북리 기타 경주 일대의 고분에서 출토된 유물(歷
史部第11區4399~4520)을 대량 구입한 건이 보이고 있다. 이 유물들은 한일협
정 때 반환받은 모로가 히데오諸鹿央雄의 반출물과 상당히 일치하고 있는 점으
로 보아 대부분은 모로가의 반출물로 보인다. 한일협정 때 도쿄국립박물관으
로부터 반환받은 「한일회담 반환문화재 인수유물목록」[480]을 보면 모로가가 도
쿄박물관에 기증하였던 상당한 유물이 포함되어 있다. 이들은 모두 고분에서
나온 유물들로서, 모로가가 도굴꾼들과 상당한 연관이 있었던 것임을 짐작케
하고 있다. 모로가는 도굴과 관련한 장물취급으로 경주박물관장을 퇴임한 후
에 중요한 유물을 몇 차례에 걸쳐서 한 번에 몇 십 개씩 도쿄제실박물관에 납
입하였는데 '무상인물골호舞象人物骨壺'도 바로 그러한 유물에 속한다. 모로가諸
鹿는 1935년 6월 1일 다른 7개의 큰 골호와 아울러 도쿄제실박물관에 납입했는
데 한일협정에 의해 찾아오게 된다.[481]

479　帝室博物館, 『帝室博物館年譜(昭和10年 1月~12月)』, 1936.
480　韓國美術史學會, 『考古美術』165호, 1985.
481　崔淳雨, 『崔淳雨全集』, 學古齋, 1992.

모로가는 경주에 재주하는 동안 경주고적보존회, 경주사담회, 경주박물관 주임으로 활동하면서 각종 발굴에 참여하였다. 그가 직접 수집하거나 도굴을 사주하여 많은 도굴품을 소장했으며 이들 중 대부분 일본의 박물관이나 대학에 기증 또는 매도했다. 그는 따지고 보면 경주 문화재를 권력과 경제적 치부로 이용한 자로, 경주 문화재를 거침없이 파괴 유린한 자라 할 수 있다.

1935년도 도교박물관 수입품

유물 명	출토지	유물 번호	출처	비고
把手付杯	경남 웅동면 마천리 용금동 발굴		『東博圖版目錄』 2004. 圖56	기증.1935년 乾慶藏
巴手付柑	경남 웅동면 마천리 발굴	歷史部第11區 4521	『年譜(1935)』	기증. 乾慶藏
弩機	평남 대동강면 낙랑고분 발굴	歷史部第11區 4371, 圖版26	『年譜(1935)』[482]	구입
石羊	강원도 발견, 고려시대	歷史部第11區 4375, 圖版27	『年譜(1935)』	구입
石羊	강원도 발견, 고려시대	歷史部第11區 4376	『年譜(1935)』	구입
古墳扉金具	경남 창령 발굴	歷史部第11區 4378	『年譜(1935)』	구입
鐵製柄頭	경남 창령 발굴	歷史部第11區 4379	『年譜(1935)』	구입
車軸頭	조선 낙랑	歷史部第11區 4398	『年譜(1935)』	구입
石斧 2점	경주 발견	歷史部第11區 4399, 4400	『年譜(1935)』	구입

---

482 帝室博物館, 『帝室博物館年譜(昭和10年 1月~12月)』, 1936.

유물 명	출토지	유물 번호	출처	비고
砥石	경주 발견	歷史部第11區4401	『年譜(1935)』	구입
石器	경주 발견	歷史部第11區4402	『年譜(1935)』	구입
石環	경주 발견	歷史部第11區4403	『年譜(1935)』	구입
石庖丁	경주 발견	歷史部第11區4404	『年譜(1935)』	구입
石劍 2점	경주 발견	歷史部第11區4405, 4406	『年譜(1935)』	구입
石劍殘片	경주 발견	歷史部第11區 4407	『年譜(1935)』	구입
石槍殘片	경주 발견	歷史部第11區 4408	『年譜(1935)』	구입
石鏃 3개	경주 발견	歷史部 第11區 4409~4411	『年譜(1935)』	구입
細形銅劍	경북 천북면 신당리	歷史部第11區 4412	『年譜(1935)』	구입
銅鏃	경북 천북면 신당리	歷史部第11區 4413	『年譜(1935)』	구입
金製頸飾 1連	경주 황남리	조선고적연	『年譜(1935)』	구입
金製耳飾 2쌍	경주 황남리	歷史部第11區 4415, 4416	『年譜(1935)』	구입
金製耳飾殘缺	경주 황남리	歷史部第11區 4417	『年譜(1935)』	구입
金環 3개	경주 황남리	歷史部第11區 4418	『年譜(1935)』	구입
金製太環	경주 황남리	歷史部第11區 4419	『年譜(1935)』	구입
小玉 11連	경주 발굴	歷史部第11區 4420~4430	『年譜(1935)』	구입
切子玉 8개	경주 발굴	歷史部第11區 4431	『年譜(1935)』	구입
勾玉 2점	경주 발굴	歷史部第11區 4432, 4433	『年譜(1935)』	구입
水晶製勾玉 3개	경주 발굴	歷史部第11區 4434	『年譜(1935)』	구입
算盤玉	경주 발굴	歷史部第11區 4435	『年譜(1935)』	구입

유물 명	출토지	유물 번호	출처	비고
琉璃製小玉 3개	경주 발굴	歷史部第11區 4436	『年譜(1935)』	구입
切子玉 9개	경주 발굴	歷史部第11區 4437	『年譜(1935)』	구입
丸玉 2개	경주 발굴	歷史部第11區 4438	『年譜(1935)』	구입
小玉 13개	경주 발굴	歷史部第11區 4439	『年譜(1935)』	구입
金銅製帶金具 2개	경주 보문리 발굴	歷史部第11區 4440	『年譜(1935)』	구입
銀製帶金具 2개	경주 황남리 발굴	歷史部第11區 4441	『年譜(1935)』	구입
銀製帶金具 2개	경주 황남리 발굴	歷史部第11區 4442	『年譜(1935)』	구입
毛拔	경주 보문리 발굴	歷史部第11區 4443	『年譜(1935)』	구입
垂下飾 17개	경주 보문리 발굴	歷史部第11區 4444	『年譜(1935)』	구입
垂下飾 2개	경주 보문리 발굴	歷史部第11區 4445	『年譜(1935)』	구입
金銅製柄頭 2점	경주 발굴	歷史部第11區 4446, 4447	『年譜(1935)』	구입
銀製柄頭	경주 발굴	歷史部第11區 4448	『年譜(1935)』	구입
金銅製杏葉 2개	경주 황남리 발굴	歷史部第11區 4449	『年譜(1935)』	구입
金銅製雲珠殘缺 2개	경주 황남리 발굴	歷史部第11區 4450	『年譜(1935)』	구입
銅製馬鐸	경주 황남리 발굴	歷史部第11區 4451	『年譜(1935)』	구입
鐎斗殘缺 3개	경주 황남리 발굴	歷史部第11區 4452	『年譜(1935)』	구입

유물 명	출토지	유물 번호	출처	비고
金銅製佛形立像(高10.8糎)	경주 황남리 발굴	歷史部第11區 4453, 圖版28	『年譜(1935)』	구입
金銅製佛形立像(高4.8糎)	경주 황남리 발굴	歷史部第11區 4454	『年譜(1935)』	구입
金銅製佛形立像殘缺	경주 황남리 발굴	歷史部第11區 4455	『年譜(1935)』	구입
金銅製佛形立像(高4.8糎)	경주 황남리 발굴	歷史部第11區 4456	『年譜(1935)』	구입

유물 명	출토지	유물 번호	출처	비고
金銅製佛形立像(高6.6糎)	경주 황남리 발굴	歷史部第11區 4457	『年譜(1935)』	구입
銅製佛形立像 殘缺	경주 황남리 발굴	歷史部第11區 4458	『年譜(1935)』	구입
金銅製佛形立像(高8.7糎)	경주 황남리 발굴	歷史部第11區 4459	『年譜(1935)』	구입
金銅製佛形立像殘缺(高5.5糎)	경주 황남리 발굴	歷史部第11區 4460	『年譜(1935)』	구입
金銅製佛形立像殘缺(高5.6糎)	경주 황남리 발굴	歷史部第11區 4461	『年譜(1935)』	구입
銅製佛形立像殘缺(高11.5糎)	경주 황남리 발굴	歷史部第11區 4462	『年譜(1935)』	구입
土製佛像(高8.8糎)	경주 황남리 발굴	歷史部第11區 4463	『年譜(1935)』	구입
金銅製經筒殘缺	경주 황남리 발굴	歷史部第11區 4464	『年譜(1935)』	구입
燭臺	경주 황남리 발굴	歷史部第11區 4465	『年譜(1935)』	구입
瓢形垂飾 3점	경주 황남리 발굴	歷史部第11區 4466~4468	『年譜(1935)』	구입
指輪 2개	경주 황남리 발굴	歷史部第11區 4469	『年譜(1935)』	구입
小玉	경주 황남리 발굴	歷史部第11區 4470	『年譜(1935)』	구입
玉佩 8개	경주 황남리 발굴	歷史部第11區 4471	『年譜(1935)』	구입
骨壺 15개	경주 발굴	歷史部第11區 4472~4488	『年譜(1935)』	구입
坩形土器	경주 발굴	歷史部第11區 4489	『年譜(1935)』	구입
脚付坩	경주 발굴	歷史部第11區 4490	『年譜(1935)』	구입

유물명	출토지	유물 번호	출처	비고
長頸坩	경주 발굴	歷史部第11區 4491	『年譜(1935)』	구입
洋盃形脚付陶器	경주 발굴	歷史部第11區 4492	『年譜(1935)』	구입
水瓶形陶器	경주 발굴	歷史部第11區 4493, 圖版29	『年譜(1935)』	 구입
脚付盌	경주 발굴	歷史部第11區 4494	『年譜(1935)』	구입
陶製竈具	경주 발굴	歷史部第11區 4495	『年譜(1935)』	구입
陶製壺	경주 발굴	歷史部第11區 4496	『年譜(1935)』	구입
陶器	경주 발굴	歷史部第11區 4497	『年譜(1935)』	구입
臺付長頸坩	경주 발굴	歷史部第11區 4498	『年譜(1935)』	구입
茸形陶器	경주 발굴	歷史部第11區 4499	『年譜(1935)』	구입
鳥形陶器	경주 발굴	歷史部第11區 4500	『年譜(1935)』	구입
洋盃形陶器	경주 발굴	歷史部第11區 4501	『年譜(1935)』	구입
蓋付方形陶器	경주 발굴	歷史部第11區 4502	『年譜(1935)』	구입
蓋付洋盃形陶器	경주 발굴	歷史部第11區 4503	『年譜(1935)』	구입
蓋付高杯	경주 발굴	歷史部第11區 4504	『年譜(1935)』	 구입
洋盃形陶器	경주 발굴	歷史部第11區 4505	『年譜(1935)』	구입
高杯 2점	경주 발굴	歷史部第11區 4506, 4507	『年譜(1935)』	구입

유물 명	출토지	유물 번호	출처	비고
注付形扁圓陶器	경주 발굴	歷史部第11區 4508	『年譜(1935)』	구입
球形陶器 3점	경주 발굴	歷史部第11區 4509~4511	『年譜(1935)』	구입
扁圓形陶器 3점	경주 발굴	歷史部第11區 4512~4514	『年譜(1935)』	구입
球形陶器 2점	경주 발굴	歷史部第11區 4515, 4516	『年譜(1935)』	구입
角形陶器 2점	경주 발굴	歷史部第11區 4517, 4518	『年譜(1935)』	구입
筒形陶器	경주 발굴	歷史部第11區 4519	『年譜(1935)』	구입
陶偶 7개	경주 발굴	歷史部第11區 4520	『年譜(1935)』	 구입
垂飾	신라시대	美術工藝部第1區 內1219, 圖版41	『年譜(1935)』	 구입
釉裏紅壺	조선시대	美術工藝部第2區 內986	『年譜(1935)』	구입

유물 명	출토지	유물 번호	출처	비고
靑磁酒注	고려시대	美術工藝部第2區內987, 圖版47	『年譜(1935)』	 구입
白磁鳥形酒杯	조선시대	美術工藝部第2區內988	『年譜(1935)』	구입
雙耳洗	조선시대	美術工藝部第2區內989, 圖版48	『年譜(1935)』	 구입
花三島鉢	조선시대	美術工藝部第2區內990	『年譜(1935)』	구입
三島手鉢	조선시대	美術工藝部第2區內991	『年譜(1935)』	구입
染付鐵砂扁壺	조선시대	美術工藝部第2區內992	『年譜(1935)』	구입
橫長壺	조선시대	美術工藝部第2區內993	『年譜(1935)』	구입
染付鐵砂大壺	조선시대	美術工藝部第2區內994	『年譜(1935)』	구입
染付壺 2점	조선시대	美術工藝部第2區內995, 996	『年譜(1935)』	구입
染付八角德利	조선시대	美術工藝部第2區內997	『年譜(1935)』	구입
鐵砂德利	조선시대	美術工藝部第2區內998	『年譜(1935)』	구입
釉裏紅德利	조선시대	美術工藝部第2區內999	『年譜(1935)』	구입

유물 명	출토지	유물 번호	출처	비고
染付皿 12개	조선시대	美術工藝部第2區內1000	『年譜(1935)』	구입
染付筆筒	조선시대	美術工藝部第2區內1001	『年譜(1935)』	구입
染付水滴	조선시대	美術工藝部第2區內1002	『年譜(1935)』	구입

1935년도 도쿄박물관 수입품 중에는 목록번호 역사부 제11구 4414~4419는 경주 황남리로 표기하고 있는데, 이들은 경주 황남리 82호분, 16호분, 54호분 출토품과 일치하고 있다.

도쿄박물관에서는 1935년에 '구입'한 것으로 기록하고 있으나 이는 조선고적 연구회에서 도쿄박물관에 헌납한 것이다.

당시 총독부박물관의 공문서 기록에 의하면 출토유물에 대해 총독부부 박물관으로 입고하는 것으로 하여 목록을 작성하였는데, 그 중 어떤 유물에 대해서는 'ㅇ'로 표시한 것이 중간에 섞여 있다. 이 같은 유물은 어떤 의미를 가지고 있다고 볼 수 있는데, 아닌게 아니라 이 유물에 대해서는 이미 일본으로 헌납하기 위한 중요 유물로 표기한 것이다. 문서철의 또 어떤 문서에는 별도로 이들을 모아 <헌상품獻上品 잔여 목록> 으로 하여 작성하고 있음을 볼 수 있다. 문서 제목으로만 보면 어떤 많은 유물을 헌납하고 남은 잔여 유물처럼 보이는데,[483] 1935년 도쿄박물관의 수입품 목록과 일치한 점으로 보아 처음부터 도쿄박물관에 헌납하기 위한 것이거나, 아니면 많은 것을 헌납하고 남겨두었다가

---

483 「昭和8~18년도 인계품, 기부품, 채집품 문서철」,『조선총독부박물관 공문서』, 목록번호 : 97-발견20.

1935년에 헌납한 것으로 밖에 볼 수 없다 이에 대한 추구가 필요하다.

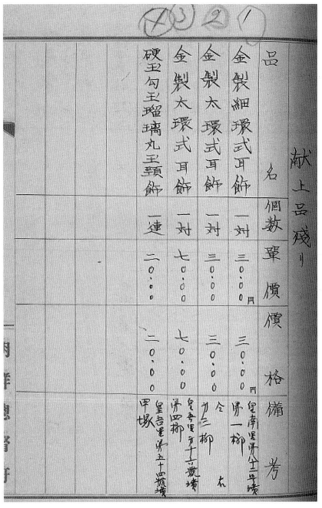

헌상품(献上品) 잔여 목록, 평가서
(1936년 1월 조선총독부박물관협의회원 藤田亮策

색인